たった1日で即戦力になるExcelの教科書

［改訂第3版］

YOSHIDA KEN
吉田 拳

技術評論社

免責

本書に記載された内容は、情報の提供のみを目的としています。したがって、本書を用いた運用は、必ずお客様自身の責任と判断によっておこなってください。これらの情報の運用の結果について、技術評論社および著者はいかなる責任も負いません。
また、ソフトウェアはバージョンアップされる場合があり、本書での説明とは機能内容や画面図などが異なってしまうこともありえます。本書ご購入の前に、必ずバージョン番号をご確認ください。
以上の注意事項をご承諾いただいたうえで、本書をご利用願います。これらの注意事項をお読みいただかずに、お問い合わせいただいても、技術評論社および著者は対処しかねます。あらかじめ、ご承知おきください。

商標、登録商標について

本文中に記載されている製品の名称は、一般に関係各社の商標または登録商標です。なお、本文中では™、®などのマークを省略しています。

改訂第3版の刊行に際して

2014年に『たった1日で即戦力になるExcelの教科書』を出版してから、10年の月日が流れました。その間にも、Excelはバージョンアップを繰り返しながら、新しい関数や機能が追加されてきました。また、2023年にはChatGPTをはじめとする生成AIが一般的にも広く活用されはじめ、Excelにも「Copilot」と呼ばれる生成AIによるアシスタント機能が追加されると話題になっています。

このような大きな変化が起きている流れを受けて、改訂第3版では以下の内容を中心に、大幅に加筆・修正をおこないました。

・ChatGPTなど生成AIの活用
・テーブル
・スピル
・Excel 2021 ／ Microsoft365 以降で使える画期的に便利な新関数

Excel 2019以前のバージョンをお使いの方にはスピルと新関数はまだ使えないものにはなってしまいますが、「最新のExcelはこう進化しているらしい」という参考情報としてお楽しみいただければと思います。

一方で、Excel効率化の基本的な原則は何ら変わっていません。

私が経営する株式会社すごい改善では、2010年の設立以来、数多くの企業、官公庁、大学、自治体からの要請を受けて、Excel作業の効率化、時短、生産性の向上を実現して参りました。また毎週末に東京を中心に各地で開催しているExcel講座は、オンライン版を含めて10000名以上の方にご参加いただきました。そのクライアント、受講者の皆様から寄せられるご相談に対応し続ける中で、結局は「データベースファーストの原則」と「インプット・マスタ・アウトプットの原則」の2つが根幹の最重要原則であり、その実践のために限られたいくつの関数が使えれば十分です。

いつまでもExcelばかり勉強しているわけにもいきません。実務に必要なExcelのノウハウは、ほぼすべて本書だけでまかなえます。

「いつまでもExcelを触ってないで仕事しよう」

これは、私がクライアントの皆様によく申し上げている言葉です。
面倒なExcel作業をそのまま頑張ろうとせずに、なんとかラクして済ませたいと考える「前向きな怠惰」の思考。そして、本書で解説する基礎。それだけあれば十分です。
本書を読み終わったあとは、ぜひ「Excelが使える人」と自信を持ってご活躍されることを願っています。

はじめに

あなたのExcel作業は、ほとんどすべて時間のムダかもしれません

「Excelの作業に何時間もかかってイライラする」
「煩雑な手順のせいでミスがたえない」
「本で勉強しようとしても、どれを読めばいいのかわからない」

そんな状態になっていないでしょうか？
もし「今でもExcelは何とかなっている」と思っていても、その所要時間の99%には削減できる余地が潜んでいます。Excelには、実務を効率化するのに「知らなかった」では済まされないことがいくつかあります。それらをできるだけ早い段階で知っておく必要があります。

資格を取っても、パソコン教室に通っても、現場で通用しない理由

では、「Excelのスキルアップ」はどのようにしたら実現するのでしょうか？
よく選択されている方法は以下の2つですが、じつはどちらも役に立たないことがほとんどです。

・資格を取得する
・パソコン教室に通う

私はExcelのセミナーを開催していますが、そこにいらした受講者様の多くが「資格を取得したが、仕事でまったく活かせていない」というお悩みを抱えて弊社の門を叩かれているという現実があります。

また、弊社のクライアント企業の担当者様からも、「資格取得者を採用してみたが、まったくExcelが使えない」「資格を取らせたが、まったくスキルが上がっていない」というご相談をいただいています。

なぜこのような問題が起きるかと言えば、Excelの資格は、Excelの機能や関数に関する知識を広く浅くチェックするためのものだからです。したがって、そこで出題される内容が現実のビジネスで必要なものとは限らないのです。

実務経験の豊富なインストラクターさんが教えてくれるなら、パソコン教室も有益でしょう。しかし、そうした学校を探すのはどうもかんたんではないようです。Excel教室では専業のインストラクターさんが教えてくださいますが、彼らは必ずしもビジネスにおける実務経験が豊富であるとは限りません。本部が作成した教材を使い、カリキュラムどおりに、マニュアルどおりに講義が進んでいきます。パソコンスクールによっては個別の質問には答えてくれないところもありますが、これは「答えない」というよりは講師のスキル不足により「答えられない」というのが現実です。

某大手パソコンスクールのExcelコースの内容を調べてみると、以下のようなコースがラインナップされていました。

・Excel基礎　90分×12回（2ヶ月）
・Excel応用　90分×12回（2ヶ月）
・ExcelVBA講座　90分×13回（2ヶ月）
・Excel関数実践　90分×13回（2ヶ月）
・Excelビジネス　90分×10回（2ヶ月）

忙しい現代のビジネスパーソンが、Excelのためにこんなに多くの時間をかけて通学している暇はありません。Excelのスキルはたしかに大切ですが、短期間でかんたんに身に着けてしまうべきものです。Excelはあくまでも道具であり、仕事の目的ではないのですから。

必要なのは目的意識と「前向きな怠惰」の発想

では、どうすればいいのでしょうか？

その答えとして執筆したのが本書です。本書は、「最小限の時間で、即戦力になるための知識が身につく」ことを主眼において執筆しました。

Excelは、その機能や関数を100％マスターしても、それだけでは使いこなすことはできません。大切なのは、

「そもそも、Excelで何をするのか?」
「どんな資料を作って、それをどう活かすのか?」

といった目的意識、そして

「必要な作業を、いかに効率的に、ラクに、ミスなく済ませる仕組みを実現するか?」

という発想力です。

私は、これまで50社以上のクライアント企業様へExcel業務の改善指導をおこなってきました。定期的に開催しているExcelセミナーでも、実務直結型のExcel研修を提供し、のべ2000名以上の方を指導してきました。その中で、数多くのご相談をいただき、幅広い業種業界に共通する課題を解決していく中で、

「自分が今まで長時間かけていたのは何だったんだ……」

という声を数多く耳にして参りました。実際に、本書に書いたことを実践していただくことで、「30分かかっていた作業が数秒に」「2日かかっていた作業が5分に」といった時間短縮が実現しています。時間短縮だけでなく、煩雑な手間が省けることから「ミスがなくなり、仕事の精度が上がる」という効果も出ています。

時間のかかる面倒な作業があったとしたら、まちがってもそこにすばらしい根性を発揮してはいけません。そのような作業はいかにラクして瞬時に済ませられるだろうかと考える、「前向きな怠惰」の発想を身に着けていただきたいのです。

本書がそのための一助となれば、これに勝る喜びはありません。

第1章 最初に知っておくべき7つのポイント

データに重複があるかを確認する方法

連番をラクに入力する方法

右方向への大量のVLOOKUP関数の入力をかんたんにする方法

VLOOKUP関数で検索範囲の列順の変動に対応するには

同じ検索値が複数ある表でVLOOKUP関数を使うテクニック

VLOOKUP関数で検索列より左側の値を取得できるか

関数を使いこなして日付や時刻の処理をより便利に

第6章 文字を自在に扱う

文字列操作の超基本

文字列をうまく分割する

データをきれいに整える

文字を効率的に処理する

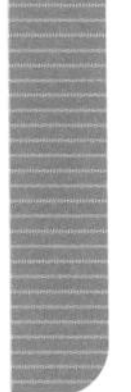

第7章 表作成の極意 ～日々の資料作成を効率化するには

「Excelで仕事をする」とはそもそもどういうことか

セル内改行と罫線で注意すべきこと

セル結合による非効率地獄をなくす

並べ替え・オートフィルタ・ピボットテーブルが正しく動作する条件を把握する

データの表示にひと工夫加える方法　～ユーザー定義

「データの入力規則」を活用し、ムダとミスを減らす

リスト入力で参照範囲を変更する手間をなくす

コピペもただ貼りつけるだけじゃない!
～「形式を選択して貼り付け」を駆使する

めんどうなデータ処理を瞬時に終わらす

より快適に操作するために知っておきたいこと

フォーマットを壊さないための措置　～シートの保護

印刷にまつわる諸問題を解決するには

第 8 章 Excelをより快適にする進化を使いこなす

知らないと困る「テーブル」の基本

数式が自動展開される「スピル」の基本

スピルを活用した強力な関数を使いこなす

Excelにおいて生成AIはどう活用できるか

第9章 グラフを使いこなす

5大グラフの使い方を理解する

グラフづくりに最低限必要な知識

「見やすいグラフ」にするためのコツ

より高度なグラフの作り方

第10章 成果につながるExcel仕事の本質をおさえる

データ分析の基本とは

材料データを一瞬で完成品の表に変換するテクニック

最小の労力で最大の成果を出す80:20分析（パレート分析）

第1章

最初に知っておくべき7つのポイント

ルーティンワークが自動で瞬殺される仕組みを作る

知識不足がもたらす衝撃的なデメリット

「ほかの人が作ったExcelファイルを使って仕事をしているのですが、そこに入力してある内容の意味がわからないまま使っているんです……」

私がExcelの業務効率化をお手伝いしている現場で比較的多いケースです。つまり、入力されている内容がまちがっていたとしても気づかないことになります。また、入力してある内容を誤って消してしまったりしたら、もう元に戻せない。そして、それをだれにも言えずにそのまま放置してしまった結果、大事なデータ分析ができなくなってしまった……そんなケースもありました。

「Excelのデータ処理作業に時間がかかって、それだけで半日終わってしまうんです……」

こちらは毎日遅い時間まで残業していたある会社員のケース。なぜそんなに残業が発生しているのか聞いてみると、Excelで作られている顧客名簿の電話番号数万件において、全角で入力されているものを1つ1つ半角に打ち直し、さらに電話番号のハイフンを手作業で削除していたというのです。そのために、彼は毎日4時間の残業を3日ほど続けていました。しかしこの作業、ちょっと工夫すれば、1分もかからず完了してしまいます。

このように、Excelの基本を知らなかったために膨大な時間のムダとミスを生み、大きく生産性を下げている例は枚挙に暇がありません。ちょっとした方法を知っていれば1分で済む作業なのに、何時間もの貴重な時間を単純作業に費やしているのです。もし、自分にもそのような状況が発生しているとしたら、それは放置しておけるものでしょうか？

営業やコミュニケーションのスキルを上げるのも大事ですが、「それによってビジネスがどうなったのか？」という成果を計るのにExcelを使わないことはあまりありません。「数字で語れ」という本を読むのも大事ですが、その数字を出すのにあまり長い時間をかけていてはいけません。資料を作ること自体に時間をかけている場合ではないのです。数字は一瞬で計算し、資料は素早く作成、その数字について考え、語り、行動する時間を最大限確保する努力をすることこそが重要なのです。

そのために、現代の知識労働者には、Excelを使いこなすことで「作業」ではなく「仕事」をする時間を最大化する努力が必要です。Excelにもできる単純作業はExcelに任せて、人間にしかできない仕事に集中しなければなりません。退屈な長時間の単純作業は集中力を鈍らせ、ミスを誘発し、モチベーションを下げてしまいます。

ムダな時間を垂れ流し続けてはいけない

・毎日、販売データの数値集計に2時間かかっている
（2時間×20日＝月間40時間）

・毎月、月末におこなう交通費の精算作業に1週間かけている
（8時間×5日＝月間40時間）

・お客様へ提出するデータを作成するのに、毎週5時間かかっている
（5時間×月4回＝月間20時間）

そんな作業が、Excel作業の自動瞬殺化をおこなった結果、すべて月間の所要時間が3分以内に短縮されたことがあります。上記の3つめの事例にてお手伝いした方からは

「5時間の作業が……たった2分になりました。2分って（笑）。今まで自

分が5時間苦しんでいたのは何だったんだ……という思いです」

というメールをいただいたぐらいです。月間40時間の作業が5分に短縮されると、39時間55分の時間が新しく生まれます。その時間をより生産的な作業に充てることで、仕事はより楽しくなり、やりがいも増え、会社に貢献することができます。そうすれば、会社の業績は上がり、自分の評価も上がっていくでしょう。

逆にいえば、その作業を放置していたら、この先も毎月その時間をムダに垂れ流し続けることになります。その時間にも、きちんと人件費がかかっています。そのとんでもなくムダな人件費は、毎月流出し続けることになります。そのような人材が会社から高い評価を受けることは断じてありません。

Excelのスキルを上げるのに必要なのは「関数」と「機能」と「アイデア」の3つ

「面接で『Excel使える？』と聞かれて、『使えます』と言っていいのか自信がない……」

そんな疑問をよく目にします。たしかに、求人広告の応募資格にはよく「Word・Excelを使いこなせる方」という表現が書かれていますが、「使いこなせる」の基準がよくわかりませんね。実際問題、そう言ってる採用担当者さん自身、「Excelが使える」という定義についてはっきりおわかりになってないケースが多いものです。

では、そうした面接などの場面でも自信を持って「Excelが使える！」と言える状態とは、どのようなものでしょうか？

具体的にExcelのスキルを上げていくために学ぶ必要があることは、大きく「関数」と「機能」の2つに分かれます。Excelにはさまざまな作業、処理をラクにスピードアップできる便利な関数や機能が用意されているので、まずはそれらにどんなものがあるかをざっと知っておくだけでも随分と作業効率が違ってきます。

一般的な業務のために知っておきたい関数は67個+α

Excel関数は400個以上ありますが、もちろん全部覚える必要はありません。ではいくつぐらい知っておけばいいかというと、職種にもよりますが、平均して30～50個も知っておけば十分すぎるくらいです。弊社の豊富な指導経験から、一般的な業務において知っておくと役に立つ関数を選ぶと以下の67個になります。

SUM／SUMIF／SUMIFS／PRODUCT／MOD／ABS／ROUND／ROUNDUP／ROUNDDOWN／CEILING／FLOOR／COUNT／

COUNTA ／ COUNTIF ／ COUNTIFS ／ MAX ／ MIN ／ LARGE ／ SMALL ／ RANK ／ TODAY ／ YEAR ／ MONTH ／ DAY ／ HOUR ／ MINUTE ／ SECOND ／ WEEKNUM ／ DATE ／ TIME ／ WORKDAY ／ DATEDIF ／ IF ／ IFERROR ／ AND ／ OR ／ VLOOKUP ／ HLOOKUP ／ MATCH ／ INDEX ／ ADDRESS ／ INDIRECT ／ OFFSET ／ ROW ／ COLUMN ／ LEN ／ FIND ／ LEFT ／ MID ／ RIGHT ／ SUBSTITUTE ／ ASC ／ JIS ／ UPPER ／ LOWER ／ PROPER ／ TEXT ／ CODE ／ CHAR ／ CLEAN ／ PHONETIC ／ CONCATENATE（CONCAT） ／ ISERROR ／ REPLACE ／ TRIM ／ VALUE ／ NETWORKDAYS

さらに、Excelのバージョンアップに伴って、従来の課題を解決した非常に便利な関数が登場してきています。この点からも、可能であればMicrosoft 365の使用を推奨しています。

・MAXIFS ／ MINIFS ／ TEXTJOIN（Excel 2019以降）
・XLOOKUP ／ UNIQUE ／ SORT ／ FILTER（Excel 2021 ／ Microsoft 365以降）

もちろん、いきなりこれらをすべて覚える必要はありません。第3章で解説しますが、基本となる6つの関数を覚えるだけで、あなたのExcel力はかなり高まることでしょう。

なお、基本関数として名高いAVERAGE関数を含めていないのには意味があります。平均値という指標を安易に使用することへの警鐘です。第10章で解説しますが、「平均値は嘘をつく」というリスクを忘れてはいけません。平均値を出したければ、合計を要素数で割って出すようにしてください。

知っておきたい9つの機能

関数と同時に大事なのが、Excelの機能に関する知識です。これも関数と同様さまざまなものがありますが、一般的な業務において活躍することが多い重要機能は以下の9つです。

① 条件つき書式（[ホーム] タブ→ [条件つき書式] をクリック）

たとえば「売上前年比が100％を下回っていたらそのデータに色をつける」というように、セルの値によってセルの書式を設定できる機能です。

② データの入力規則（[データ] タブ→ [データの入力規則] をクリック）

同じ値を何度も入力する場合に、プルダウンメニューから選択できるようにするものです。また、セルに入力できる値を制限することで入力ミスを防ぎます。

③ 並べ替え（[データ] タブ→ [並べ替え] をクリック）

たとえば顧客データの分析の基本は、売上の大きい順に並べ替えることから始まります。

④ オートフィルタ（[データ] タブ→ [フィルタ] をクリック）

条件に一致するデータだけを抽出します。

⑤ ピボットテーブル（[挿入] タブ→ [ピボットテーブル] をクリック）

データ集計の強力なツール。しかし、定期的に作成する資料で使うとかえって効率を落とすリスクがあることには注意が必要です。

⑥ オートフィル（連続データの起点となるデータを入力したセルのフィルハンドルをドラッグ）

数字や曜日など、連続データの入力をラクにします。

⑦ シートの保護（［校閲］タブ→［シートの保護］をクリック）

せっかく入力しておいた関数を消してしまったり、壊さないための防御策です。

⑧ 検索と置換（ショートカット Ctrl + H ）

特定のデータを探したり、文字の修正や削除を一括でおこなうための超重要機能です。検索のみをおこなうショートカットとして、Ctrl + F も頻繁に使用されます。

⑨ ジャンプ（ショートカット Ctrl + G ）

「コメントが入っている」とか「空白である」など一定の条件に合うセルを一括選択して処理します。

関数や機能を組み合わせる「工夫」と「アイデア」が一番重要

面倒な作業に出会ったら、「ラクに解決してくれる機能はないか」と調べながら使いこなせるようになれば十分です。最初からすべて完全に覚えておく必要はありません。あなたは試験勉強をするわけではありません。わからなかったら調べればいいのです。だれかに聞けばいいのです。

関数や機能をすべてマスターしても意味はありません。それらの組み合わせと仕組みづくりの発想、アイデアがなにより大切になります。そして、その仕組みづくりはとても楽しく、おもしろい作業です。狙いどおりに決まったときはとても気持ちよく、仕事が楽しくなります。

なお、Excelは極めて直感的に扱えるようになっているソフトです。画面上部のメニューを探していけば、セルに色をつけたり、罫線をつけたりするのはかんたんにできます。したがって、本書では触っていればそのうち身に着くような基本操作に関する説明は省略しています。

入力するデータは たったの4種類

Excelを使いこなすといっても、基本的には「正しいセルに、正しい入力をする」ことが基本になります。では、セルに入力するデータにはどんなものがあるのでしょうか？

セルに入力するデータは、4つの種類に分けられます。この4つの基本をかんたんにおさえておくと、後々困ることがなくなります。

① 数値

0、1、2、3……といった、計算や集計に使われる数字です。

数値とは、あとで数値集計、計算に使えるデータです。そのための注意点として、セルに数値を入力する際は「単位」をつけないでください。たとえば「100000円」や「10000人」のように単位をつけて入力してしまうと、そのデータは「数値」ではなく「文字列」となってしまい、計算に使えなくなってしまいます。データはあとあと再利用することを想定して入力するものですから、この点に注意してください。

また、この再利用性を確保するため、数値は「実際の数値」を入力します。たとえば、数値の単位が「千円単位」だからと実際の1000分の1の数字を入力していたり、端数を丸めた数値を入力しているケースがありますが、そうしてしまうとデータをあとあと計算に使えなくなってしまいます。

このような数値の「見た目」を整える作業は、セルの書式設定や関数でおこないます。また、3桁ごとに区切りとなるカンマも、自分で入力せず、書式設定でまとめて表示させるのが効率的です。

このように、数値は単位をつけず、再利用できるもともとの値をそのまま入力します。これを「再利用可能データ保持の原則」と呼びます。

② 文字列

数値以外のひらがな、カタカナ、漢字、アルファベット、その他記号などの文字です。

注意点として、関数の中で文字列を使う場合は、ダブルクオーテーション（""）で囲んで入力する必要があります。

【例】

```
=IF(A1>=80,"A","B")
```

数値の「80」はそのまま入力されていますが、文字列の「A」と「B」はダブルクオーテーションで囲んで入力している点に注目してください。

また、セルに文字列を入力する際は「前後にスペースを混入させない」ことに注意してください。特に、末尾にスペースが混じってしまうことによって、本来の値とは異なる値になってしまい、問題を引き起こすことがあります。セル内での横位置を調整しようと、文字列の先頭にスペースを入れているケースが散見されますが、そのような時は「インデント」で調整するようにしてください。

たとえばこちらの図は、D列とE列で、1行めと2行めの文字列が同一のものになっているかを確認している様子です。1行めと2行めの文字列が同一であればTRUE、同一でなければFALSEという結果が出る「論理式」と呼ばれる判定式を各列の3行めに入力している状態です。いずれの列でも、2行めの文字列は1文字分右にずらしているのがわかります。

D列の2行めでは、そのために、先頭に全角スペースを入力しています。すると、その値は1行めとは異なる値になってしまいます。

一方、E列の2行めでは、赤枠内にある2つの「インデント」のアイコンの右側を1度クリックすることで、見た目上の位置をずらしています。これなら1行めと同じ値、という結果になっています。

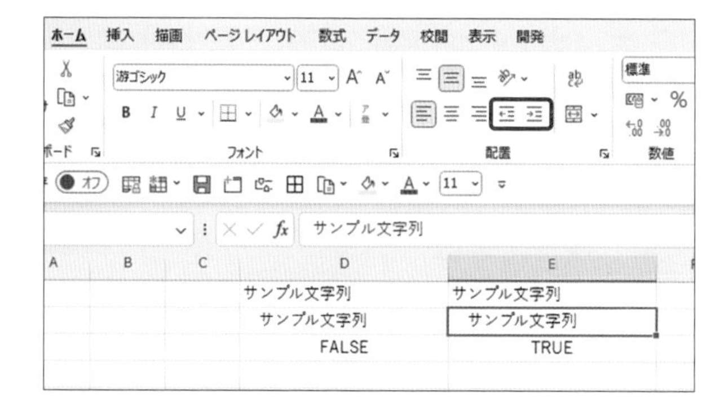

③ 日付・時刻（シリアル値）

Excelに日付データを正しく入力するには、「2014/1/1」のように、西暦、月、日をスラッシュ（/）で区切って、半角で入力します。日付の入力について特に注意していただきたいのは、「西暦を略さない」ということです（P.150を参照）。

時刻データを入力する場合は、「13:00」というように、時と分をコロン（:）で区切って半角で入力します。

これらの日付や時刻データの実体は「シリアル値」という数値です。その意味では、日付・時刻のデータも数値データの一種と考えることができます。

なお、Excelで扱える日付は「1900/1/1」から「9999/12/31」までです。

④ 数式・関数

Excelでは、さまざまな計算やデータの加工処理をおこなうことができます。そのような処理をするために、セルに数式や関数を入力することができます。実務スキルを上げていくにあたっては、関数の知識を増やすことが重要になります。

関数、数式は、すべて半角英数モードで、イコール記号（=）から入力を始めます。

ショートカットを駆使して
マウスに手を伸ばす頻度を下げる

キーボードなら一瞬で操作できる

Excelに限らず、さまざまなパソコン操作はキーボードやマウスを使っておこないますが、マウスだといくつかメニュー選択などを経るような操作でも、キーボードでは一発で終えることができます。そういった操作を「ショートカット」と呼びます。ショートカットとは「近道」の意味です。

たとえば、[セルの書式設定] を開く際、よくセル上で右クリックメニューから [セルの書式設定] を選択して開くのを拝見しますが、これからはそんなことをしている場合ではありません。その操作はCtrl+1というショートカット一発で開けるのです（数字の1は、テンキーの1では動作しません）。

▼ [セルの書式設定] はCtrl+1で一瞬で開ける

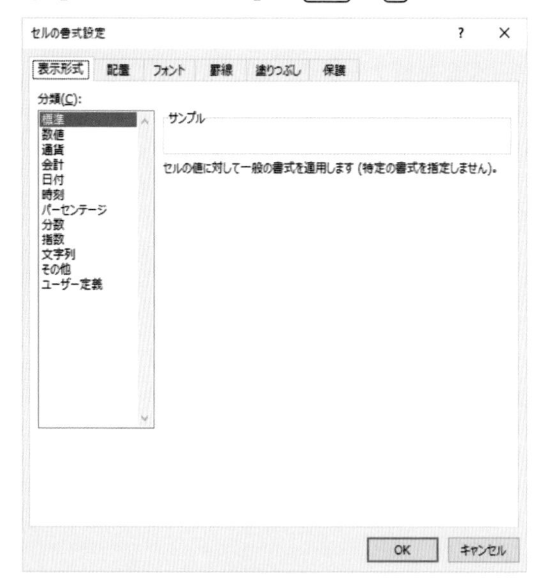

　このように、マウスに手を伸ばすことなく完了できる操作が数多くあります。それらをできるだけ多く身につけるほど、手元のパソコン操作はスピードアップしていきます。
　ほかにも、たとえば前述の［検索と置換］という機能。

「Excelシートの電話番号が入力されているセル範囲において、ハイフン記号を全部なくしたい」
「半角のハイフンをすべて全角に置き換えたい」

といった場合に重宝しますが、これはCtrl+Hのショートカットで起動できます。

▼［検索と置換］はCtrl＋Hで起動

検索と置換　？　×
検索(D)　置換(P)
検索する文字列(N):
置換後の文字列(E):
オプション(T) >>
すべて置換(A)　置換(R)　すべて検索(I)　次を検索(F)　閉じる

　この機能をマウスで立ち上げようと思ったら、Excel 2010の場合は次のように最大で3回の操作が必要になります。

　［ホーム］タブをクリック
→リボン右端にある［検索と選択］を探してクリック
→［置換］をクリック

　［ホーム］タブに［検索と置換］があることを知っていて、スムーズに見

つけることができるという前提でも、3秒はかかります。これでも3倍のスピードの差が生まれます。もたもたしていたら5秒以上かかることもありえます。日常的にスムーズにパソコンを使うことが求められるデスクワークにおいて、これは放置しておいていい差ではありません。

いわゆる「コピペ」操作ぐらいは[Ctrl]+[C](コピー)と[Ctrl]+[V](貼り付け)でできるようにしておきましょう。この操作でさえ、右クリックメニューからおこなっている例を散見しますが、そのスピードの遅さも放置しておけるものではありません。これも10倍以上のスピードの差が出ます。

重要ショートカット一覧

重要なショートカットをいくつかマスターするだけでも、かんたんに10倍以上も操作スピードがアップでき、Excelの基本操作も身につきます。手っ取り早くExcelのスキルを上げたければ、まずどんなショートカットがあるのかをひととおり見ておきましょう。以下に、スピードアップのために最低限知っておいていただきたい、重要なショートカットを列挙します。

・[Ctrl]+[1] → セルの書式設定を開く
・[Ctrl]+[S] → 上書き保存。こまめに押しましょう
・[Ctrl]+[Z] → 操作を元に戻す。何か操作ミスがあったら落ち着いて押しましょう
・[Ctrl]+[F] → シート上やファイル内で探したい文字列を探す(検索機能)
・[Ctrl]+[H] → 複数個所の文字列を一発で修正したり削除したりする(置換機能)
・[Ctrl]+[Enter] → 複数セルへ一括入力する
・[Ctrl]+[D] → 1つ上のセルを複写する
・[Ctrl]+[R] → 1つ左のセルを複写する
・[F4] → 数式の絶対参照を設定する
・[Ctrl]+[F2] → 印刷プレビューを表示する

・Shift + F11 → シートを追加する
・Alt + Shift + = → オートSUMを実行する
・Ctrl + C → コピー
・Ctrl + V → 貼り付け
・Ctrl + X → 切り取り
・Alt + Enter → セル内で改行する
・Ctrl + Space → アクティブセルがある列全体を選択する
・Shift + Space → アクティブセルがある行全体を選択する（ただし、アクティブセルの入力モードが半角英数である必要あり）
・Ctrl + -（マイナス） → セル、行、列を削除する
・Shift + Ctrl + +（プラス） → セル、行、列を挿入する
・Ctrl + Shift + ! → 数値の表示形式を桁区切りにする
・Ctrl + Shift + % → 数値の表示形式をパーセント表示にする

「マウスは使うな」は大きなまちがい

よく「マウスは使うな」「マウスを使わないほうが仕事は速い」という言葉を見かけますが、マウスはどんどん使ってください。コピペなど頻繁におこなう操作は、そのショートカットに慣れておくと、手間は減って作業もスムーズに進みます。しかし、マウスを使わない代わりにタッチパッドでカーソルを操作する、または Alt キーのあとにキーを3つも4つも押すようであれば、それは最早ショートカット（近道）ではありません。そんなにたくさんのキーをまちがえないように押そうとするなら、マウスで該当のメニューをクリックしたほうが速くてかんたんです。そもそもExcelの効率化において、手元の操作スピードなどほとんど意味はありません。

一般的によく使われているいくつかのショートカットを紹介しましたが、もちろん最初からすべて覚えようとする必要はありません。自分がよくおこなう操作についてのみ、ショートカットを調べて慣れていけば十分です。

作ったデータをしっかり守る

業務の効率アップのために一番大切なこと

「パソコンが固まった！　午前中かけて作ったデータがパーだ……」

SNSでよく拝見する悲鳴です。

パソコンの状態が不安定になっている場合は、作業中に突然フリーズして、それまでの作業が全部水の泡になってしまうことが少なくありません。また、さまざまな作業をした後、ファイルを閉じるとき、最後になぜか「保存しない」をクリックして閉じてしまい、せっかく入力した内容を失ってしまったという悲劇もよく耳にします。

このような事態は、とてもかんたんな作業で対策できてしまいます。上書き保存のショートカット、Ctrl+Sをこまめに、ことあるごとに押すことです。

Excelの機能や関数をたくさんマスターして、どんなに作業自体を効率化しても、作業した内容を失ってしまっては元も子もありません。フリーズやデータ消失は前触れもなく突然起こり、それまでの数十分、もしかしたら数時間、半日にもおよぶ作業を全部水の泡にしてしまいます。またやり直すことになってしまえば、結果的に仕事の生産性は大きく下がることになります。こまめな上書き保存を心がけていれば、もし突然パソコンがフリーズしてしまったとしても、ダメージは最小限に食い止めることができます。

まれに、「バージョン管理が必要な場合もあるので、やたら保存すればいいというものではない」という意見を目にします。しかし、バージョン管理したければ、その都度［名前をつけて保存］によって保存日時などをファイル名に追加しておけばいいだけのことです。そもそも、アプリケーション開発に携わっているのでもなければ、一般的なExcelを使ったデスクワークにおいてバージョン管理が必要なケースがどれだけあるかという話でもあります。

最優先に考えるべきは、作業した内容を失わないこと。そのための最もかんたんな対策が「こまめにCtrl+Sを押す」ことなのです。

自動保存の設定も必ずやっておこう

同時に、自動保存の設定もおこなっておきましょう。保存間隔は極力短く、できれば1分に設定するのが望ましいです。自動保存は、異常終了したときに直前の保存時の状態を回復してくれるもので、突然パソコンが固まってしまってExcelを強制終了したとしても、次にそのファイルを開いた際に復元してくれます。その時、保存間隔を最短の1分に設定しておけば、より最新に近い状態に復元することができます。

自動保存の設定方法は以下のとおりです。

❶ [ファイル]→[オプション]→[保存]をクリックする。
❷ [ブックの保存]にて[次の間隔で自動回復用データを保存する]にチェックを入れる。
❸ 保存間隔を1分に設定する。

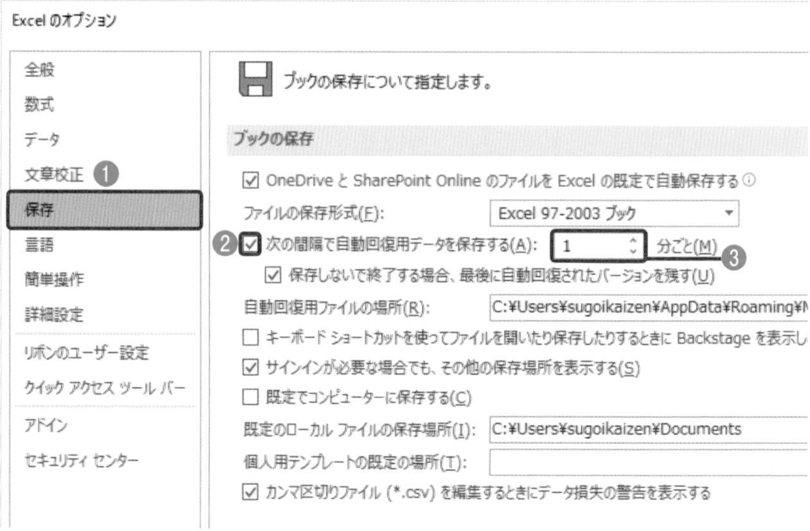

こうした対策で、それまでの自分の作業を失わないようにする。
それが、何よりも業務効率アップの大前提となる基本なのです。

操作をまちがえたら、落ち着いて Ctrl + Z で元に戻す

「消しちゃいけないデータを削除しちゃった！」

Delete キーをまちがえて押してしまうなど、手元の操作が狂ってミスすることは日常的によく起こります。

そんなときは、焦らず落ち着いて、ショートカット Ctrl + Z を押しましょう。実行した操作を元に戻すことができます。何かまちがえて操作をしてしまったら、とにかく Ctrl + Z を押してみてください。多くの場合、復元が可能です。

ただし、シートを削除してしまったなどの操作は元に戻すことができません。そのような場合は、そのまま保存をしないで一度ファイルを閉じて、ファイルを開き直す必要があります。また、その場合、直近の保存した時

点の状態に戻ってしまいます。そのような際に備えるためにも、やはりこまめに保存をすることが大切なのです。

中止したいときはEscで

セルに何かを入力している途中に、その入力を中止したい場合があります。そこでEnterキーを押してしまうと入力が確定されてしまい、その入力データをDeleteキーで消すなどの手間がかかってしまいます。

そのようなときには、Esc（エスケープ）キーを押すと、入力操作をキャンセルすることができます。

さらに、意図しない機能を立ち上げてしまった場合にも、ウィンドウの×マークをクリックするほかに、Escキーを押すことで、閉じることができます。

おせっかい機能を解除して快適に使えるように

「“hsi”と入力したら、勝手に“his”に変換される……余計なことするな！」
「英単語を打つと、勝手に最初の文字が大文字になるの、どうにかならないか？」
「インターネットのURLを入力すると、勝手にハイパーリンクになるのがうっとおしい……」

このように、頼んでもいないのに余計な自動変換をしてしまう機能がExcelにはあります。これらのいわゆる「おせっかい機能」は、その仕様を知らないと本当に腹立だしく、イライラしてしまいます。さらに毎回同じ現象が起こるため、大変な時間のロスを招きます。そのようなイライラを解消するために、「おせっかい機能」を解除する方法を知っておきましょう。それだけであなたは、尋常ではないストレスから解放され、快適に作業できるようになります。
「おせっかい機能」や、Excel全般の使い勝手の問題のほとんどは、[Excelのオプション] から解決できます。

勝手に文字修正をしないようにする

入力した文字列を勝手に修正してしまう機能はオートコレクトといいます。これをオフにしておくことで、余計なことをさせなくできます。

❶ [ファイル]→[オプション]→[Excelのオプション]から[文章校正]→[オートコレクトのオプション]をクリックする。

❷ [オートコレクト]タブにて[入力中に自動修正する]のチェックを外す。

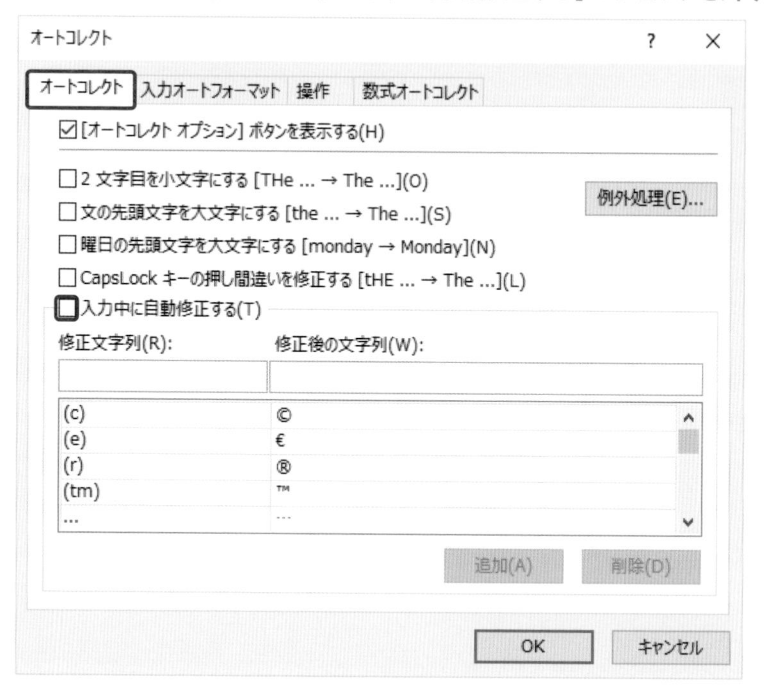

その他、必要に応じて、[文の先頭文字を大文字にする] や [曜日の先頭文字を大文字にする] などのチェックも外した状態にしておくといいでしょう。

自動的にハイパーリンクが貼られないようにする

[オートコレクト] の [入力オートフォーマット] タブにて [インターネットとネットワークのアドレスをハイパーリンクに変更する] からチェックを外しておくと、メールアドレスやURLを入力しても自動的にハイパーリンクにならないように設定することができます。

▼［インターネットとネットワークのアドレスをハイパーリンクに変更する］からチェックを外す

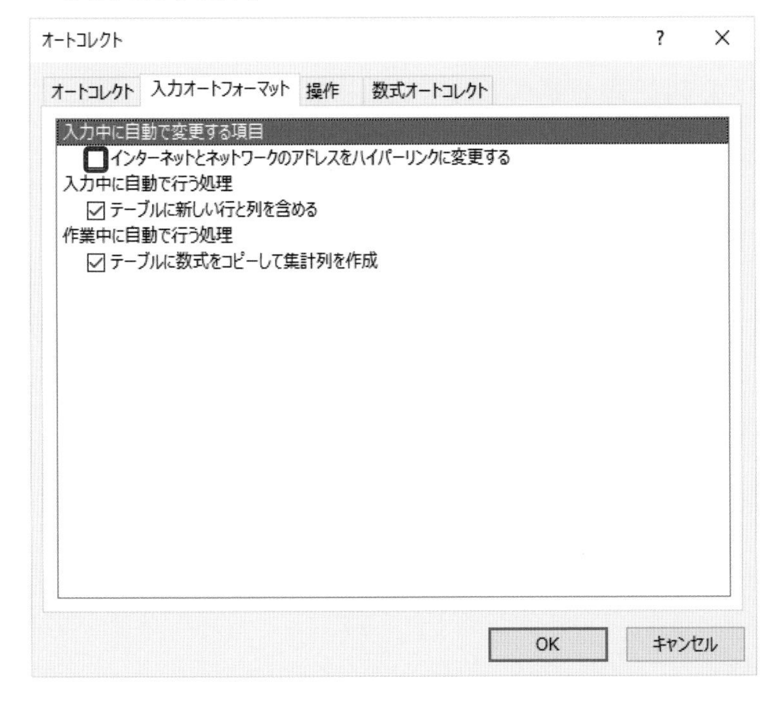

これもなかなか不評な「おせっかい機能」なので、必要がなければ外しておきましょう。

数字を勝手に日付に変換しないようにする

「1-1」や「1/4」といった表記は、そのつもりでなくても、Excelが勝手に日付に変換してしまいます。これらをそのまま「1-1」や「1/4」と記述したい場合は、以下のいずれかの対処が必要です。

- 先頭にシングルクオーテーション（'）を付けて入力する
- ［セルの書式設定］で表示形式を［文字列］にしてから入力する

「余計なことするな！」と怒ってばかりいるのではなく、余計なことをしなくなる設定にできないか探してみる習慣をつけましょう。

シートの列記号がすべて数字になってしまったら

［Excelのオプション］→［数式］→［数式の処理］から［R1C1参照形式を使用する］を確認してみましょう。

これにチェックが入っていると、シートの列記号の表示が数字になってしまいます。もし、シートの列記号がすべて数字になってしまったら、ここを調べてください。

セルの左上隅に色のついた三角形が出るのを消したい

セルの数式などに何らかの問題がある場合、セルの左上隅に色のついた三角形でエラー表示が出ることがあります。「問題」と言っても、こちらとしては意図してそういう式にしていることもあり、エラーチェックが不要な場合もあります。その場合は、以下のようにエラーチェックをオフにしてください。

❶［Excelのオプション］→［数式］→［エラーチェック］をクリックする。
❷［バックグラウンドでエラーチェックを行う］からチェックを外す。

入力中に勝手に予測変換しようとするのをやめてほしい

列方向（下方向）へ連続してデータを入力する際に、すでに上にあるセルと同一の文字列で始めるデータを入力すると、すでにあるデータと同じ文字列に予測変換しようとします。場合によっては便利ですが、わずらわしい場合はこの機能も以下のようにしてオフにできます。

❶［Excelのオプション］→［詳細設定］をクリックする。

❷ [オートコンプリートを使用する] からチェックを外す。

「貼り付けオプション」が出てくるわずらわしさをなくす

コピペ作業の「貼り付け」時に出てくる [貼り付けオプション]、これも慣れないと邪魔になることがあります。表示させたくないときは、以下のようにしてください。

❶ [Excelのオプション] → [詳細設定] → [切り取り、コピー、貼り付け] をクリックする。
❷ [コンテンツを貼り付けるときに [貼り付けオプション] ボタンを表示する] のチェックを外す。

シートタブがなくなってしまったときの対処法

まれに、ファイルのシートタブがまったく表示されないことがあります。そんなときは、以下を確認してください。

❶ [Excelのオプション] → [詳細設定] → [次のブックで作業するときの表示設定] をクリックする。
❷ [シート見出しを表示する] のチェックが外れていないか確認する。

ほかにも、この [Excelのオプション] ではさまざまな設定ができます。ぜひ、ひととおりご確認ください。いろいろな発見があるでしょう。

不可解な動作が起こる原因TOP3「スクロールロック」「ナンバーロック」「インサートモード」とその解除方法を知っておく

「カーソルキーでセルを移動しようとしても、セルが動かず、画面ごとスクロールされちゃう……」
「キーボードで文字を入力しようとしたら、なぜか数字が入力される……」
「すでに入力した文字を書き換えようとすると、入力カーソルの次の文字を上書きしてしまう……」

Excelを使っていると、たまに以上のような不可解な動作をすることがあります。これらも非常に戸惑ってしまう現象で、原因を知らないと、こうした状態を解消するためだけに結構な時間をムダにしてしまいます。
これらは、それぞれ「スクロールロック」「ナンバーロック」「インサートモード」という状態になってしまっているために起こるものです。原因は、ほとんどの場合、

「その状態にするキーを誤って押してしまっていた」

というものです。
パソコンの機種によって異なりますが、以下の略称と思しきキーを探しましょう。

・スクロールロック（Scroll Lock）
・ナンバーロック（Number Lock）
・インサートモード（Insert）

これらをもう一度押すことによって、状態が解消できることがあります。機種によっては、ファンクションキー Fn を同時に押す場合もあります。

Excelファイルを通した コミュニケーションに配慮する

作成したExcelファイルを使うのは、自分ひとりだけとは限りません。メール添付でExcelファイルを同僚や顧客、取引先とやりとりするのはよくあることです。その際、ファイルの送り先の相手がそのファイルを開いたときに余計な手間やストレスをかけさせない、ちょっとした配慮を大切にしていただきたいのです。

他人に共有するシートは必ず[印刷範囲設定]を確認

「Excelをメールで送ってくるときは、ちゃんと印刷範囲設定をしてから送ってくれ」

これは、じつは私がサラリーマン時代に上司から何度も注意されたことです。そのまま1ページに印刷しようと思ったら、3枚ぐらい余計にムダに印刷されて、「コピー用紙の経費がムダだ！」と怒られたものです。

Excelファイルをメールで送信するとき、送った相手がそのファイルの内容を印刷するかもしれません。印刷範囲設定がきちんとなされていないと、1ページだけ印刷するつもりが、印刷範囲設定上は2ページに分かれてしまっていて、印刷用紙をムダにしてしまうなどの迷惑がかかります。

たとえば、以下のような割と大きめな表があったとします。

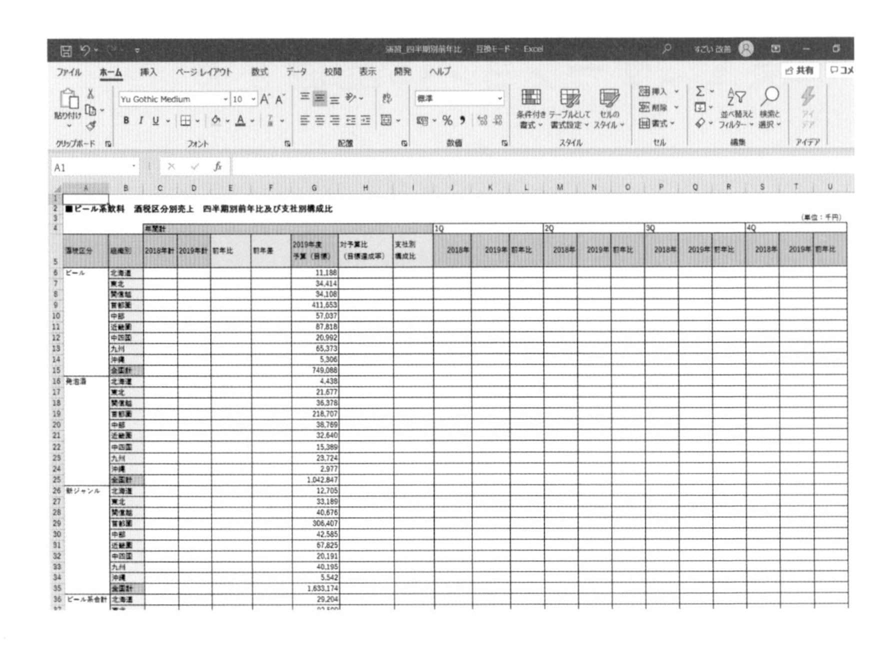

印刷範囲を確認するには、以下のようにします。

❶［表示］タブ→［改ページプレビュー］をクリックする。

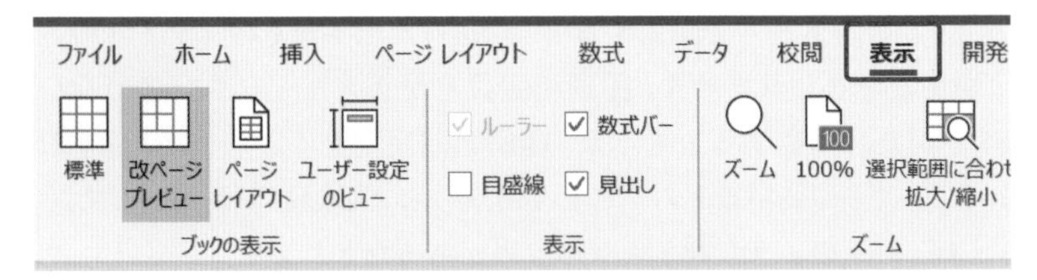

❷ 次のような状態になる。

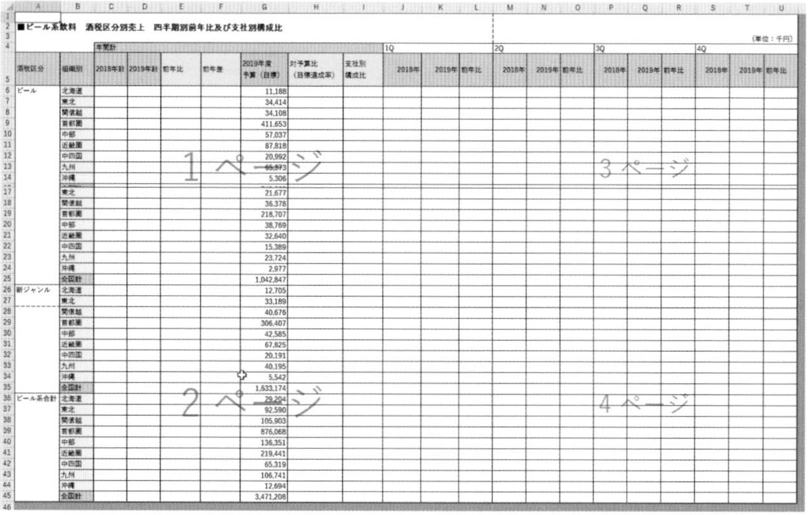

■ビール系飲料　酒税区分別売上　四半期別前年比及び支社別構成比

（単位：千円）

酒税区分	組織別	年間計 2018年計	2019年計	前年比	前年差	2019年度 予算（目標）	対予算比 （目標達成率）	支社別 構成比	1Q 2018年	2019年	前年比	2Q 2018年	2019年	前年比	3Q 2018年	2019年	前年比	4Q 2019年	2019年	前年比
ビール	北海道					11,188														
	東北					34,414														
	関信越					34,108														
	首都圏					411,653														
	中部					57,037														
	近畿圏					87,818														
	中四国					20,992														
	九州					65,973														
	沖縄					5,306														
	全国計					[illegible]														
	東北					21,677														
	関信越					36,378														
	首都圏					218,707														
	中部					38,769														
	近畿圏					32,640														
	中四国					15,389														
	九州					23,724														
	沖縄					2,977														
	全国計					1,042,847														
新ジャンル	北海道					12,705														
	東北					33,189														
	関信越					40,676														
	首都圏					306,407														
	中部					42,585														
	近畿圏					67,825														
	中四国					20,191														
	九州					40,195														
	沖縄					5,542														
	全国計					1,633,174														
ビール系合計	北海道					29,204														
	東北					92,590														
	関信越					105,903														
	首都圏					876,068														
	中部					136,351														
	近畿圏					219,441														
	中四国					65,319														
	九州					106,741														
	沖縄					12,694														
	全国計					3,471,208														

1ページ　3ページ　2ページ　4ページ

青い点線がページの区切り位置です。このまま印刷するとこの表が4ページに分かれて印刷されてしまいます。

印刷範囲を調整するには

印刷範囲は、印刷する側で印刷前に確認することも必要ですが、やはり作成側で設定しておく心遣いがほしいものです。

印刷範囲は、ページの区切り位置を表す青い点線をドラッグするだけで、かんたんに調整できます。

青い点線をドラッグして1枚に収まるように調整

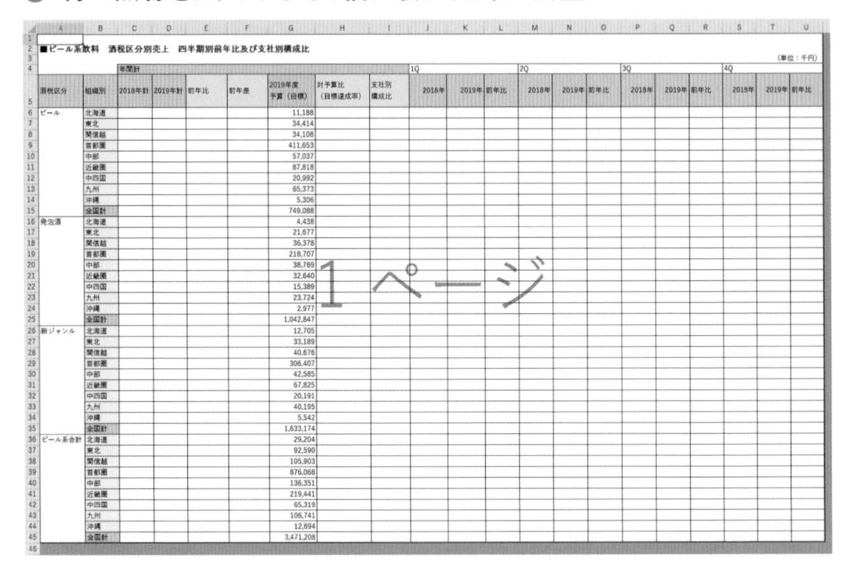

■ビール系飲料　酒税区分別売上　四半期別前年比及び支社別構成比

（単位：千円）

		年間計							1Q			2Q			3Q			4Q		
酒税区分	組織別	2018年計	2019年計	前年比	前年差	2019年度予算（目標）	対予算比（目標達成率）	支社別構成比	2018年	2019年	前年比	2018年	2019年	前年比	2018年	2019年	前年比	2018年	2019年	前年比
ビール	北海道					11,188														
	東北					34,414														
	関信越					34,108														
	首都圏					411,653														
	中部					57,037														
	近畿圏					87,818														
	中四国					20,992														
	九州					65,373														
	沖縄					5,306														
	全国計					749,088														
発泡酒	北海道					4,438														
	東北					21,677														
	関信越					36,378														
	首都圏					218,707														
	中部					38,769														
	近畿圏					32,640														
	中四国					15,389														
	九州					23,724														
	沖縄					2,977														
	全国計					1,042,847														
新ジャンル	北海道					12,705														
	東北					33,189														
	関信越					40,676														
	首都圏					306,407														
	中部					42,585														
	近畿圏					67,825														
	中四国					20,191														
	九州					40,195														
	沖縄					5,542														
	全国計					1,633,174														
ビール系合計	北海道					29,204														
	東北					92,590														
	関信越					105,903														
	首都圏					876,068														
	中部					136,351														
	近畿圏					219,441														
	中四国					65,319														
	九州					106,741														
	沖縄					12,694														
	全国計					3,471,208														

ちょっとした手間をさぼるだけで、他人に迷惑をかけるばかりでなく、自分にも余計な手間がかかってしまいます。ぜひ設定を忘れないようにご注意ください。

第2章

数式を制する者はExcelを制す

数式入力の超基本

数式を入力する4つのステップ

ここでは、すべての基本となる、数式の入力について見ていきましょう。かんたんな作業ですが、じつはここから業務効率化の差がついていきます。

たとえば足し算の場合、Excelでは最初にイコール（=）を入力して、必要な数字やセルをプラス記号(+)で結びます。次の手順が基本になります。

❶ 半角でモードで入力する（入力する前に入力モードが全角になっていたら、半角モードに切り替える）。
❷ イコール（=）から入力を始める。
❸ マウスやカーソルキーで計算に使うセルを選びながら、数式を入力する。
❹ Enterキーで確定する。

たとえば、A1セルに1と入力されているとき、

```
=A1+1
```

と入力し、Enterキーを押して確定すれば、計算式の答えである「2」が返ってきます。これが「数式」です。

そして、入力した数式の結果としてセルに表示される値のことを「戻り値（もどりち）」といいます。

関数を使って面倒な入力をシンプルに

たとえば、A1セルからA5セルまで、縦に1、2、3、4、5と入力されているとしましょう。このとき、この5つのセルに入った数値の合計を求め

る最もストレートな方法は、以下の式を入力することです。

```
=A1+A2+A3+A4+A5
```

この式をA6セルに入力したら、A6セルには「15」という答えが返ってきます。

ただ、この入力方法は非常に面倒くさいです。今回は5つのセルだけだからまだよかったですが、これがセルが100個とか1000個になってきたら、入力だけで日が暮れてしまいますね。

そんなときの作業効率化のために、Excelには「複数セルの合計値を求める」ための手段が用意されています。それがSUM関数というものです。たとえば、A6セルに次のように入力すれば、A1セルからA5セルまでの合計値が求められます。非常にシンプルになりましたね。

```
=SUM(A1:A5)
```

これがかけ算なら、今度はPRODUCT関数というものを使えば、同じようにまとめて計算できます。

```
=PRODUCT(A1:A5)
```

このように、数値がA1からA100セルまであっても、A1000セルまであっても、A10000セルまで連続していても、関数を使えば

```
=SUM(A1:A100)
=SUM(A1:A1000)
=SUM(A1:A10000)
```

というかんたんな入力一発で済んでしまうわけです。

このように、さまざまな計算や集計、または文字列操作や加工など、

Excelで厄介な作業をかんたんに済ませるために用意された数式システムが「関数」と理解してください。

関数には、かんたんなものからややこしいものまで、また業務によって一生使わないものもありますので、全部覚える必要はありません。自分に必要な関数を探し出して、集中して使いこなせるようになることが一番大事なのです。知らないことが大きな損失を招く第一歩が、関数の知識不足と言って過言ではありません。

関数を入力する5つのステップ

関数は、セルの中に必ず半角英数で＝（イコール）記号から入力を始め、基本的に次のような構造になっています。このように、関数の構造を表すものを「書式」と呼びます。

【書式】

=関数名(第一引数,第二引数…)

書式に出てきた「引数」とは、関数に必要な構成要素のことです。複数ある場合はカンマ(,)で区切って入力し、1つめから順に第一引数、第二引数…と呼びます。たとえば、IF関数であれば、以下の構造になっています。

=IF(論理式,真の場合,偽の場合)

この場合「論理式」が第一引数、「真の場合」が第二引数、「偽の場合」が第三引数となります。それぞれの関数に、どのような引数を指定すれば目的の結果が得られるかを覚えていくことが、Excelのスキルを上げることに直結します。

ここではSUM関数を例に、関数を入力する手順を見ていきましょう。

❶ 半角モードでイコール(=)を入力する。

❷ 使用する関数名を入力すると、入力途中で候補リストが出てくる。

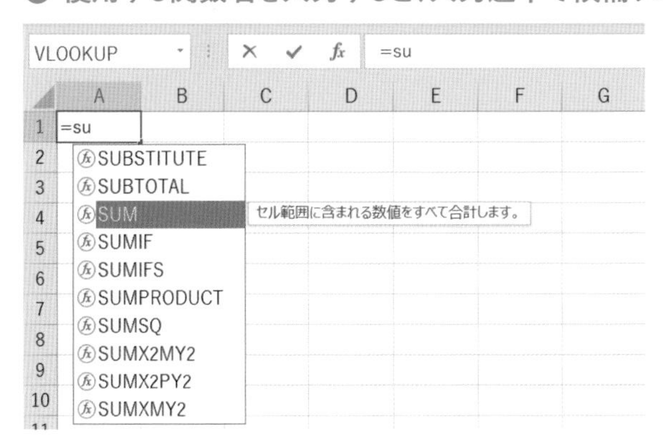

❸ 候補リストから使用する関数名をカーソルキーなどで選択し、TABキーで確定する(この操作で関数名がすべて補完入力され、最初のカッコまでが入力されます)。

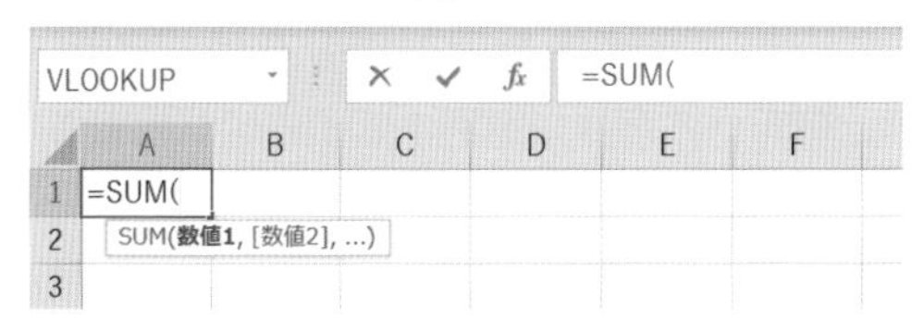

❹ カッコの中に、計算に必要な引数を入力する。

❺ 最後にカッコを閉じて、Enterキーまたは TABキーで確定する。

Enterキーを押した場合はアクティブセルが1つ下に移動、Tabキーを押した場合はアクティブセルが1つ右に移動して、次のセルに入力しやすくしてくれます。

効率的にセルの範囲選択をするには

「あるセル範囲を選択してください」というお願いをしたとき、うまく操作できないケースをよく見かけます。入力と並んで大事なポイントなので、操作の種類や違いについて理解を確実にしておいてください。

単一のセルを選択する場合

単純にそのセルにカーソルを合わせてクリックすれば大丈夫です。または、矢印キーを使って選択したいセルを選ぶ方法もあります。

複数のセルからなるセル範囲を選択する場合

その範囲の始点セルでクリックしたまま、終点セルまでマウスを引っ張ります。いわゆる「ドラッグ」という作業です。

または、Shiftキーを押しながら矢印キーを押すと、押した矢印キーの方向に拡大させながらセル範囲を選択できます。

データが連続して入力されているセル範囲を選択する場合

データが連続して入力されているセル範囲を選択するには、Shift+Ctrl+矢印キーを利用しましょう。範囲ぴったりに選択することができます。

「参照」を使いこなして計算を自由自在に

もともとセルに入っているデータを活用する

データを効率的に入力するのは大事ですが、もともとセルに入っているデータを利用できるならば、いちいち入力する手間が減って便利です。そのために使うのが「参照」です。

たとえば、A1セルに何かの価格が入力されていて、B1セルにその価格の消費税込の金額を計算して出すとします。B1セルに入力するのは、次の式です（消費税率10%の場合）。

```
=A1*1.1
```

B1セルのこの数式は、A1セルの値を取ってきて計算をおこなっています。これが、B1セルがA1セルの値を「参照」しているという状態です。

「セルを参照する」とは、このように、あるセルが別のセルに対して

「そのセルを見に行っている」
「そのセルの値を取りに行っている」
「そのセルの値を使っている」

といった表現で理解してください。

入力した式がどのセルを参照しているのかを確認するには、式を入力したセルを選択して、F2キーを押しましょう。参照しているセルが色のついた線で囲まれ、視覚的に確認しやすくなります。

COLUMN

「参照先」「参照元」という用語は誤解しやすい

たとえばB1セルに「=A1」という式を入力した場合、「B1セルはA1セルを参照している」ということになります。そこで、A1セルはB1セルが参照している先だから、A1セルはB1セルの「参照先」であり、逆にB1セルはA1セルの「参照元」であるという説明をたまに見かけます。

これは、厳密には正しくありません。正しくは、A1セルはB1セルの「参照元」であり、B1セルはA1セルの「参照先」になります。

このことは「参照元のトレース」という機能を見るとわかります。これは「現在選択中のセルの値に影響を与えるセルを示す矢印を表示する」というものです。たとえば、B1セルを選択して[数式]タブの[参照元のトレース]をクリックすると、次のような矢印が表示されます。

▼[参照元のトレース]をクリックした結果

この矢印は「B1セルの参照元はA1セルである」という意味です。

逆にA1セルを選択して「参照先のトレース」をクリックすると、次のような矢印が表示されます。

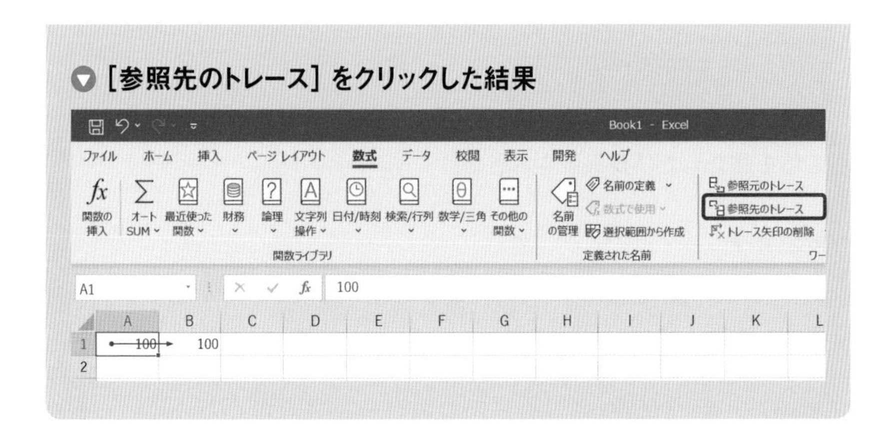

知っておくべき演算子

参照したセルに入っている数値は、演算したり、つなげたりすることができます。その際に使う記号のことを、「演算子」といいます。以下、1つずつ見てみましょう。

四則演算

足し算は「+」、引き算は「-」、かけ算は「*」(アスタリスク)、割り算は「/」(スラッシュ)を使います。

たとえば、A1セルに入っている値とB1セルに入っている値をかけ算したいときは、セルに次のように入力して Enter キーを押して確定します。

```
=A1*B1
```

結合演算子

セルの値をくっつけるときに使うのが、「&」(アンパサンド)です。これは「結合演算子」と呼ばれます。

たとえば、A1セルに入っている値とB1セルに入っている値をくっつけたいときは、以下のように入力します。

```
=A1&B1
```

この式を入力したセルには、A1セルに入っている値とB1セルに入っている値を結合した値が表示されます。

比較演算子

Excelでは、機能や関数で、セルの値によって処理を分けたり変えたりすることができます。

たとえば、「テストの点数が80点以上の場合はA判定、79点以下の場合はB判定」といったように、テストの点数（条件）によって結果（判定）を分けてセルに入力したい場合があります。この「〜の場合は」という条件設定を書くために使うのが「比較演算子」です。漢字にすると難しそうですが、基本的には学校で習った「等号」、「不等号」と同じです。

- > → 左辺が右辺より大きい
- < → 右辺が左辺より大きい
- >= → 左辺が右辺以上
- <= → 右辺が左辺以上
- = → 右辺と左辺が等しい
- <> → 右辺と左辺が等しくない

たとえば、第3章で登場するIF関数で、「A1セルにある数字が100より大きい場合はA、そうでない場合はBをセルに入力する」という処理をおこないたい場合は、次の式をセルに入力します。

```
=IF(A1>100,"A","B")
```

ここで出てきた「A1>100」（A1セルの値が100より大きいか）という条件設定をおこなう式のことを「論理式」といいます。

式を入れたセルをコピーするときの落とし穴

入力した式を別のセルにコピーして使いたいときがあります。その際、ある知識がないと、とんでもなくムダな手間が発生します。たとえば、次の支社別売上一覧表の「構成比」の欄に、構成比を正しく表示する数式を入力するとしましょう。

	A	B	C
1	エリア名	売上高	構成比
2	北海道	27,767	
3	東北	11,106	
4	関信越	10,831	
5	首都圏	18,432	
6	中部	20,505	
7	近畿圏	47,786	
8	中四国	53,889	
9	九州	27,866	
10	沖縄	24,898	
11	合計	243,080	

各支社の構成比は、各支社の売上を全社合計の売上で割り算して計算します。ですから、ここではまずC2セルに「=B2/B11」と入力します。

▼C2セルに「=B2/B11」と入力

※C2セルを選択→イコール（=）を入力→B2セルをクリック→スラッシュ（/）を入力→B11セルをクリック

B11 　=B2/B11

	A	B	C	D
1	エリア名	売上高	構成比	
2	北海道	27,767	=B2/B11	
3	東北	11,106		
4	関信越	10,831		
5	首都圏	18,432		
6	中部	20,505		
7	近畿圏	47,786		
8	中四国	53,889		
9	九州	27,866		
10	沖縄	24,898		
11	合計	243,080		

第7章で解説しますが、[セルの書式設定]によって、あらかじめC列の表示形式をパーセンテージにしておけば、北海道支社の全社合計売上高に対する構成比が出てきます。

では、C3セルからC11セルにも同じように構成比を算出する数式を入力して、各支社の売上構成比を算出してみましょう。そのとき、当然ながらすべてのセルに同じように数式を手入力していては日が暮れてしまうので、C2セルに入力した数式をC11セルまでドラッグコピーして使います。

ではそのようにしてみると……次の表のような、よくわからない表示が出てきました。

▼「#DIV/0!」と表示される

C11 =B11/B20

	A	B	C	D	E
1	エリア名	売上高	構成比		
2	北海道	27,767	11.4%		
3	東北	11,106	#DIV/0!		
4	関信越	10,831	#DIV/0!		
5	首都圏	18,432	#DIV/0!		
6	中部	20,505	#DIV/0!		
7	近畿圏	47,786	#DIV/0!		
8	中四国	53,889	#DIV/0!		
9	九州	27,866	#DIV/0!		
10	沖縄	24,898	#DIV/0!		
11	合計	243,080	#DIV/0!		

「#DIV/0!」と表示されています。何か計算がうまくいってないようです。

では、何が問題なのでしょうか。C3セルを選択して、F2キーを押してみてください。

【F2キーの機能】

・アクティブセルを編集状態にする。
・アクティブセルが別のセルを参照している場合、参照しているセルを色線で囲んで表示する。

すると、このセルが参照しているセルは次の図のようになっています。

▼C3セルを選択して、F2キーを押してみると

VLOOKUP | =B3/B12

	A	B	C	D	E
1	エリア名	売上高	構成比		
2	北海道	27,767	11.4%		
3	東北	11,106	=B3/B12		
4	関信越	10,831	#DIV/0!		
5	首都圏	18,432	#DIV/0!		
6	中部	20,505	#DIV/0!		
7	近畿圏	47,786	#DIV/0!		
8	中四国	53,889	#DIV/0!		
9	九州	27,866	#DIV/0!		
10	沖縄	24,898	#DIV/0!		
11	合計	243,080	#DIV/0!		
12					
13					

割り算の分子は正しいセル（B3セル）を参照していますが、分母は本来B11セルを参照すべき計算なのに、B12セルを参照してしまっています。つまり、分母として指定したいセルがずれてしまっているのです。どういうことなのでしょうか？

これは、最初に入力した式を下方向にコピーしたのと同時に、参照するセルもいっしょにつられて下方向にずれてしまったために起こる問題です。

最初にC2セルに入力した「=B2/B11」というセルは、B2セルとB11セルを参照しているわけですが、これはC2セルからの位置関係で、B2セルとB11セルを「計算に使う分子と分母のセル」だと認識しているのです。つまり、C2セルはB2セルとB11セルを次のように「式を入力したセルからの位置関係」で認識しているのです。

- B2セル　→　自分から見て、1つ左隣のセル
- B11セル　→　自分から見て、1つ左、9個下に移動した先のセル

そして、この「認識」は、コピーされた先でもそのまま引き継がれます。そのままドラッグコピーすると、1つ下のC3セルでは先ほどの画面のように「=B3/B12」という数式になります。

分子であるB3セルは、数式のセルであるC3セルから見て「1つ左隣のセル」という認識のままで問題ありません。つられて付いてきてくれても問題ないのです。しかし、分母のセルについては、C3セルから見て「1つ左、9個下に移動した先のセル」ということで、B12セルを参照してしまっています。B12セルは空白なので、このセルはB3セルの数値を空白セルの値……つまりゼロで割り算してしまっていることになるのです。

数学の基本として、割り算の分母をゼロにすることはできません。そのため、ゼロで割り算したことを示す「#DIV/0!」が表示されているのです。

このように、式を入れたセルをドラッグコピーすると参照するセルがずれる状態を「相対参照」といいます。

F4キーと$マークで「絶対参照」にして効率化

では、入力した式を下方向にドラッグコピーしても分母のセルが動かないよう固定するにはどうすればいいでしょうか。その答えが「絶対参照」です。以下の方法で式を入力してみましょう。

❶ C2セルに「=B2/B11」という式を入力する。

❷ B11セルをクリックしたら、続けて[F4]キーを一度押す。すると、B11というセル参照に$マークがつく。

=B2/$B$11

	A	B	C	D
1	エリア名	売上高	構成比	
2	北海道	27,767	=B2/$B$11	
3	東北	11,106		
4	関信越	10,831		
5	首都圏	18,432		
6	中部	20,505		
7	近畿圏	47,786		
8	中四国	53,889		
9	九州	27,866		
10	沖縄	24,898		
11	合計	243,080		
12				

❸ C2セルを11行めまでドラッグコピーすると、今度はエラー値が出ることなく正しく計算される。

C11 =B11/$B$11

	A	B	C	D
1	エリア名	売上高	構成比	
2	北海道	27,767	11.4%	
3	東北	11,106	4.6%	
4	関信越	10,831	4.5%	
5	首都圏	18,432	7.6%	
6	中部	20,505	8.4%	
7	近畿圏	47,786	19.7%	
8	中四国	53,889	22.2%	
9	九州	27,866	11.5%	
10	沖縄	24,898	10.2%	
11	合計	243,080	100.0%	
12				

これを知らないと、分母となるセルを1つずつ打ち直すという、とんでもなくムダな手間が発生してしまいます。必ずおさえておきましょう。

ちなみに、セル参照を指定したあとに、[F4]キーを何度か押していくと、次のように$マークの付き方が変わります。

・$A$1　→　列、行ともに固定
・A$1　→　行のみ固定
・$A1　→　列のみ固定
・A1　→　固定しない

「$マークが絶対参照」という意味はご存じでも、F4キーでこのように$マークが入力できることをご存じないケースが非常に多いです。必ず覚えておいてください。

式を入力したセルを縦方向、横方向にコピーする際に、「行だけ固定したい」「列だけ固定したい」というケースが出てきます。そのような際に、この切り替えを使います。

エラー値の種類と意味なんて覚えようとしなくていい

先ほど出てきた「#DIV/0!」のほかにも、「#NAME?」「#N/A」など、関数を入れたセルによくわからない表示が出ることがあります。これらは「エラー値」といい、関数の入力で何らかの問題やまちがいがあることを意味しています。

エラー値にはいくつかの種類がありますが、それぞれがどのような意味かをわざわざ覚える必要はありません。そのうち、以下のようなことが判別できれば十分です。

・#N/A　→　（VLOOKUP関数の）検索値がないんだな……
・#DIV/0!　→　ゼロで割り算しちゃってる……
・#REF!　→　参照していたはずのセルが削除されてるな……

エラー値で大事なのは、エラー値を非表示にするテクニックです（P.139を参照）。

第3章

真っ先に
知っておきたい
6大関数

Excelには400個以上の関数がありますが、そのすべてをマスターしようとする必要はありません。仕事でExcelを使うなら事前に知っておきたい関数は全体の5～10%程度、多くても50個前後といったところです。

その中でも、まず優先して真っ先に知っておいていただきたいのが、以下の6つの超重要基礎関数です。

・「条件によって答えを変える」……IF関数
・「今月の売上いくらだった？」……SUM関数
・「その売上は何件の取引？」……COUNTA関数
・「売上の内訳は？……たとえば担当者別に分けて計算したい」
　……SUMIF関数（SUMIFS関数）
・「出席者リスト、何人に○がついてる？」
　……COUNTIF関数（COUNTIFS関数）
・「商品名を入れたら自動的に値段も入るようにできない？」
　……VLOOKUP関数

それでは、1つずつ見ていきましょう。

条件によって答えを変える
～IF関数

IF関数の基本

あなたが学校の先生で、「テストの点数が80点以上ならA、それ以下ならB」と判定したいとしましょう。B列に点数が入力されているとき、C列に判定結果を出したい場合は、以下のようにします。

❶ C2セルに次の式を入力する。

```
=IF(B2>=80,"A","B")
```

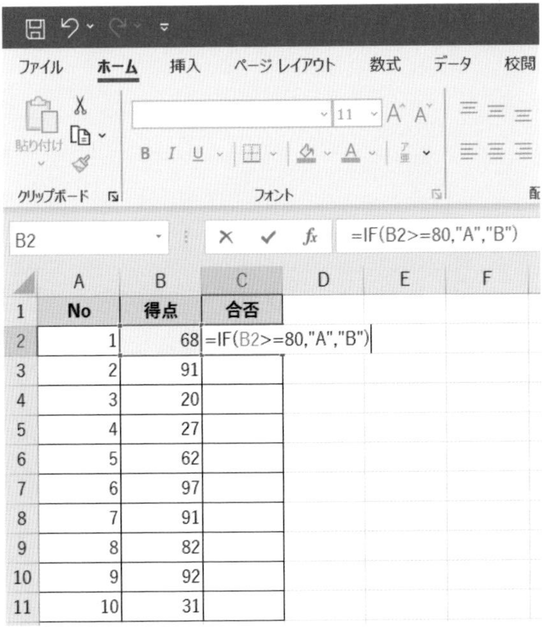

ファイル　ホーム　挿入　ページ レイアウト　数式　データ　校閲

B2　=IF(B2>=80,"A","B")

	A	B	C	D	E	F
1	No	得点	合否			
2	1	68	=IF(B2>=80,"A","B")			
3	2	91				
4	3	20				
5	4	27				
6	5	62				
7	6	97				
8	7	91				
9	8	82				
10	9	92				
11	10	31				

❷ Enter キーを押すと、C2セルに「B」という答えが返される。

C2 =IF(B2>=80,"A","B")

	A	B	C	D	E	F
1	No	得点	合否			
2	1	68	B			
3	2	91				
4	3	20				
5	4	27				
6	5	62				
7	6	97				
8	7	91				
9	8	82				
10	9	92				
11	10	31				

❸ 式をほかのセルにもコピーすれば、すべての得点を自動的に判定できる。

C2 =IF(B2>=80,"A","B")

	A	B	C	D	E	F
1	No	得点	合否			
2	1	68	B			
3	2	91	A			
4	3	20	B			
5	4	27	B			
6	5	62	B			
7	6	97	A			
8	7	91	A			
9	8	82	A			
10	9	92	A			
11	10	31	B			

このように、判定対象となるセルの値によって入力する値や式の結果を変えることができるのがIF関数です。

IF関数は、次のような構造になっています。

【書式】

=IF(論理式,真の場合,偽の場合)

このように、関数の構造を表記したものを「書式」といいます。必ずしもすべての関数の書式を正確に覚える必要はありません。参考までになんとなく意味が読みとれれば、あとは実践の中で関数の使い方に慣れていけば問題ありません。
　ここで、それぞれの意味を見てみましょう。

・第一引数：論理式（条件によって処理を分ける際の条件）
　※上記の例（B2>=80）の場合、B2セルの値が80以上かどうか
・第二引数：真の場合（第一引数の論理式が成立する場合、つまり真だった場合に返す値）
・第三引数：偽の場合（第一引数の論理式が成立しない場合、つまり偽だった場合に返す値）

　つまり、先ほどの式は、「B2セルの値が80以上だったらA、そうじゃなかったらBを入力！」という命令文になっているわけです。

複数の条件を判定するには

　複数の条件を判定する際は、複数のIF関数を1つの式に組み込みます。たとえば、「B2セルの値が80以上の場合はA、50以上の場合はB、49以下の場合はC」と入力したい場合は、次のような式になります。

```
=IF(B2>=80,"A",IF(B2>=50,"B","C"))
```

　ちょっと長くて複雑に見えるかもしれませんが、単に以下の手順を繰り返しているだけです。

❶ 最初の論理式（B2>=80）と、その論理式が真だった場合の値（A）を入力する。
❷ 次の引数で、またIFとカッコはじまりを入力する。
❸ 次の論理式を書いていく。

　最後の"C"は、それまでに出てきた論理式のいずれの条件にも当てはま

らない場合、つまり「偽の場合」に入力する値としてCを指定しているということです。

このように、IF関数の中にさらにIF関数を組み込むことを「ネスト」と言います。このIF関数のネストは、Excel 2007以降では64個まで組み込むことができるようになりました。しかし、あまりたくさんネストしすぎると、自分でも理解不能な複雑な式になってしまうので注意が必要です。そのような際は、VLOOKUP関数による変換テクニック（P.385を参照）や、作業列（P.144を参照）を用意することで処理を別々のセルに分けるなど、異なる方法を考えましょう。

また、Excel 2016からは、複数の条件分岐をより簡易にしたIFS関数が登場しました。次のような書式になっています。

【書式】

```
=IFS(論理式1,真の場合,論理式2,真の場合… )
```

上記の例の場合、次のような式で済むことになり、IF関数のネストが必要なくなります。

```
=IFS(B2>=80,"A",B2>=50,"B",B2<50,"C")
```

ただし、ネストを組み込んだIF関数の利用はまだまだ多数派ですので、問題なく読めるように基本であるネストもきちんと押さえておいてください。

今月の売上いくらだった？
〜SUM関数

SUM関数の基本

Excelでは、足し算は+記号でおこないます。A1セルとA2セルを足すのであれば、以下の式で足し算できます。

```
=A1+A2
```

しかし、足したいセルがたくさんある場合、それを1つずつ+記号を使って足していくのは、何度も+記号を入力することになり大変です。そこで、複数のセルを足し上げる式の入力作業を簡略化してくれる関数があります。それがSUM関数です。

たとえば、B2セルからB11セルの合計を出すには、B12セルに以下のように入力します。セル範囲は、範囲の始点となるセルと、終点となるセルをコロン記号（:）でつないだ形で表記されます。

```
=SUM(B2:B11)
```

つまり、SUM関数のカッコの中に、合計したいセル範囲を入力するわけです。

【書式】

=SUM（合計したいセル範囲）

連続したセル範囲の合計を求めるには　〜オートSUM

数量と売上の合計をB12セルとC12セルに入れます。

▼ B12セルに=SUM(B2:B11)と入力

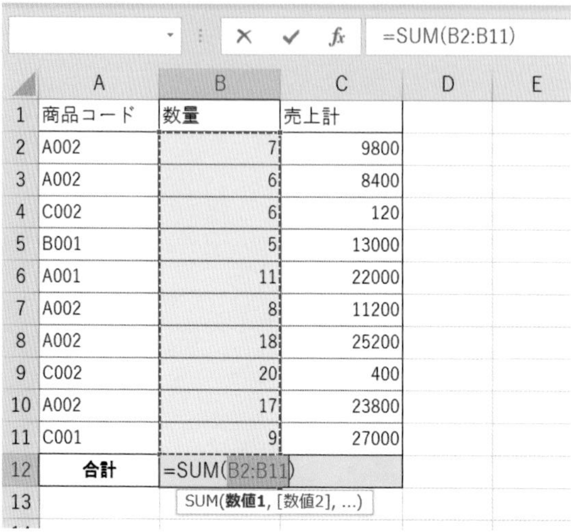

=SUM(B2:B11)

	A	B	C	D	E
1	商品コード	数量	売上計		
2	A002	7	9800		
3	A002	6	8400		
4	C002	6	120		
5	B001	5	13000		
6	A001	11	22000		
7	A002	8	11200		
8	A002	18	25200		
9	C002	20	400		
10	A002	17	23800		
11	C001	9	27000		
12	**合計**	=SUM(B2:B11)			
13		SUM(**数値1**, [数値2], ...)			

ただ、このように連続したセル範囲の合計を出すために、もっと便利な方法があります。それは、オートSUMという、SUM関数とその合計範囲を自動的に入力する機能を使うことです。

オートSUMは、[ホーム] タブにあるオートSUMボタンをクリックしても使えますが、マウスを使わずにオートSUMできるショートカットがあるので、ぜひ覚えてください。わずかな差ですが、知っておくと便利です。B12セルを選択した状態で、以下のショートカットを押してください。

Alt + Shift + =

すると、先ほどの図のように、合計範囲を自動的に指定した状態のSUM関数が入力されます。

さらにこのとき、B12セルとC12セルを同時に選択した状態でこのショートカットを押すと、合計範囲を自動的に指定した状態のSUM関数が、2つのセルに同時に入力されます。

離れた複数セルを合計するには

では、離れた複数のセルを合計しなければいけないときはどうすればいいでしょうか？

そのようなときは、次のようにCtrlキーとマウスクリックを使う方法で、かんたんに式を入力することができます。

❶ 合計を出したいセルを選択して、=SUM(まで入力する。

※ここでは、C14セルを選択

=SUM(

	A	B	C	D
1	商品名	支社名	売上高	
2	A	東日本	12,671,502	
3		中日本	16,551,997	
4		西日本	10,208,928	
5		全社計	39,432,427	
6	B	東日本	15,593,079	
7		中日本	18,655,748	
8		西日本	15,916,399	
9		全社計	50,165,226	
10	C	東日本	19,594,117	
11		中日本	14,463,622	
12		西日本	16,841,183	
13		全社計	50,898,922	
14	全商品計	東日本	=SUM(	
15		中日本	SUM(数値1, [数値2], ...)	
16		西日本		
17		全社計		
18				

❷ Ctrl キーを押しながら、合計したいセルをクリックしていく。

※ここでは、C2、C6、C10セルをクリック

C10 | =SUM(C2,C6,C10

	A	B	C	D	E	F
1	商品名	支社名	売上高			
2	A	東日本	12,671,502			
3		中日本	16,551,997			
4		西日本	10,208,928			
5		全社計	39,432,427			
6	B	東日本	15,593,079			
7		中日本	18,655,748			
8		西日本	15,916,399			
9		全社計	50,165,226			
10	C	東日本	19,594,117			
11		中日本	14,463,622			
12		西日本	16,841,183			
13		全社計	50,898,922			
14	全商品計	東日本	=SUM(C2,C6,C10			
15		中日本	SUM(数値1, [数値2], [数値3], [数値4], ...)			
16		西日本				
17		全社計				

❸ 閉じカッコを入力して、Enter キーを押して確定する。

C14 | =SUM(C2,C6,C10)

	A	B	C	D	E	F
1	商品名	支社名	売上高			
2	A	東日本	12,671,502			
3		中日本	16,551,997			
4		西日本	10,208,928			
5		全社計	39,432,427			
6	B	東日本	15,593,079			
7		中日本	18,655,748			
8		西日本	15,916,399			
9		全社計	50,165,226			
10	C	東日本	19,594,117			
11		中日本	14,463,622			
12		西日本	16,841,183			
13		全社計	50,898,922			
14	全商品計	東日本	47,858,698			
15		中日本				
16		西日本				
17		全社計				

するとC14セルには

```
=SUM(C2,C6,C10)
```

という、合計したいセルがカンマ(,)で区切られて入力された状態の式が入り、時間にして倍以上はスピードアップすることができます。

かけ算や文字列結合の入力を効率化するには

これと同様に、かけ算と文字列結合にも入力を効率化するための関数が用意されています。

カッコ内に指定した数値をかけ算するのが、PRODUCT関数です。たとえば、以下のように入力すれば、A1セルからE1セルの数値のかけ算ができます。

```
=PRODUCT(A1:E1)
```

アスタリスクでつないで式を入力すると以下のようになりますが、それよりもはるかに入力がラクです。

```
=A1*B1*C1*D1*E1
```

また、カッコ内に指定した文字列を結合する関数として、CONCATENATE関数(Excel 2016以降はCONCAT関数と名前が変わりました)があります。まずは以下のように入力します。

```
=CONCATENATE(
```

その後、Ctrlキーを押しながら、つなげたいセルをクリックしていくと、以下のように、つなげたいセルがカンマ(,)で区切られて入力されます。

```
=CONCATENATE(A1,B1,C1,D1,E1)
```

また、CONCAT関数の場合は、カンマ区切りだけでなく、以下のようにマウスドラッグによる範囲指定も可能になりました。

```
=CONCAT(A1:E1)
```

各セルを＆記号でつないだのと同じ結果ですが、つなげたいセルがたくさんある場合はこのほうが入力がラクになりますよ、ということです。

今、リストに何件分のデータがある？ ～COUNTA関数

「売上」とは金額の合計だけでは語れない

先ほど紹介したSUM関数は、最も日常的に使われている関数の1つですが、数字の分析をするにはこれだけでは足りません。たとえば売上を集計するとき、SUM関数が出すのは金額の合計です。しかし「売上」というものには、金額以外にもう1つ、「件数」、「個数」、「客数」という要素があります。つまり、SUM関数で「売上が1億円」と出したら、次は「その売上は何件の取引から成り立っているのか？」という数字を出す必要もあるのです。

そのために使うのが、COUNTA関数です。SUM関数が「指定したセルの数値合計を出す」関数なら、COUNTA関数は「指定したセル範囲の中で、何か値が入力されているセルの個数（空白ではないセルの個数）を数えてくれる」関数です。

たとえば次の図では、D1セルにて、SUM関数でB列の売上金額の合計を出したら、その下のセルでD2セルにて、次のようなCOUNTA関数でその売上の「件数」を出します。

```
=COUNTA(B:B)-1
```

	A	B	C	D	E
1			売上金額	924,765	
2			売上件数	=COUNTA(B:B)-1	
3					
4	伝票No	金額			
5	1	14,822			
6	2	25,264			
7	3	25,648			
8	4	8,455			

このように、列全体参照にすることで、データ数の変動に対応できる式になっているのが、ここでの大切なポイントです。このあと出てくるSUMIF、COUNTIF、VLOOKUP関数でも同様に、列全体参照にすることでメンテナンス性を高める考え方を「列全体参照の原則」といいます（P.98を参照）。

関数の日本語訳ができるようになろう

これは、以下のような数え方をしているということです。

「B列において、何らかのデータが入っているセルの数（空白以外のセルの数）を数え、そこから1を引く」

なぜ、1を引くか？　B4セルの「全額」と入力されているセルのカウントを除外するためですね。このように、「状況に合わせて、関数から数字を足し引きして調整する」というテクニック・発想がExcelの実務では必須です。

このような「関数の日本語訳ができること」は非常に大切です。式がどんな処理をしているか、日本語で説明する習慣をつけておきましょう。

なお、ここでご紹介した「列全体の件数から1を引く」という式は、入力規則においてリスト入力の選択肢の増減に自動対応させる際にも活躍します（P.235を参照）。

COUNT関数との違い

COUNTA関数とよく似た関数に、COUNT関数があります。COUNTA関数とCOUNT関数の違いは次のとおりです。

- **COUNTA関数**
  引数に指定した範囲において、空白以外のセルの数を数える。つまり、何かしら入力されているセルの数を数える。

- **COUNT関数**
  引数に指定した範囲において、数値が入力されているセルの数を数える。

つまり、COUNT関数は数値が入ったセルの数しか数えてくれないので、文字列が入ったセルの数は無視されるのです。実務ではほとんどCOUNTA関数だけ覚えておけば事足りますが、数値データが入ったセルの件数のみを数える必要が出てきた場合にはCOUNT関数を使えばいいことになります。

売上を担当者別に分けて計算したい ～SUMIF関数

SUMIF関数の基本

以下のように、A列に担当者名、D列に売上計が入力されているデータがあったとします。

▼ A列に担当者名、D列に売上計が入力されているデータ

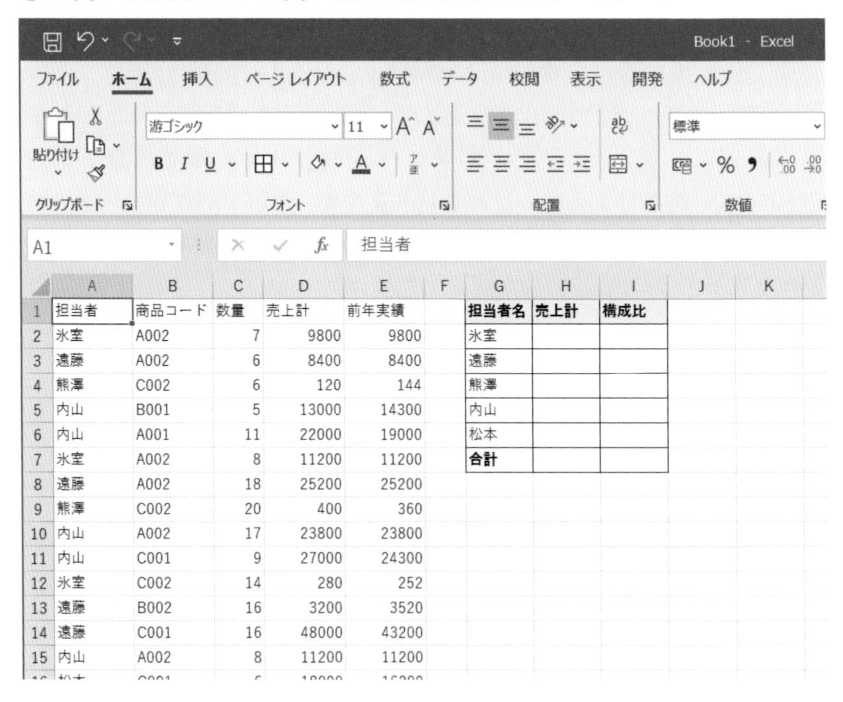

	A	B	C	D	E
1	担当者	商品コード	数量	売上計	前年実績
2	氷室	A002	7	9800	9800
3	遠藤	A002	6	8400	8400
4	熊澤	C002	6	120	144
5	内山	B001	5	13000	14300
6	内山	A001	11	22000	19000
7	氷室	A002	8	11200	11200
8	遠藤	A002	18	25200	25200
9	熊澤	C002	20	400	360
10	内山	A002	17	23800	23800
11	内山	C001	9	27000	24300
12	氷室	C002	14	280	252
13	遠藤	B002	16	3200	3520
14	遠藤	C001	16	48000	43200
15	内山	A002	8	11200	11200

G	H	I
担当者名	売上計	構成比
氷室		
遠藤		
熊澤		
内山		
松本		
合計		

このデータをもとに、G列から始まる担当者別売上表に数字を集計するとしましょう。

こうした作業において、今まで以下のような悲惨な事例を見てきました。

・電卓で計算して手入力する

・「=SUM(D2,D7,D12,D17,D18)」という具合に入力し、以降の担当者も延々とそれを繰り返す

では、どうすればいいでしょうか？

そのようなときに使うのが、SUMIF関数です。以下、手順を見ていきましょう。

❶ H2セルに次の式を入力する。

=SUMIF(A:A,G2,D:D)

H2 | =SUMIF(A:A,G2,D:D)

	A	B	C	D	E	F	G	H	I	J	K
1	担当者	商品コード	数量	売上計	前年実績		担当者名	売上計	構成比		
2	氷室	A002	7	9800	9800		氷室	=SUMIF(A:A,G2,D:D)			
3	遠藤	A002	6	8400	8400		遠藤				
4	熊澤	C002	6	120	144		熊澤				
5	内山	B001	5	13000	14300		内山				
6	内山	A001	11	22000	19000		松本				
7	氷室	A002	8	11200	11200		合計				
8	遠藤	A002	18	25200	25200						
9	熊澤	C002	20	400	360						
10	内山	A002	17	23800	23800						
11	内山	C001	9	27000	24300						
12	氷室	C002	14	280	252						

❷ Enterキーを押すと、H2セルに「氷室」の売上計が入る。

H3

	A	B	C	D	E	F	G	H	I	J	K
1	担当者	商品コード	数量	売上計	前年実績		担当者名	売上計	構成比		
2	氷室	A002	7	9800	9800		氷室	64280			
3	遠藤	A002	6	8400	8400		遠藤				
4	熊澤	C002	6	120	144		熊澤				
5	内山	B001	5	13000	14300		内山				
6	内山	A001	11	22000	19000		松本				
7	氷室	A002	8	11200	11200		合計				
8	遠藤	A002	18	25200	25200						
9	熊澤	C002	20	400	360						
10	内山	A002	17	23800	23800						

❸ H2セルの式をH6セルまでドラッグコピーすれば、各担当者の売上計が入力される。

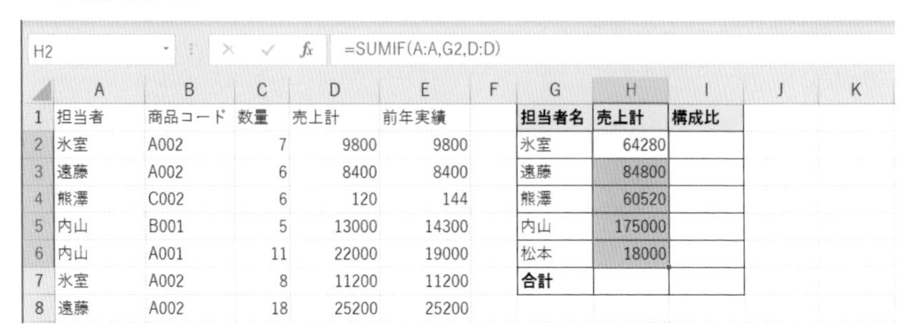

H2 | =SUMIF(A:A,G2,D:D)

	A	B	C	D	E	F	G	H	I	J	K
1	担当者	商品コード	数量	売上計	前年実績		担当者名	売上計	構成比		
2	氷室	A002	7	9800	9800		氷室	64280			
3	遠藤	A002	6	8400	8400		遠藤	84800			
4	熊澤	C002	6	120	144		熊澤	60520			
5	内山	B001	5	13000	14300		内山	175000			
6	内山	A001	11	22000	19000		松本	18000			
7	氷室	A002	8	11200	11200		合計				
8	遠藤	A002	18	25200	25200						

❹ 全員分の合計を出すため、H7セルを選択して、オートSUMのショートカット Alt + Shift + = を押す。

VLOOKUP | =SUM(H2:H6)

	A	B	C	D	E	F	G	H	I	J	K	L
1	担当者	商品コード	数量	売上計	前年実績		担当者名	売上計	構成比			
2	氷室	A002	7	9800	9800		氷室	64280				
3	遠藤	A002	6	8400	8400		遠藤	84800				
4	熊澤	C002	6	120	144		熊澤	60520				
5	内山	B001	5	13000	14300		内山	175000				
6	内山	A001	11	22000	19000		松本	18000				
7	氷室	A002	8	11200	11200		合計	=SUM(H2:H6)				
8	遠藤	A002	18	25200	25200			SUM(数値1, [数値2], ...)				
9	熊澤	C002	20	400	360							
10	内山	A002	17	23800	23800							
11	内山	C001	9	27000	24300							

❺ Enter を押すと、全員分の合計が出る。

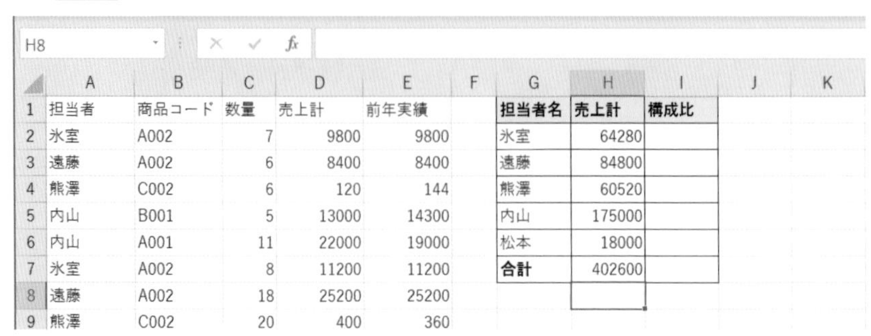

H8

	A	B	C	D	E	F	G	H	I	J	K
1	担当者	商品コード	数量	売上計	前年実績		担当者名	売上計	構成比		
2	氷室	A002	7	9800	9800		氷室	64280			
3	遠藤	A002	6	8400	8400		遠藤	84800			
4	熊澤	C002	6	120	144		熊澤	60520			
5	内山	B001	5	13000	14300		内山	175000			
6	内山	A001	11	22000	19000		松本	18000			
7	氷室	A002	8	11200	11200		合計	402600			
8	遠藤	A002	18	25200	25200						
9	熊澤	C002	20	400	360						

SUMIF関数には3つの引数があります。

・第一引数：集計の基準となる範囲
・第二引数：第一引数において指定した範囲で、合計したい行の条件
・第三引数：合計したい範囲

手順1で入力した=SUMIF(A:A,G2,D:D)という式は、以下の処理をおこなっています。

・合計したいのはD列の数値。でも、D列の数値全部を合計するわけじゃない
・A列において、セルの値がG2セルの値と等しい行のD列の値だけを合計する

実数一覧だけ出して満足してはいけない

ここで、実数一覧だけ出して満足していてはいけません。数字は、何かと比べることではじめて意味を持ちます。ここでは「構成比」を出してみましょう。

❶ I2セルに、氷室さんの全体に対する構成比を算出する式を入力する。

H7 =H2/$H$7

	A	B	C	D	E	F	G	H	I
1	担当者	商品コード	数量	売上計	前年実績		担当者名	売上計	構成比
2	氷室	A002	7	9800	9800		氷室	64280	=H2/$H$7
3	遠藤	A002	6	8400	8400		遠藤	84800	
4	熊澤	C002	6	120	144		熊澤	60520	
5	内山	B001	5	13000	14300		内山	175000	
6	内山	A001	11	22000	19000		松本	18000	
7	氷室	A002	8	11200	11200		合計	402600	
8	遠藤	A002	18	25200	25200				
9	熊澤	C002	20	400	360				
10	内山	A002	17	23800	23800				
11	内山	C001	9	27000	24300				

❷ Enter キーを押すと、氷室さんの全体に対する構成比が出る。

I3

	A	B	C	D	E	F	G	H	I	J	K
1	担当者	商品コード	数量	売上計	前年実績		担当者名	売上計	構成比		
2	氷室	A002	7	9800	9800		氷室	64280	16%		
3	遠藤	A002	6	8400	8400		遠藤	84800			
4	熊澤	C002	6	120	144		熊澤	60520			
5	内山	B001	5	13000	14300		内山	175000			
6	内山	A001	11	22000	19000		松本	18000			
7	氷室	A002	8	11200	11200		合計	402600			
8	遠藤	A002	18	25200	25200						

❸ I7セルまでドラッグコピーし、全員分の構成比を出す。

I2 =H2/$H$7

	A	B	C	D	E	F	G	H	I	J	K
1	担当者	商品コード	数量	売上計	前年実績		担当者名	売上計	構成比		
2	氷室	A002	7	9800	9800		氷室	64280	16%		
3	遠藤	A002	6	8400	8400		遠藤	84800	21%		
4	熊澤	C002	6	120	144		熊澤	60520	15%		
5	内山	B001	5	13000	14300		内山	175000	43%		
6	内山	A001	11	22000	19000		松本	18000	4%		
7	氷室	A002	8	11200	11200		合計	402600	100%		
8	遠藤	A002	18	25200	25200						

このように、構成比も一緒に出すことによって、各担当者ごとの偏りや貢献度などがより如実に見えてくるようになります。また、

「Aさんはみんなよりもたくさん売っている」

というあいまいな形容詞による表現ではなく、

「Aさんの売上は全体の43%を占めている」

と数字で表現したほうが、あなたの説明はより具体的で強い説得力を持つようになります。

集計条件が複数になる場合は、次の2つの方法があります。

・「作業列」を追加する
・SUMIFS関数を使う

SUMIFS関数は、次のような書式になっています。

【書式】

```
=SUMIFS(合計範囲,条件範囲1,条件1,条件範囲2,条件2…)
```

この条件範囲と条件の上限は、127個になっています。

出席者リスト、何人に「○」がついてる？ ～COUNTIF関数

COUNTIF関数の基本

次のようなイベントの出席者リストを作っているとします。出席可否欄には○、△、×の3つの記号を入力することになっています。

▼イベントの出席者リスト

	A	B	C	D	E	F	G	H
1	参加者名	出席可否		○				
2	吉田	○		△				
3	山岡	○		×				
4	佐藤	×						
5	氷室	△						
6	遠藤	×						
7	内山	○						
8	熊澤	△						

では、現在の出席者数は何人か、つまり「○の人は何人か」、そして「欠席である×はいくつあるか」を自動計算するにはどうしたらいいでしょうか？　もちろん、毎回数えてE1～E3の表に数字を入力するほど時間のもったいないことはありません。

そのようなときのために、「B列において、○が入力されているセルはいくつあるか」といったカウントができる関数があります。それがCOUNTIF（カウントイフ）関数です。

ここでは、E1セルからE3セルにおいて、B列における最新の○、△、×の数を自動算出できるようにしてみましょう。つまり、この出席表に追加

や変更があったら、各記号の数字も自動的に更新されるということです。

❶ E1セルに、B列にD1セルと同じ値はいくつあるかを数える次の式を入力する。

```
=COUNTIF(B:B,D1)
```

E1 =COUNTIF(B:B,D1)

	A	B	C	D	E	F	G	H	I
1	参加者名	出席可否		○	=COUNTIF(B:B,D1)				
2	吉田	○		△					
3	山岡	○		×					
4	佐藤	×							
5	氷室	△							
6	遠藤	×							
7	内山	○							
8	熊澤	△							
9	松本	○							
10	後藤	×							
11	松田	×							

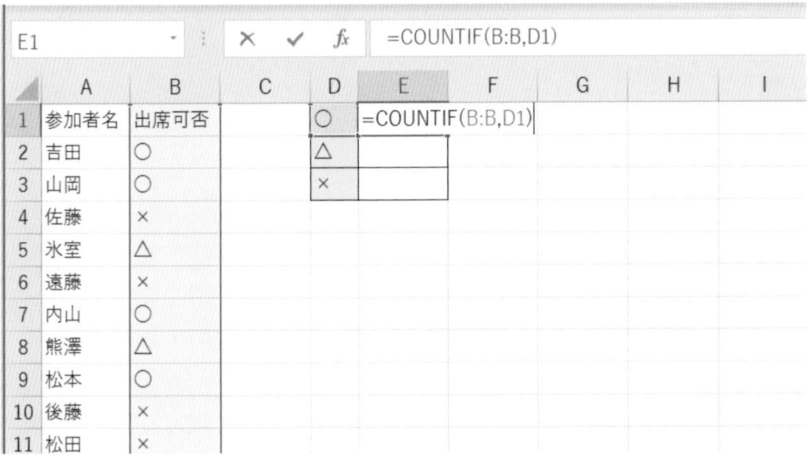

❷ Enterキーを押すと、E1セルにその結果が出る。

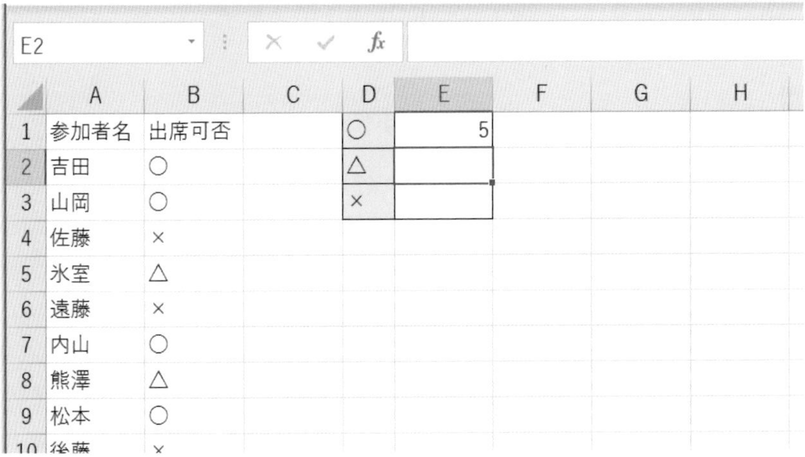

E2

	A	B	C	D	E	F	G	H
1	参加者名	出席可否		○	5			
2	吉田	○		△				
3	山岡	○		×				
4	佐藤	×						
5	氷室	△						
6	遠藤	×						
7	内山	○						
8	熊澤	△						
9	松本	○						
10	後藤	×						

❸ E3セルまでドラッグコピーすると、ほかの記号についても算出される。

E1	=COUNTIF(B:B,D1)							
	A	B	C	D	E	F	G	H
1	参加者名	出席可否		○	5			
2	吉田	○		△	2			
3	山岡	○		×	4			
4	佐藤	×						
5	氷室	△						
6	遠藤	×						
7	内山	○						
8	熊澤	△						
9	松本	○						

COUNTIF関数には、次の2つの引数があります。

・第一引数：数える範囲
・第二引数：第一引数で指定した範囲で数える条件

指定した範囲（第一引数）の中で、第二引数に指定した値、もしくは第二引数に指定した条件に合致するセルの個数を数えます。

担当者ごとの売上件数を出すには

前項のSUMIF関数では担当者ごとの売上金額を出しましたが、今度は担当者ごとの売上件数を出してみましょう。H列の売上計の欄には、前項で紹介したSUMIF関数を使って、担当者ごとの売上計が入力されている状態とします。

I列の「売上件数」という欄に、「その売上は何件の取引によるものなのか」という数字を出してみましょう。この表において、I2セルに入る数字は「A列にG2セルの値（つまり「氷室」）がいくつあるか」の答えです。

❶ I2セルに、A列にG2セルの値（つまり「氷室」）がいくつあるかをカウントする次の式を入力する。

```
=COUNTIF(A:A,G2)
```

G2　=COUNTIF(A:A,G2)

	A	B	C	D	E	F	G	H	I	J	K
1	担当者	商品コード	数量	売上計	前年実績		**担当者名**	**売上計**	**売上件数**	**一件あたり平均売上額**	
2	氷室	A002	7	9800	9800		氷室	64280	=COUNTIF(A:A,G2)		
3	遠藤	A002	6	8400	8400		遠藤	84800			
4	熊澤	C002	6	120	144		熊澤	60520			
5	内山	B001	5	13000	14300		内山	175000			
6	内山	A001	11	22000	19000		松本	18000			
7	氷室	A002	8	11200	11200		**合計**	402600			
8	遠藤	A002	18	25200	25200						

❷ Enter キーを押すと、I2セルには、A列の値がG2と同じ値、つまり「氷室」であるセルの個数が入る。

I3

	A	B	C	D	E	F	G	H	I	J	K
1	担当者	商品コード	数量	売上計	前年実績		**担当者名**	**売上計**	**売上件数**	**一件あたり平均売上額**	
2	氷室	A002	7	9800	9800		氷室	64280	5		
3	遠藤	A002	6	8400	8400		遠藤	84800			
4	熊澤	C002	6	120	144		熊澤	60520			
5	内山	B001	5	13000	14300		内山	175000			
6	内山	A001	11	22000	19000		松本	18000			
7	氷室	A002	8	11200	11200		**合計**	402600			

❸ I2セルをI6セルまでドラッグコピーし、さらにI7セルを選択して、Alt＋Shift＋=（オートSUMのショートカット）で合計を出す。

I7　=SUM(I2:I6)

	A	B	C	D	E	F	G	H	I	J	K
1	担当者	商品コード	数量	売上計	前年実績		**担当者名**	**売上計**	**売上件数**	**一件あたり平均売上額**	
2	氷室	A002	7	9800	9800		氷室	64280	5		
3	遠藤	A002	6	8400	8400		遠藤	84800	4		
4	熊澤	C002	6	120	144		熊澤	60520	3		
5	内山	B001	5	13000	14300		内山	175000	7		
6	内山	A001	11	22000	19000		松本	18000	1		
7	氷室	A002	8	11200	11200		**合計**	402600	20		
8	遠藤	A002	18	25200	25200						

これで集計完了です。

ここで出てくる数字は、「A列に各担当者の名前が入ったセルがそれぞれいくつあるか」を数えたものですが、これをビジネスデータとして読む場合は「氷室の売上件数は5件である」という具合です。

さらに、こちらの図では未入力の状態ですが、各担当者の売上を件数で割れば、1件の取引あたりの平均売上が出ます。「売上件数では遠藤さんよりも氷室さんのほうが多いのに、売上計が遠藤さんのほうが大きいのは、1件の取引あたりの平均売上が遠藤さんのほうが大きいことが理由である」といった分析が可能になります。そうしたことから、「氷室さんも遠藤さんレベルまで1件あたりの販売額を増やせば、より売上額を上げることができる」とわかります。

こうしたかんたんな分析だけでも、「そのためには具体的にどのような営業戦略を立てればいいか？」「どのような販促の手法を考えればいいか？」という具体的な戦術を検討するきっかけにできます。

このCOUNTIF関数は、データのダブりをチェックしたり、指定したデータの有無の確認、セルに特定の文字が含まれているかの確認などさまざまな活用方法がある、極めて便利で重要な関数です。ぜひマスターしてください。

複数の条件に合致するセルの個数をカウントする手段としては、COUNTIFS関数があります。

【書式】

=COUNTIFS(条件範囲1,条件1,条件範囲2,条件2…)

商品名を入れたら自動的に値段も入るようにできない？～VLOOKUP関数

VLOOKUP関数の基本

次のような表の入力作業があるとします。

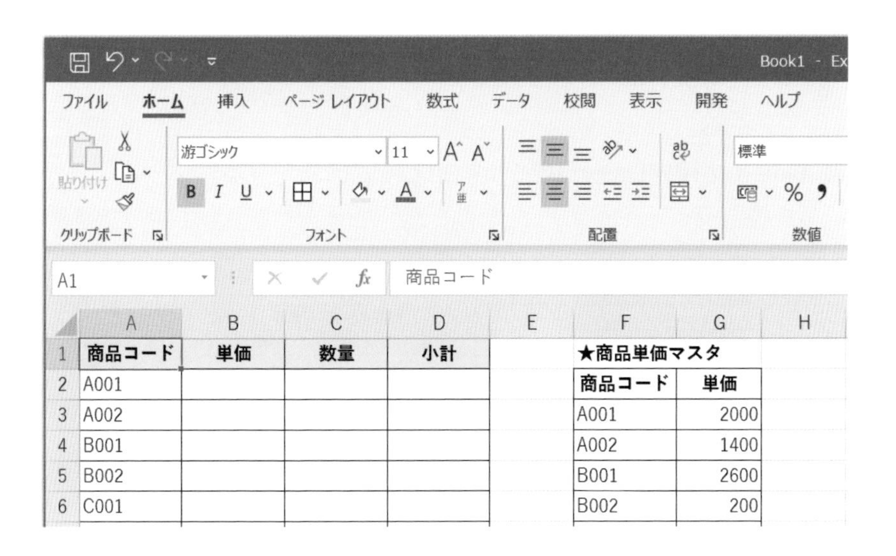

このとき、A列に商品コードを入力したら自動的に単価の欄にも価格が入ると、当然ラクでいいですよね。ミスもなくなります。

しかし、そのような仕組みは、「その商品の価格はいくらか」という情報がどこかにあらかじめ用意されていないとできません。このExcelシートでは、その情報となる表（商品単価マスタ）が右のほうに用意されています。

では、A列の商品コードに該当する単価がB列に出てくるようにしてみましょう。

❶ B2セルに次の関数を入力する。

```
=VLOOKUP(A2,F:G,2,0)
```

B2 | =VLOOKUP(A2,F:G,2,0)

	A	B	C	D	E	F	G	H	I
1	商品コード	単価	数量	小計		★商品単価マスタ			
2	A001	=VLOOKUP(A2,F:G,2,0)				商品コード	単価		
3	A002					A001	2000		
4	B001					A002	1400		
5	B002					B001	2600		
6	C001					B002	200		
7	C002					C001	3000		
8	C003					C002	20		

❷ Enter して確定した後、B2セルをB8セルまでコピーする。

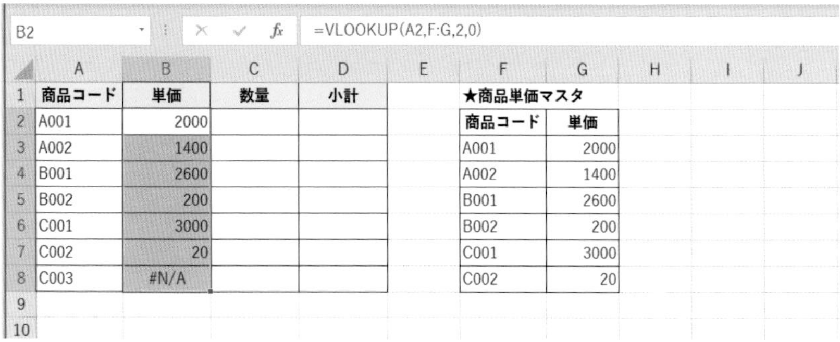

B2 | =VLOOKUP(A2,F:G,2,0)

	A	B	C	D	E	F	G	H	I	J
1	商品コード	単価	数量	小計		★商品単価マスタ				
2	A001	2000				商品コード	単価			
3	A002	1400				A001	2000			
4	B001	2600				A002	1400			
5	B002	200				B001	2600			
6	C001	3000				B002	200			
7	C002	20				C001	3000			
8	C003	#N/A				C002	20			
9										
10										

それぞれ、商品コードに該当する単価が入力されています。

ここで入力したVLOOKUP関数とは、どのようなものでしょうか。やはり、関数は日本語訳で説明できるようになるのが、理解において重要です。処理を日本語にすると、以下の指示文になります。

「A2セルの値を、F列からG列までの範囲の一番左の列（つまりF列）で探し、見つかったらそこから2列め（つまり1つ右）のセルの値を入力せよ」

ちなみに、VLOOKUPのVは、Vertical（垂直）のことです。「垂直方向に探す」という意味になります。なお、類似したものにHLOOKUP関数があり、この頭文字のHはHorizontal（水平）のことです。こちらは本書では説明を割愛していますが、ぜひ調べてみてください。

4つの引数の意味と処理の流れ

カンマ（,）で区切って4つの引数が指定されていますが、それぞれの意味を見てみましょう。

- 第一引数：検索値（最終的に入力したい値を取ってくるための手がかりとなる値が入っているセル）
- 第二引数：検索範囲（一番左の列で検索値を探す範囲。マスタとして利用する範囲）
- 第三引数：第二引数で指定した範囲の一番左の列から見て何列めの値を入力するか
- 第四引数：ここはとりあえず0を入力しておけば大丈夫です（FALSEと入力するのと同じ意味）

この関数は、まず、第一引数の検索値に指定した値をある場所で探します。どこで探すかというと、第二引数で指定した範囲の「一番左」の列です。上記の例では、第二引数ではF列からG列の範囲を指定しているので、その一番左の列であるF列で探すわけです。

次に、そのF列で検索値（B2セルの場合はA2セルの値、つまり"A001"）が見つかったら（この場合はF3セルにあります）、そのセルから第三引数で指定した数の分だけ右に移動したセルにある値を持ってくるのです。つまりこの場合、第三引数では「2」が指定されていますから、F3セルから数えて2列めにあるG3セルの値を参照しているわけです。

あとは、この表においては、小計の欄に「単価×数量」のかけ算の数式を入れておけば、数量を入力するだけで自動的に小計が埋まる仕組みが作れます。

見積書や請求書を作るExcelにこのような仕組みを組みこんでおけば、表を作成する作業がラクになりますよね。これがExcel仕事を効率化するための基本です。

「列全体指定」でメンテナンスをラクに

ここでは、第二引数において、F列からG列の2列の列全体を指定している点に注目してください。こうすることによって、マスタに新しい商品が追加された際にもVLOOKUP関数が対応できるようにしています。あらかじめVLOOKUP関数を入力しておき、商品コードに対応する単価を自動的に出すフォーマットを作る際は、このようなメンテナンス性に優れた仕組みを作るようにしましょう。

次のように、マスタ範囲だけを指定する式では、商品が増えるたびにVLOOKUP関数を修正する必要が出てきてしまいます。そんなムダなことはありません。

```
=VLOOKUP(A2,$F$3:$G$8,2,0)
```

SUMIF関数でもCOUNTIF関数でもVLOOKUP関数でも、範囲は原則として列ごとに指定しましょう。そうすることで式の作成を効率化でき、運用も効率化できるようになります。

これが、Excel効率化原則の1つである、「列全体参照の原則」です。

第4章

応用と組み合わせで関数の威力を10倍高める

Excelの関数をひととおり全部知りたい場合には、市販の関数辞典というジャンルの本を見るのが便利です。しかし、Excelの関数をすべて完璧にマスターしても、それだけでは仕事の役にはまったく立ちません。大事なのは、「単一または複数の関数をどう応用して組み合わせ、目的の処理を実現するか？」という発想です。

本章では、いくつかの事例をご紹介しながら、「ビジネスの現場ではどのように関数が使われているか」を見ていきます。これらの事例から学びとっていただきたいのは、個別の具体的なテクニックよりも、その根底にある“発想”です。最初のうちは難しく感じてしまうことが多いと思いますが、慣れてくると、関数の特性を活かし、さまざまな応用により自在に処理をおこなう仕組みを考えるのが楽しくなってきます。Excel関数を駆使して仕事を効率化することは、じつにクリエイティブな頭脳作業です。

セルの中に特定の文字列が含まれているかどうかを判定する

世田谷区のお客さんの人数だけ数えるには

「顧客データの中から、世田谷区のお客さんの人数だけ数えたい」

そのようなとき、どうすればラクに、速くできるでしょうか？
ここで必要なのは、以下の2つの作業です。

・セルの中に「世田谷区」という文字が含まれているかどうかを調べる
・「世田谷区」が含まれていたら、別のセルに「1」を入れるようにする

こうすれば、あとは「1」と入ったセルの合計を出せば、「世田谷区」を含んでいる住所の数を出せますね。

このような「セルに特定の文字列が含まれている場合は1を入れる」という作業は、COUNTIF関数の応用によっておこなうことができます。ここでは、A列に住所が入っているとして、B列に数字の「1」を入力するようにしてみましょう。

❶ B2セルに次の式を入力する。

```
=COUNTIF(A2,"*世田谷区*")
```

VLOOKUP　=COUNTIF(A2,"*世田谷区*")

	A	B	C	D	E	F
1	住所	世田谷区				
2	東京都中央区明石町	=COUNTIF(A2,"*世田谷区*")				
3	東京都世田谷区船橋					
4	東京都中野区沼袋					
5	東京都北区西ヶ原					
6	東京都目黒区自由が丘					

❷ データの最下端行までコピーする。

B7 =COUNTIF(A7,"*世田谷区*")

	A	B	C	D	E	F
1	住所	世田谷区				
2	東京都中央区明石町	0				
3	東京都世田谷区船橋	1				
4	東京都中野区沼袋	0				
5	東京都北区西ヶ原	0				
6	東京都目黒区自由が丘	0				
7	東京都世田谷区豪徳寺	1				
8						

すると、A列のセルで「世田谷区」と含まれている場合、B列のセルに「1」が入ります。

ここで出てきた「*」という記号は「アスタリスク」といって、どんな文字だろうと何文字だろうと、これ1文字で代用できるというもの（いわゆる「ワイルドカード」として使える記号）です。この場合、「『世田谷区』という文字の前後に何文字かの文字が入ってる」ことを意味します。つまり「世田谷区という文字列を含む」という部分一致で文字列を検索できるのです。

おさらいになりますが、COUNTIF関数は、第一引数で指定した範囲において、第二引数で指定した条件に合致するセルの数を数える関数です。今回B2セルに入れた関数の意味は次のようになります。

A2セルにおいて、「世田谷区」を含む値のセルはいくつあるか

数える範囲である第一引数には、A2という単一のセルを指定しています。そこに条件に合うセルがいくつあるかといえば、答えは1か0なわけですが、その答えが「1」であれば世田谷区という文字列を含んでいる、「0」であれば含んでいない、という判定になるわけです。

あとは、SUM関数でB列の値を合計すれば、A列の住所の中で世田谷区を含むものがいくつあるかを出すことができます。

▼SUM関数でB8セルにB列の合計を表示

B8 =SUM(B2:B7)

	A	B	C	D	E	F
1	住所	世田谷区				
2	東京都中央区明石町	0				
3	東京都世田谷区船橋	1				
4	東京都中野区沼袋	0				
5	東京都北区西ヶ原	0				
6	東京都目黒区自由が丘	0				
7	東京都世田谷区豪徳寺	1				
8		2				
9						

世田谷区以外の区も調べるには

ここまでは、含まれているか調べたい文字である「世田谷区」という文字を、関数の中に直接入力して調べました。それでは、次のように世田谷区だけではなく、ほかの区も含まれているか調べたいときはどうすればいいでしょうか。

▼世田谷区以外の区も調べるには

A1 住所

	A	B	C	D	E	F	G
1	住所	世田谷区	中央区	中野区	北区	目黒区	
2	東京都中央区明石町						
3	東京都世田谷区船橋						
4	東京都中野区沼袋						
5	東京都北区西ヶ原						
6	東京都目黒区自由が丘						
7	東京都世田谷区豪徳寺						
8							
9							

それぞれの区の名前を関数の中に直接入力するのでは、B列からF列までそれぞれ関数を書き直さなければならなくなり、大変面倒で嫌になりますね。ミスも起こりやすくなります。

このようなときは、関数の中に調べたい文字列を直接入力するのではなく、セル参照する方法をとります。せっかくこの表には、含まれているか調べたい文字列（区の名前）が行頭に項目名として入力されているのですから、そのセルを参照することで関数の入力作業をラクにすることができます。

ここで注意が必要なのは、セル参照で調べる場合は次のように入力する必要があるということです。

```
=COUNTIF($A2,"*"&B$1&"*")
```

▼ =COUNTIF($A2,"*"&B$1&"*")と入力

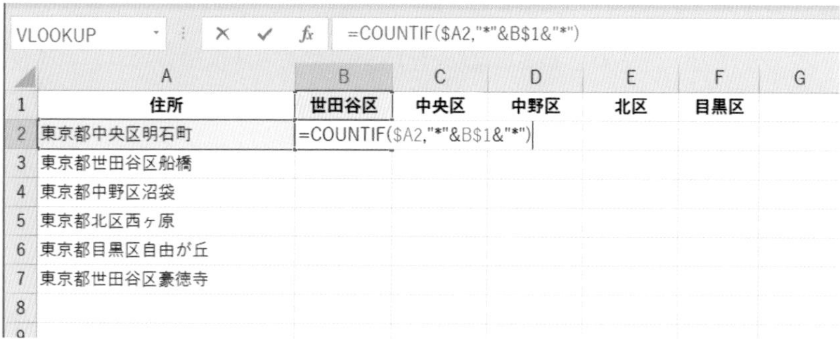

VLOOKUP　=COUNTIF($A2,"*"&B$1&"*")

	A	B	C	D	E	F	G
1	住所	世田谷区	中央区	中野区	北区	目黒区	
2	東京都中央区明石町	=COUNTIF($A2,"*"&B$1&"*")					
3	東京都世田谷区船橋						
4	東京都中野区沼袋						
5	東京都北区西ヶ原						
6	東京都目黒区自由が丘						
7	東京都世田谷区豪徳寺						
8							

ここでよく、第二引数において、セル番地とアスタリスクをつなげて入力してしまうミスが起きます。理解しやすくするために、絶対参照の$マークを抜いた形で例を挙げると、以下のようなミスをしてしまいがちなのです。

```
=COUNTIF(A2,"*B1*")
```

これだと、A2セルの中に、「B1」という文字列があるかどうかを調べることになってしまいます。意図としては「B1に入ってる文字列」が含まれているかどうかを調べようとしたわけですが、その場合はアスタリスクと参照セルの指定は分けて、&記号でつなぐ必要があるのです。

絶対参照の設定にも気をつけて、B2セルに正しく入力できたら、F7セルまでの表全体にそのままコピーしましょう。

入力した式をF7セルまでにコピー

B2 =COUNTIF($A2,"*"&B$1&"*")

	A	B	C	D	E	F	G
1	住所	世田谷区	中央区	中野区	北区	目黒区	
2	東京都中央区明石町	0	1	0	0	0	
3	東京都世田谷区船橋	1	0	0	0	0	
4	東京都中野区沼袋	0	0	1	0	0	
5	東京都北区西ヶ原	0	0	0	1	0	
6	東京都目黒区自由が丘	0	0	0	0	1	
7	東京都世田谷区豪徳寺	1	0	0	0	0	

さらに、各区名の件数を出したければ、B8セルからF8セルを選択した状態で、Alt+Shift+=（オートSUMのショートカット）を押せば出すことができます。

B8セルからF8セルを選択した状態でAlt+Shift+=

B8 =SUM(B2:B7)

	A	B	C	D	E	F	G	H
1	住所	世田谷区	中央区	中野区	北区	目黒区		
2	東京都中央区明石町	0	1	0	0	0		
3	東京都世田谷区船橋	1	0	0	0	0		
4	東京都中野区沼袋	0	0	1	0	0		
5	東京都北区西ヶ原	0	0	0	1	0		
6	東京都目黒区自由が丘	0	0	0	0	1		
7	東京都世田谷区豪徳寺	1	0	0	0	0		
8		2	1	1	1	1		
9								

ちなみに、IF関数ではこの処理はうまくいきません。A2セルに「世田谷区」が含まれていたら○、含まれていない場合は×としたい場合、以下のような式でうまくいかないというご相談を受けることがあります。

```
=IF(A2="*世田谷区*","○","×")
```

この場合は、いったんCOUNTIF関数で文字列を含んでいるかの判定を組み込む必要があります。

```
=IF(COUNTIF(A2,"*世田谷区*")=1,"○","×")
```

これなら、A2セルにおいて「世田谷区」という文字列を部分一致で検索して判定できるようになります。

データに重複があるかを確認する方法

どうやって重複を判定するか

「テレアポリストに、同じ会社が何個もダブって入ってるんだけど！」

とある新規開拓をおこなう営業部門でのお話です。その部署ではテレアポリストを10人の営業マンが個別に作り、個別に電話をかけていました。各メンバーは個別にネットなどで営業見込み先の企業情報を集めているわけですが、当然の結果として、複数のメンバーのテレアポリストに同じ企業が入ってしまいます。

そのままの状態で一斉にテレアポを開始すると、同じ会社に同じ営業電話が何回もかかることになり、とんでもない迷惑となります。ついに相手を怒らせてしまい「二度と電話かけてくるな！」というクレームを受けてしまった、今後こうした事態を防ぐにはどうしよう……というご相談を受けることが結構多いのです。

このような顧客リストなどの管理において、同じデータがダブって入力されているのをチェックしたい場合は、どうすればいいのでしょうか。

まず、かんたんな判定方法から見ていきましょう。たとえば、A列にIDが入っていて、重複の有無を調べたい場合は、以下のロジックで判定できます。

・そのIDがA列にいくつあるかを数える
・その結果が1つならダブりはなく、2つ以上ならダブりがあると考える

Excelで実現するための手順を見てみましょう。ここでは、B列に重複の判定結果を出すことにします。

❶ B2セルに次のように入力する。

```
=COUNTIF(A:A,A2)
```

ファイル　ホーム　挿入　ページ レイアウト　数式　データ　校閲　表示　開発

B2　=COUNTIF(A:A,A2)

	A	B	C	D	E	F	G	H	I
1	ID	ID重複チェック							
2	A-194	=COUNTIF(A:A,A2)							
3	A-160								
4	A-182								
5	A-142								
6	A-165								
7	A-177								
8	A-155								
9	A-128								
10	A-194								
11	A-184								
12	A-122								
13	A-100								
14	A-172								
15	A-154								
16	A-130								
17	A-185								
18	A-112								
19	A-101								
20	A-194								
21	A-179								
22	A-182								
23	A-119								
24	A-126								

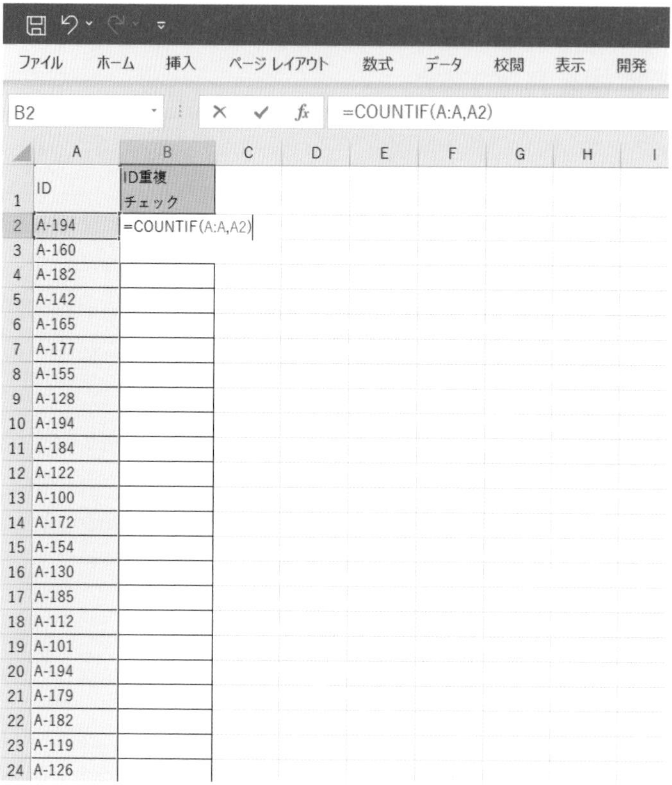

これは、A2セルと同じ値のセルがA列でいくつあるかを数えています。

この結果が1なら、A2セルと同じ値のセルはA列にはA2セルのほかにはない……つまりダブりがないと判定できるわけです。

この結果が2以上なら、A2セルのほかにもA2セルと同じ値のセルがあることになりますから、ダブりがあるとわかります。

❷ データの最下端行までコピーする。

今回のように縦方向に既存のデータが連続して入力されているときに、コピーする行数が多くなってくると、その隣の列に入力した関数などをデータの最下端行までマウスでドラッグしてコピーするのは大変です。この手間は、次のテクニックで瞬殺することができます。

B2セルに式を入力したら、再度B2セルを選択し、選択したセルの右下隅にカーソルを合わせてください。すると、通常は白十字であるカーソルが黒十字に変わるので、その状態でダブルクリックしてください。

ファイル　ホーム　挿入　ページレイアウト　数式　データ　校閲　表示　開発

B2　=COUNTIF(A:A,A2)

	A	B
1	ID	ID重複チェック
2	A-194	3
3	A-160	1
4	A-182	2
5	A-142	1
6	A-165	1
7	A-177	1
8	A-155	1
9	A-128	1
10	A-194	3
11	A-184	1
12	A-122	1
13	A-100	1
14	A-172	1
15	A-154	1
16	A-130	1
17	A-185	1
18	A-112	1
19	A-101	1
20	A-194	3
21	A-179	1
22	A-182	2
23	A-119	1
24	A-126	1

これで、A列の各セルについて、A列でダブって入力されていないかを確かめることができます。

データの重複をなくす2つの方法

データに重複があることがわかったとしても、まだ問題があります。通常、データの重複を確認するだけでなく、重複がない状態のデータがほしいことが多いわけです。データに重複がない状態にすることを「一意化」「ユニーク化」と言いますが、そのためにはどのような作業をすればいいでしょうか。

Excelには「重複の削除」という、まさにそのための機能が存在しています。しかし、この機能は重複していないデータまで削除してしまう現象が確認されているため、本書では推奨していません。

ではどうするかというと、2つの方法が考えられます。

❶ ピボットテーブルで一意化する

これがもっとも手っ取り早い方法です。第10章のP.388にて、重複のある都道府県名のデータを一意化する操作が出てきます。このような操作で一意化したデータを作ることができます。

❷ UNIQUE関数を使う（Excel 2021／Microsoft 365以降）

詳細は第8章のP.306を参照してください。

連番をラクに入力する方法

Excelで1、2、3……と続く連番を入力するには、いくつかの方法があります。1つずつ見ていきましょう。

オートフィル機能を使う

まずは、オートフィル機能を使う方法です。たとえば、A2セルに1、A3セルに2を入力してある場合、A2セルとA3セルを選択して、下方向にドラッグコピーするだけで、ドラッグした行までの連番が作成されます。

▼A2セルとA3セルを選択

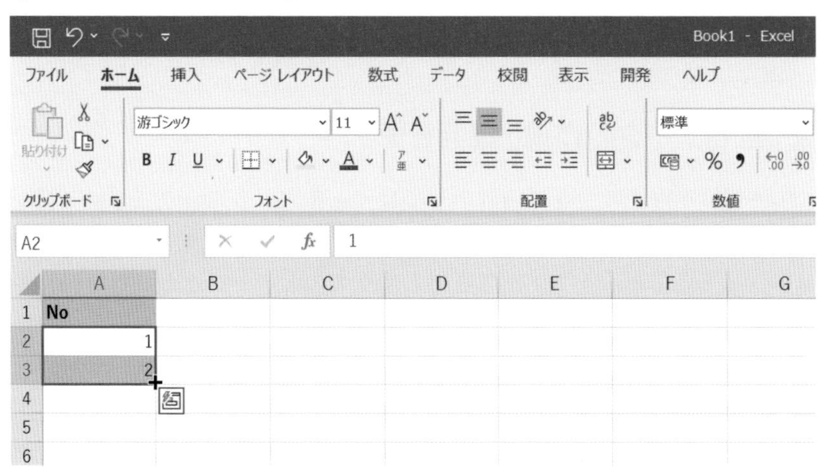

▼ 下方向にドラッグコピーすると、ドラッグした行までの連番が作成される

A2 fx 1

	A	B	C	D	E	F	G	H
1	No							
2	1							
3	2							
4	3							
5	4							
6	5							
7	6							
8	7							
9	8							
10	9							
11	10							
12	11							
13	12							
14	13							
15	14							
16	15							
17	16							
18	17							
19	18							
20								

「連続データの作成」機能を使う

1からある程度の大きさの数字まではオートフィルで十分ですが、量が多くなると限界が見えてきます。たとえば、1から1000までの連番を入力するとなると、オートフィルで延々とマウスのドラッグをおこなうのは手間ですよね。

そのように、大きな数字までの連番を入れるには「連続データの作成」機能を使うと便利です。

❶ 連番を開始するセルに数字の1を入力し、入力したセルを選択する。

A2 fx 1

	A	B	C	D	E	F	G
1	No						
2	1						

1と入力したあとEnterキーを押すと、選択セルは1つ下に移動してしまいますが、入力確定時にCtrl+Enterを押すと、選択セルが入力確定したセルにとどまっていてくれます。

❷ ［ホーム］タブ→［フィル］→［連続データの作成］をクリックする。

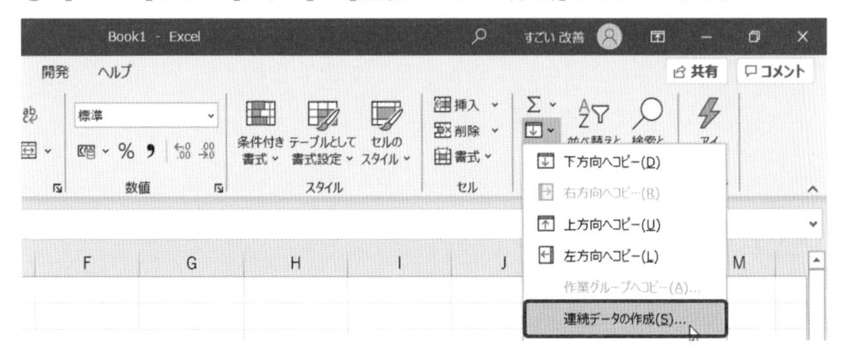

❸ ［範囲］で［列］を選択、［停止値］に1000と入力して［OK］をクリックする。

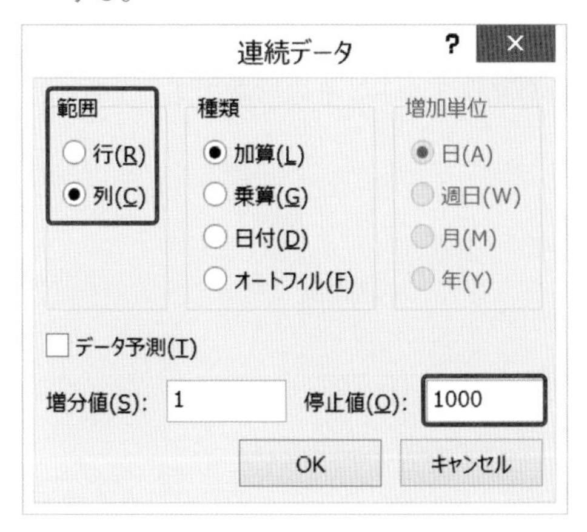

これで、1から1000までの連番を一瞬で入力できます。オートフィルよりはるかに速くてラクです。

崩れない連番を作るには

以上2つの方法では、それぞれの数字を固定値としてセルに入力するので、たとえば途中の行を削除したり、行を入れ替えたりすると、連番が崩れてしまいます。そのような操作をしても連番が崩れないようにしたい場合は、ROW関数を使いましょう。途中の行を削除したり、入れ替えたりしても連番が維持され、いちいち修正しなくてよくなります。

次の式を入力したセルには、「そのセルがシートの何行めにあるか」という数字が出ます。

【書式】

```
=ROW()
```

カッコの中には何も入力しません。関数には、このようにカッコの中に引数を書かずに使うものもあることを覚えておきましょう（ほかに、TODAY関数、NOW関数などがあります）。

たとえば、A2セルにこの関数を入力すると、A2セルには「2」が出てきます。A2セルはシートの2行めにありますから、その行数である2という数字が返されたわけです。

▼ A2セルに=ROW()と入力すると

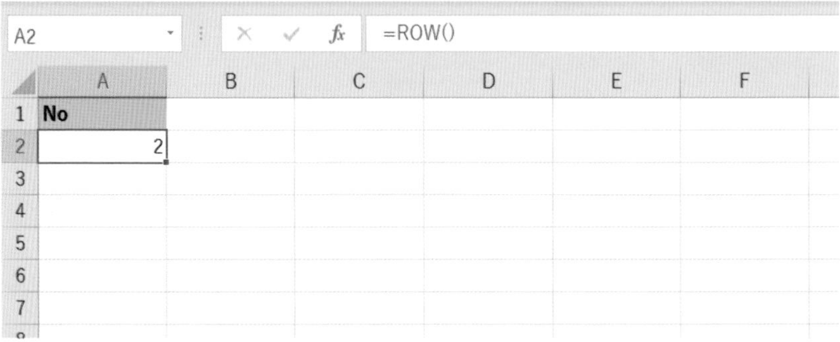

A2　=ROW()

	A	B	C	D	E	F
1	No					
2	2					
3						
4						
5						
6						
7						

これをこのまま下方向にドラッグコピーすると、以下のような2から始まる連番が現れます。

▼ A2セルを下方向にドラッグコピーした結果

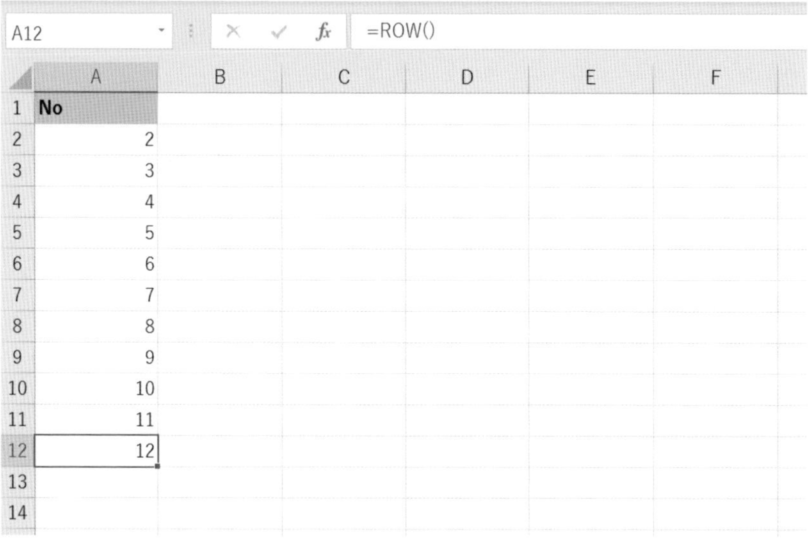

A12 =ROW()

	A	B	C	D	E	F
1	No					
2	2					
3	3					
4	4					
5	5					
6	6					
7	7					
8	8					
9	9					
10	10					
11	11					
12	12					
13						
14						

各セルにて「=ROW()」という式がそのセルが何行めかの数字を出すわけですから、結果としてこのような連番になるわけです。

しかし通常、連番は1から始めたいものです。そこで、このROW関数から数字を引いて調整します。たとえば2行めのセル（ここではA2セル）から連番を開始する場合は、以下のように入力します。

```
=ROW()-1
```

A2セルに=ROW()-1と入力

VLOOKUP
=ROW()-1

	A	B	C	D	E	F
1	No					
2	=ROW()-1					
3						
4						
5						
6						
7						

これでEnterキーを押すと、行数である2を取得しているROW()から1を引いているので、結果としてセルには「1」が出ます。

結果として「1」が出る

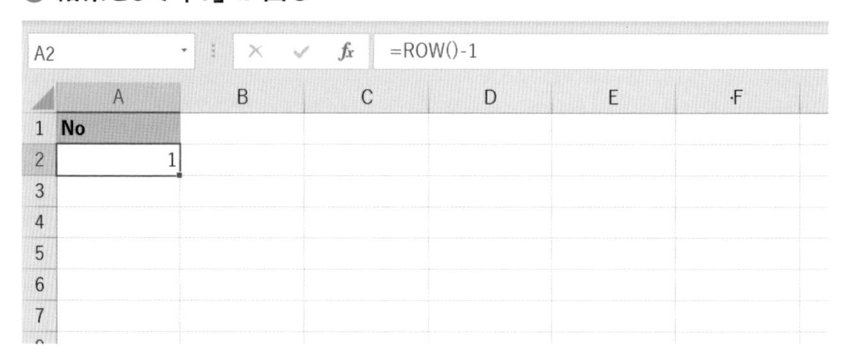

そのセルを下方向にドラッグコピーすると、連番が現れます。

▼ A2セルを下方向にドラッグコピーした結果

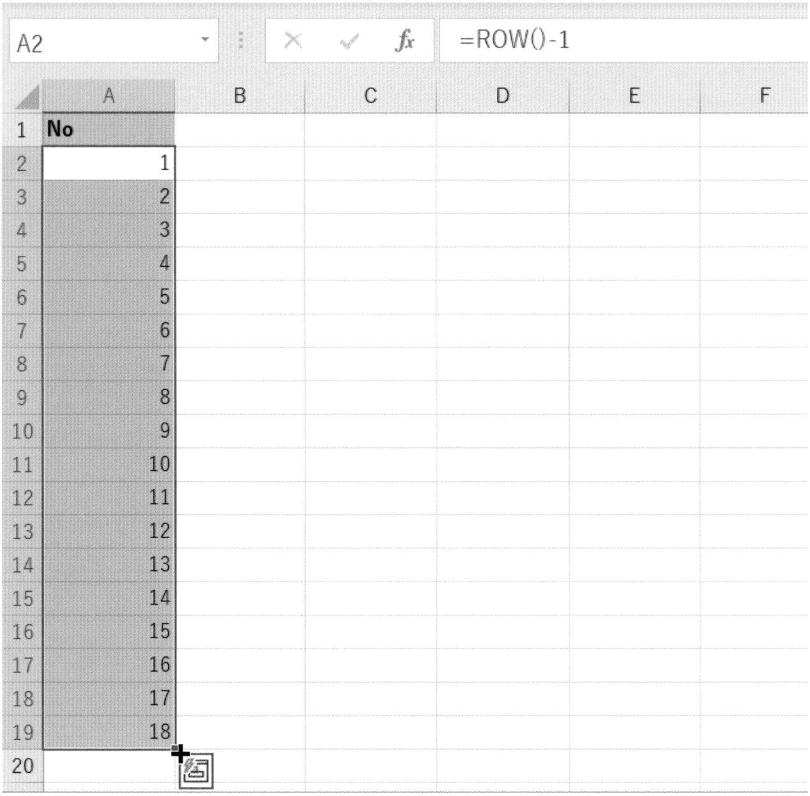

A2 　=ROW()-1

	A	B	C	D	E	F
1	No					
2	1					
3	2					
4	3					
5	4					
6	5					
7	6					
8	7					
9	8					
10	9					
11	10					
12	11					
13	12					
14	13					
15	14					
16	15					
17	16					
18	17					
19	18					
20						

こうしてできた連番は、各セルのROW関数が常にそのセルが今何行めにいるかを取得していますから、途中行を削除したり行を入れ替えたりしても、常に1から始まる連番が維持されます。

シートの行方向に続く連番を作るには

では、シートの行方向、つまり右方向へ続く連番を作るにはどうすればいいでしょうか。そのために使うのが、COLUMN関数です。COLUMN関数は、次のように入力したセルに、そのセルがシートの左から何列めにあるかを返します。

【書式】

```
=COLUMN()
```

たとえば、B1セルにこの関数を入力すると「2」が表示されます。

B1セルに=COLUMN()と入力すると

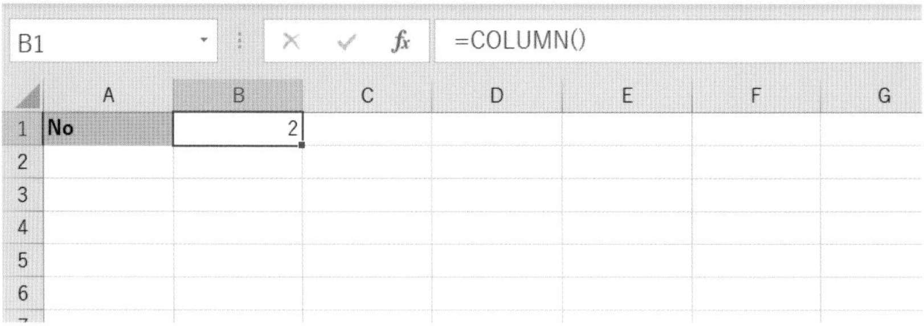

B1 =COLUMN()

	A	B	C	D	E	F	G
1	No	2					
2							
3							
4							
5							
6							

B1セルはB列、つまりシートの左から2列めにあるから、その数字が返されるわけです。

そのまま右方向へドラッグコピーすれば、2から始まる連番ができます。

これを1から始まる連番にするには、ROW関数のときと同様、うまく数字を引いて調整してやります。

❶ B1セルに次の式を入力して Enter を押す。

```
=COLUMN()-1
```

❷ B1セルを右方向にドラッグコピーすると、連番が現れる。

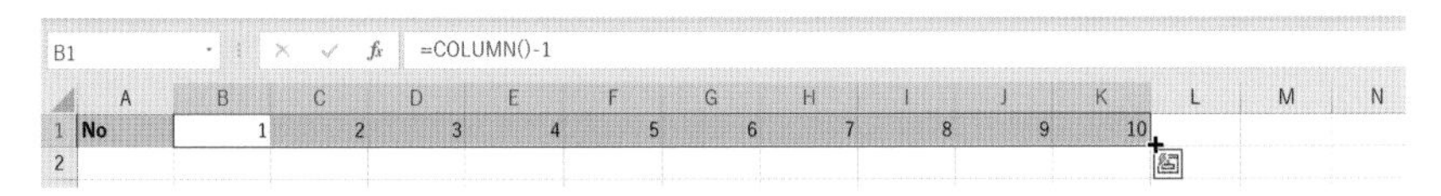

ROW関数やCOLUMN関数で連番を作るテクニックは、以下のようにさまざまな場面での応用で活躍してくれます。

- 表に1行おきに色をつけて、見やすい表を作る
- アルファベットの連番を入力する
- 行方向に大量のVLOOKUP関数を入力する作業をラクにする

この後、それぞれご紹介します。

右方向への大量のVLOOKUP関数の入力をかんたんにする方法

まちがっても根性を発揮して修正作業をがんばろうとしてはいけない

次のようなケースでVLOOKUP関数を入力する場合、普通にやるととても大変なことになってしまいます。

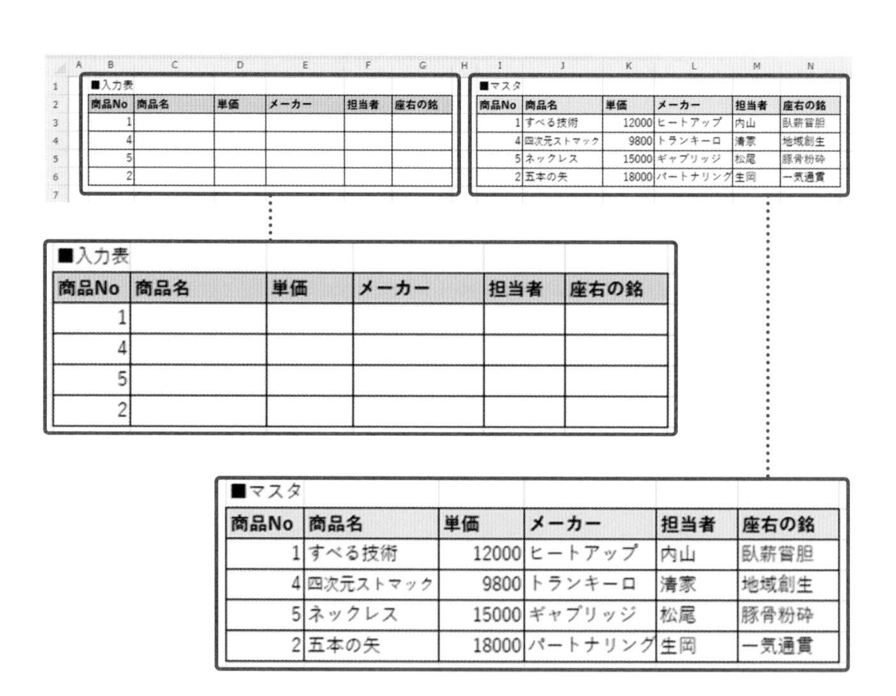

■入力表

商品No	商品名	単価	メーカー	担当者	座右の銘
1					
4					
5					
2					

■マスタ

商品No	商品名	単価	メーカー	担当者	座右の銘
1	すべる技術	12000	ヒートアップ	内山	臥薪嘗胆
4	四次元ストマック	9800	トランキーロ	清家	地域創生
5	ネックレス	15000	ギャブリッジ	松尾	豚骨粉砕
2	五本の矢	18000	パートナリング	生岡	一気通貫

「入力表」の各セルに、商品Noに応じた値を「マスタ」からVLOOKUP関数で引っ張ってくるわけですが、まず通常の方法で最初のC3セルに普通に入力してみましょう。

```
=VLOOKUP($B3,$I:$N,2,0)
```

C3セルに入力した式をG列までコピーして使うので、参照先がずれないように、第一引数の検索値、第二引数の検索範囲は絶対参照で固定しています。

▼ C3セルに=VLOOKUP($B3,$I:$N,2,0)と入力した結果

C3 | =VLOOKUP($B3,$I:$N,2,0)

	A	B	C	D	E	F	G
1		■入力表					
2		商品No	商品名	単価	メーカー	担当者	座右の銘
3		1	すべる技術				
4		4					
5		5					
6		2					

では、これをG3セルまでドラッグコピーしてみます。すると、以下のようになります。

▼ C3セルをG3セルまでドラッグコピーした結果

	A	B	C	D	E	F	G
1		■入力表					
2		商品No	商品名	単価	メーカー	担当者	座右の銘
3		1	すべる技術	すべる技術	すべる技術	すべる技術	すべる技術
4		4					
5		5					
6		2					

すべて同じ値が入っていますね。なぜなら、C3セルからG3セルまでの各セルに入っている関数は、上記のとおり、第三引数が「2」になったままだからです。検索範囲であるI:N列の左端の列から数えて2列めの値を参照

しています。

C3セルからG3セルの各セルにそれぞれ正しい値を持ってくるには、各セルのVLOOKUP関数の第三引数を修正しなければなりません。C3セルでは「2」となっているVLOOKUP関数の第三引数を、D3セルでは「3」、E3セルでは「4」、F3セルでは「5」、G3セルでは「6」に修正すれば、やっと各セルに正しい値を持ってくることができます。

……けっこう面倒くさいですね。今回のように、修正するセルが4つ程度であればたいした問題ではありませんが、ビジネスの現場ではこのようなVLOOKUP関数の入力と第三引数の修正が50列に渡るケースもあります。そのようなケースでは、まちがっても根性を発揮して修正作業をがんばろうとしてはいけません。修正すら必要ない、ラクな方法があるのです。

コピー先のセルで、適切な数字に変わってくれるようにする

ここで必要なのは、VLOOKUP関数の第三引数に2とか3といった固定値を入力するのではなく、「コピーした先の各セルにおいて、うまい具合に適切な数字に変わってくれるようなものを入力する」という発想です。

最もシンプルなのは、表外上部に第三引数に指定したい数字を入力して、そのセルを参照する方法です。たとえば、C1セルからG1セルに、2から6までの数字を入力した状態で、C3セルに次の式を入力します。

```
=VLOOKUP($B3,$I:$N,C$1,0)
```

G3セルまでコピーすると、次のようになります。

▼ C3セルに=VLOOKUP($B3,$I:N,C1,0)と入力してG3セルまでコピーすると

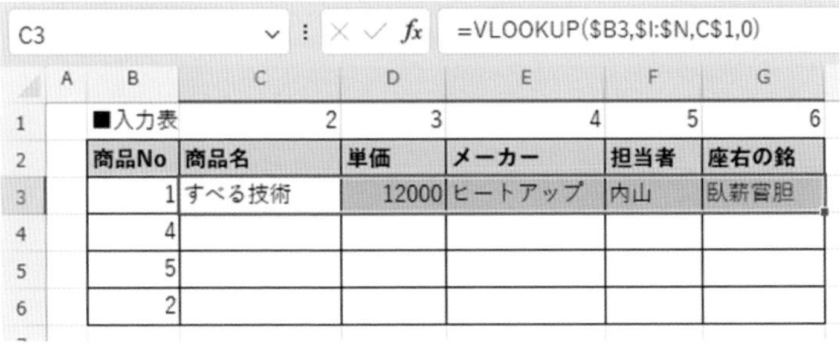

C3 | =VLOOKUP($B3,$I:N,C1,0)

	A	B	C	D	E	F	G
1		■入力表	2	3	4	5	6
2		商品No	商品名	単価	メーカー	担当者	座右の銘
3		1	すべる技術	12000	ヒートアップ	内山	臥薪嘗胆
4		4					
5		5					
6		2					

第三引数において、同じ列にある1行めのセルを参照しています。つまり、第三引数がC列では2、D列では3という具合に、自動的に変わってくれるわけです。これなら、各セルでVLOOKUP関数の第三引数を入力しなおす手間が大幅に軽減されます。

表外に数字を書き出さずに処理を完結させるには

このケースの場合、「入力表」と「マスタ」の項目の並ぶ順番が同じですから、VLOOKUP関数の第三引数で指定したい数字も右方向に1ずつ増える連番の形となりました。このような場合であれば、表外上部に別途数字を書き出さずに処理を完結することもできます。

行方向に並ぶ連番は、COLUMN関数で作ることができます。このCOLUMN関数の性質を応用し、VLOOKUP関数の第三引数に組み込むことで、作業を瞬殺することができるのです。

C3セルに次の式を入力します。

```
=VLOOKUP($B3,$I:$N,COLUMN()-1,0)
```

これをG3セルまでコピーすると、以下のようになります。

▼ C3セルに=VLOOKUP($B3,$I:$N,COLUMN()-1,0)と入力してG3セルまでコピーすると

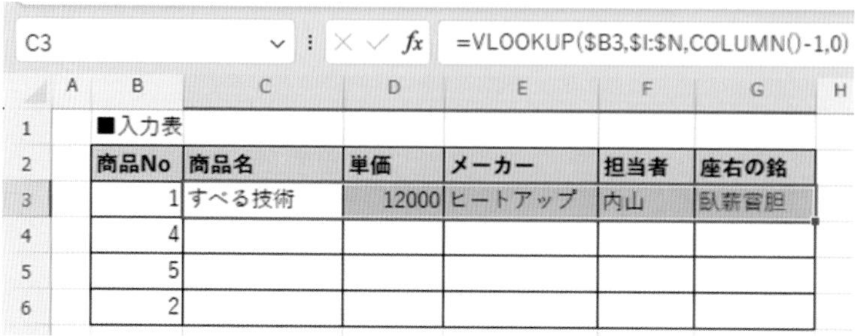

C3 =VLOOKUP($B3,$I:$N,COLUMN()-1,0)

	A	B	C	D	E	F	G	H
1		■入力表						
2		商品No	商品名	単価	メーカー	担当者	座右の銘	
3		1	すべる技術	12000	ヒートアップ	内山	臥薪嘗胆	
4		4						
5		5						
6		2						

第三引数の「COLUMN()-1」は、C列では「2」、D列では「3」になっています。COLUMN関数が出してくれるのは、COLUMN()と入力されたセルがシートの何列めにあるかという数字です。

C3セルに入力したVLOOKUP関数において、第三引数に指定したい数字は「2」です。C3セルでは「COLUMN()」が「3」になっているので、そこから1を引いて調整して「2」にしているのです。D列からG列でも、同様に「COLUMN()」で取得した数字から1を引いた数字がVLOOKUP関数の第三引数となって、正しい項目の値をひっぱってくることができています。

VLOOKUP関数で検索範囲の列順の変動に対応するには

入力表とマスタの項目の並び順が違っている場合

先ほどの例では「入力表」と「マスタ」の項目の並び順が同じだったために、第三引数が順に2、3、4……という連番となりました。だから、VLOOKUP関数の第三引数にCOLUMN関数を組み込む応用技で、入力作業を効率化できたわけです。

しかし、以下のように、入力表とマスタの項目の並び順が違っている、つまり第三引数が順に連番にならないケースでは、COLUMN関数では各セルのVLOOKUP関数において正しい第三引数の数字を取得できません。

▼ 入力表とマスタの項目の並び順が違っている場合

■入力表

商品No	商品名	単価	メーカー	担当者	座右の銘
1					
4					
5					
2					

■マスタ

商品No	メーカー	商品名	座右の銘	担当者	単価
1	ヒートアップ	すべる技術	臥薪嘗胆	内山	12000
4	トランキーロ	四次元ストマック	地域創生	清家	9800
5	ギャプリッジ	ネックレス	豚骨粉砕	松尾	15000
2	パートナリング	五本の矢	一気通貫	生岡	18000

この例では、D列の「単価」は「マスタ」では左端から6列め、E列の「生産者」は「マスタ」では左端から5列めにあります。このような場合でも、C3セルに一度最初の関数式を入力すれば、あとはG列までコピーするだけでよくするには、どのような仕組みを考えたらいいでしょうか。

C列の商品名のセルに入力されるVLOOKUP関数の第三引数に来るべき数字を考えてみましょう。答えは、2です。その2という数字が自動的に第三引数に入ってくれればいいわけです。

そのために使うのが、MATCH関数です。次のサンプルで説明します。

A2 =MATCH(A1,$F$1:$I$1,0)

	A	B	C	D	E	F	G	H	I
1	商品名	座右の銘	メーカー	担当者		メーカー	商品名	座右の銘	担当者
2	2	3	1	4					
3									

上記では、A1セルからD1セルまで入力された各項目名「商品名」「座右の銘」「メーカー」「担当者」それぞれが、F1からI1の範囲の中で左からいくつめにあるか、という数字をA2セルからD2セルに出しています。つまり、A2セルの例でいうと「A1セルの値つまり"商品名"という値は、範囲F1:I1において左から2つめにある」ということで、A2セルには「2」が表示されているわけです。

A2セルでこの処理をおこなっているのが、次の関数式です。

```
=MATCH(A1,$F$1:$I$1,0)
```

MATCH関数は、第一引数に指定した値が、第二引数で指定した範囲においていくつめに出てくるかという数字を出してくれます。第三引数は基本的には「0を入力しておけばいい」と考えておいてください。

図では、A2セルのこの式をD2セルまでコピーしています。第一引数は絶対参照にしていませんから、B2セルにコピーされた式の第一引数はB1

セル、C2セルにコピーされた式の第一引数はC1セル、D2セルにコピーされた式の第一引数はD1セルになっています。

第二引数は、縦一列か横一行の範囲に限られます。

・縦方向の範囲を指定した場合
第一引数で指定した値が、その範囲の上からいくつめにあるかを返す

・横方向の範囲を指定した場合
第一引数で指定した値が、その範囲の左からいくつめにあるかを返す

セル範囲F1:I1においては、

・A1セルつまり「商品名」は左から2つめにある
・B1セルつまり「座右の銘」は左から3つめにある
・C1セルつまり「メーカー」は左から1つめにある
・D1セルつまり「担当者」は左から4つめにある

という状態になっています。この「2」、「3」、「1」、「4」という数字を出してくれるのがMATCH関数です。

これを応用して、VLOOKUP関数の第三引数にMATCH関数を組み込みます。入力表とマスタとで項目の並び順が違っていても、「入力表の各項目名がマスタの何列目にあるか」という数字をMATCH関数で取得し、それをVLOOKUP関数の第三引数に当て込むことで解決できるようになるわけです。入力表のC3セルには、次の式を入力します。

```
=VLOOKUP($B3,$I:$N,MATCH(C$2,$I$2:$N$2,0),0)
```

表全体にコピーすると、以下のようになります。

▼ C3セルに=VLOOKUP($B3,$I:$N,MATCH(C$2,$I$2:$N$2,0),0)と入力して表全体にコピーすると

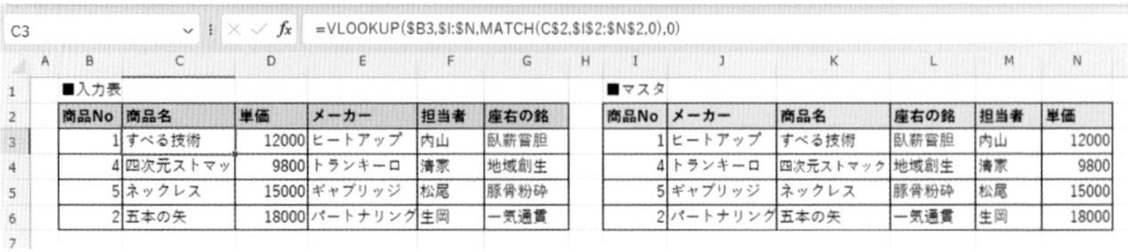

C3　=VLOOKUP($B3,$I:$N,MATCH(C$2,$I$2:$N$2,0),0)

■入力表

商品No	商品名	単価	メーカー	担当者	座右の銘
1	すべる技術	12000	ヒートアップ	内山	臥薪嘗胆
4	四次元ストマッ	9800	トランキーロ	清家	地域創生
5	ネックレス	15000	ギャブリッジ	松尾	豚骨粉砕
2	五本の矢	18000	パートナリング	生岡	一気通貫

■マスタ

商品No	メーカー	商品名	座右の銘	担当者	単価
1	ヒートアップ	すべる技術	臥薪嘗胆	内山	12000
4	トランキーロ	四次元ストマック	地域創生	清家	9800
5	ギャブリッジ	ネックレス	豚骨粉砕	松尾	15000
2	パートナリング	五本の矢	一気通貫	生岡	18000

MATCH関数の処理を解読する

見た目は複雑に見えますが、よく解読してみましょう。ポイントは、VLOOKUP関数の第三引数に組み込まれているMATCH関数（以下の部分）がどのような働きをしているかです。

```
MATCH(C$2,$I$2:$N$2,0)
```

これは、第一引数に指定したC2セルの値つまり「商品名」という値が、第二引数で指定した範囲$I$2:$N$2において、左からいくつめにあるかという数字を取得しています。この場合、その数字は「2」になります。この数字は、C3セルにおいてB3セルの値つまり「1」を検索値としたVLOOKUP関数において、検索範囲であるI:Nの左端から何列めの値を持ってくればいいか、という数字と一致するわけです。

C3セルに入力したセルはG6セルまでコピーして使うので、参照がずれないように、絶対参照を設定してあります。

同じ検索値が複数ある表でVLOOKUP関数を使うテクニック

VLOOKUP関数は最初に一致した検索値のセルを対象にしてしまう

以下では、A列に同じ取引先名が複数入力されており、B列には担当者名が入力されています。

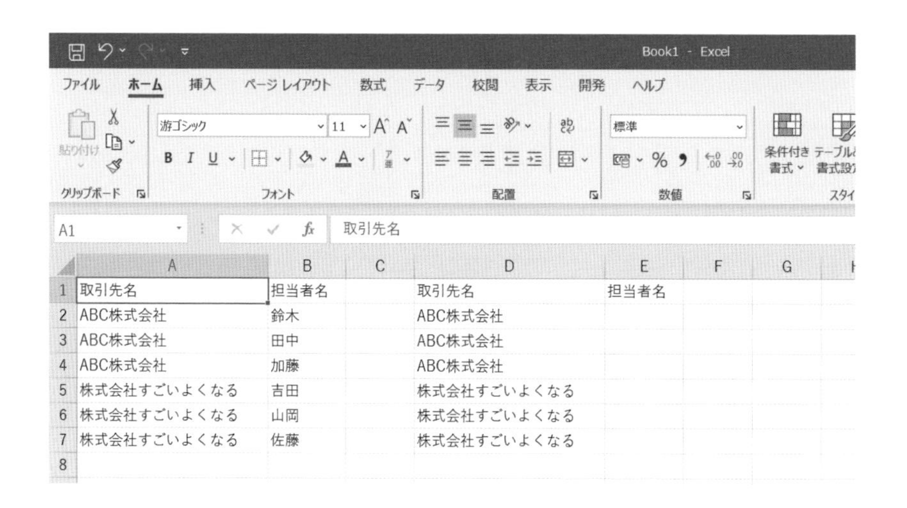

	A	B	C	D	E
1	取引先名	担当者名		取引先名	担当者名
2	ABC株式会社	鈴木		ABC株式会社	
3	ABC株式会社	田中		ABC株式会社	
4	ABC株式会社	加藤		ABC株式会社	
5	株式会社すごいよくなる	吉田		株式会社すごいよくなる	
6	株式会社すごいよくなる	山岡		株式会社すごいよくなる	
7	株式会社すごいよくなる	佐藤		株式会社すごいよくなる	
8					

もし、A列とB列のデータを元に、E列に取引先ごとの担当者名を順番に入れたい場合、普通にVLOOKUP関数を使ってもうまくいきません。実際に入力してみましょう。

❶ E2セルに次の式を入力する。

```
=VLOOKUP(D2,A:B,2,0)
```

E2 =VLOOKUP(D2,A:B,2,0)

	A	B	C	D	E	F	G	H	I	J
1	取引先名	担当者名		取引先名	担当者名					
2	ABC株式会社	鈴木		ABC株式会社	=VLOOKUP(D2,A:B,2,0)					
3	ABC株式会社	田中		ABC株式会社						
4	ABC株式会社	加藤		ABC株式会社						
5	株式会社すごいよくなる	吉田		株式会社すごいよくなる						
6	株式会社すごいよくなる	山岡		株式会社すごいよくなる						
7	株式会社すごいよくなる	佐藤		株式会社すごいよくなる						
8										

❷ E2セルの式を7行めまでコピーする。

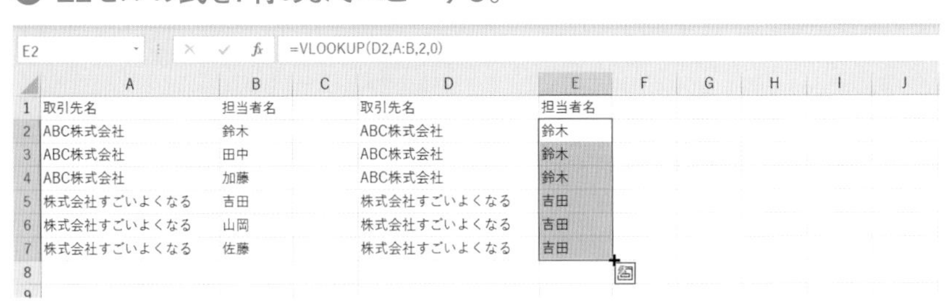

E2 =VLOOKUP(D2,A:B,2,0)

	A	B	C	D	E	F	G	H	I	J
1	取引先名	担当者名		取引先名	担当者名					
2	ABC株式会社	鈴木		ABC株式会社	鈴木					
3	ABC株式会社	田中		ABC株式会社	鈴木					
4	ABC株式会社	加藤		ABC株式会社	鈴木					
5	株式会社すごいよくなる	吉田		株式会社すごいよくなる	吉田					
6	株式会社すごいよくなる	山岡		株式会社すごいよくなる	吉田					
7	株式会社すごいよくなる	佐藤		株式会社すごいよくなる	吉田					
8										

すると、E列には、取引先ごとにすべて同じ担当者名が入力されてしまいます。ABC株式会社の場合であれば、鈴木、田中、加藤の3人の担当者名を順に入力したいわけですが、すべて「鈴木」になってしまっています。

このように、検索値に重複がある場合、VLOOKUP関数は上から見て最初に一致した検索値のセルを対象として処理します。E2セルもE3セルもE4セルも、同じ「ABC株式会社」を検索値としているので、検索範囲であるA列で最初に登場したA2セルを対象にVLOOKUPをおこない、「鈴木」という値を返してしまっているのです。

重複がない状態に加工してから処理する

この問題を解決するには、重複データがあるA列、D列のデータをそれぞれユニークな状態に加工する、つまり重複がない状態に加工する方法が考えられます。ここでは、新たにその作業用の列を追加して処理をおこないます。

考え方としては、重複する取引先名のそれぞれに固有の番号を振ることによって固有化していきます。

まず、それぞれの表の左側に2列ずつ、次のように作業用の列（No、KEY）を追加します。

▼ 表の左側に2列ずつ作業用の列を追加

A1　fx　No

	A	B	C	D	E	F	G	H	I
1	No	KEY	取引先名	担当者名		No	KEY	取引先名	担当者名
2			ABC株式会社	鈴木				ABC株式会社	
3			ABC株式会社	田中				ABC株式会社	
4			ABC株式会社	加藤				ABC株式会社	
5			株式会社すごいよくなる	吉田				株式会社すごいよくなる	
6			株式会社すごいよくなる	山岡				株式会社すごいよくなる	
7			株式会社すごいよくなる	佐藤				株式会社すごいよくなる	

次に、以下の手順で、同じ取引先名のデータそれぞれに、固有の番号を振っていきます。それぞれの式がいったいどのセルを参照してどんな処理をしているのか、じっくり解読しながら読み進めてください。

❶ A2セルに次の式を入力し、7行めまでコピーする。

```
=COUNTIF($C$2:C2,C2)
```

※C列の取引先名に個別の数字を振る

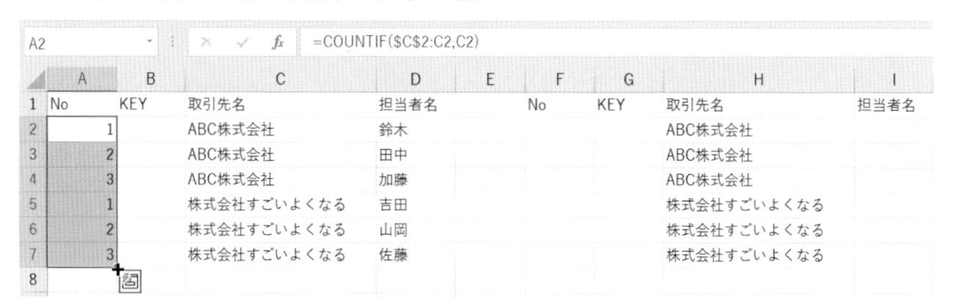

A2　fx　=COUNTIF($C$2:C2,C2)

	A	B	C	D	E	F	G	H	I
1	No	KEY	取引先名	担当者名		No	KEY	取引先名	担当者名
2	1		ABC株式会社	鈴木				ABC株式会社	
3	2		ABC株式会社	田中				ABC株式会社	
4	3		ABC株式会社	加藤				ABC株式会社	
5	1		株式会社すごいよくなる	吉田				株式会社すごいよくなる	
6	2		株式会社すごいよくなる	山岡				株式会社すごいよくなる	
7	3		株式会社すごいよくなる	佐藤				株式会社すごいよくなる	
8									

❷ 同様に、F2セルに次の式を入力し、7行めまでコピーする。

=COUNTIF($H$2:H2,H2)

※H列の取引先名に個別の数字を振る

F2 | =COUNTIF($H$2:H2,H2)

	A	B	C	D	E	F	G	H	I
1	No	KEY	取引先名	担当者名		No	KEY	取引先名	担当者名
2	1		ABC株式会社	鈴木		1		ABC株式会社	
3	2		ABC株式会社	田中		2		ABC株式会社	
4	3		ABC株式会社	加藤		3		ABC株式会社	
5	1		株式会社すごいよくなる	吉田		1		株式会社すごいよくなる	
6	2		株式会社すごいよくなる	山岡		2		株式会社すごいよくなる	
7	3		株式会社すごいよくなる	佐藤		3		株式会社すごいよくなる	
8									

❸ B2セルに固有番号と取引先名を結合する次の式を入力し、7行めまでコピーする。

=A2&C2

B2 | =A2&C2

	A	B	C	D	E	F	G	H	I
1	No	KEY	取引先名	担当者名		No	KEY	取引先名	担当者名
2	1	1ABC株式	ABC株式会社	鈴木		1		ABC株式会社	
3	2	2ABC株式	ABC株式会社	田中		2		ABC株式会社	
4	3	3ABC株式	ABC株式会社	加藤		3		ABC株式会社	
5	1	1株式会社	株式会社すごいよくなる	吉田		1		株式会社すごいよくなる	
6	2	2株式会社	株式会社すごいよくなる	山岡		2		株式会社すごいよくなる	
7	3	3株式会社	株式会社すごいよくなる	佐藤		3		株式会社すごいよくなる	
8									

❹ 同様に、G2セルに次の式を入力し、7行めまでコピーする。

=F2&H2

G2 | =F2&H2

	A	B	C	D	E	F	G	H	I
1	No	KEY	取引先名	担当者名		No	KEY	取引先名	担当者名
2	1	1ABC株式	ABC株式会社	鈴木		1	1ABC株式	ABC株式会社	
3	2	2ABC株式	ABC株式会社	田中		2	2ABC株式	ABC株式会社	
4	3	3ABC株式	ABC株式会社	加藤		3	3ABC株式	ABC株式会社	
5	1	1株式会社	株式会社すごいよくなる	吉田		1	1株式会社	株式会社すごいよくなる	
6	2	2株式会社	株式会社すごいよくなる	山岡		2	2株式会社	株式会社すごいよくなる	
7	3	3株式会社	株式会社すごいよくなる	佐藤		3	3株式会社	株式会社すごいよくなる	
8									

このうえで、I列に次のVLOOKUP関数を入力すると、それぞれ個別の担当者名が入力されます。

```
=VLOOKUP(G2,B:D,3,0)
```

▼個別の担当者名が入力される

I2　=VLOOKUP(G2,B:D,3,0)

	A	B	C	D	E	F	G	H	I
1	No	KEY	取引先名	担当者名		No	KEY	取引先名	担当者名
2	1	1ABC株式	ABC株式会社	鈴木		1	1ABC株式	ABC株式会社	鈴木
3	2	2ABC株式	ABC株式会社	田中		2	2ABC株式	ABC株式会社	田中
4	3	3ABC株式	ABC株式会社	加藤		3	3ABC株式	ABC株式会社	加藤
5	1	1株式会社	株式会社すごいよくなる	吉田		1	1株式会社	株式会社すごいよくなる	吉田
6	2	2株式会社	株式会社すごいよくなる	山岡		2	2株式会社	株式会社すごいよくなる	山岡
7	3	3株式会社	株式会社すごいよくなる	佐藤		3	3株式会社	株式会社すごいよくなる	佐藤
8									

COUNTIF関数で各データの番号（登場回数）を設定し、その番号と検索値を結合することによってできた新たな固有の検索値でVLOOKUP関数を使用することにより、正確な結果を得られるようになったというテクニックです。

VLOOKUP関数で検索列より左側の値を取得できるか

VLOOKUP関数では検索した列より左側の値を取得できない

Excelの最重要関数ともいえるVLOOKUP関数ですが、ここであらためてその書式と機能を見てみましょう。

【書式】

```
=VLOOKUP(検索値,検索範囲,列数,0)
```

【機能】

検索範囲の一番左の列から検索値と同値のセルを探し、そのセルから第三引数で指定した列数めにあるセルの値を返す。

「検索範囲の一番左の列から指定した列数めの値を返す」ということですから、「その列より右側にある列の値を返す」ということになります。

ここで、素朴な疑問が湧きます。

「その列より左側の値をひっぱってくることはできないか？」

たとえば、「第三引数をマイナスにすればできるのではないか？」と考える方は多いのですが、それでは無理なのです。

では、検索する列より左側の値を取得するにはどうしたらいいのでしょうか。

これは、Excelのバージョンによってできることが変わってきます。Excel 2021／Microsoft 365以降で使えるXLOOKUP関数は、まさにこの問題を解決したものです。

まずは、Excel 2019以前のバージョンでXLOOKUP関数が使えない場合の対処法を紹介します。

INDEX関数とは

解決策は、INDEX関数とMATCH関数を組み合わせるテクニックです。INDEX関数は次のような書式で、「ある範囲の中で指定した行位置、列位置のセルを参照する」というものです。

【書式】

```
=INDEX(範囲,行位置,列位置)
```

次のサンプルで理解してみましょう。

E1 | =INDEX(A2:C8,4,2)

	A	B	C	D	E
1	No	取引先名	取引先ID		パートナリング生岡
2	1	ギャブリッジ松尾	A-001		
3	2	トランキーロ清家	S-002		
4	3	トラトラトラ馬渡	A-002		
5	4	パートナリング生岡	S-003		
6	5	ソウルスウェット仲光	A-003		
7	6	スリップ内山	S-004		
8	7	クマコン熊澤	A-004		
9					

E1セルには、次の式が入っています。

```
=INDEX(A2:C8,4,2)
```

これは、「範囲A2:C8において、上から4行め、左から2列めにあるセルを参照する」という意味です。

上の図にて、そのセルはどこになるか数えてみてください。答えはB5セルですね。つまり、=INDEX(A2:C8,4,2)という式は、B5セルを参照する式になっている、ということです。

INDEX関数とMATCH関数を組み合わせる

では、これを使って、本題である「検索列より左側のセルを参照する」方法を考えます。

次の図を見てください。これは、F2セルにて、E2セルの取引先IDに該当する取引先名を、A:C列のマスタから参照したい状況だとします。ところが、A:C列では取引先IDの左側に取引先名が入っているため、VLOOKUP関数では対応できません。

F2　=INDEX(A:C,MATCH(E2,C:C,0),2)

	A	B	C	D	E	F
1	No	取引先名	取引先ID		取引先ID	取引先名
2	1	ギャプリッジ松尾	A-001		A-002	トラトラトラ馬渡
3	2	トランキーロ清家	S-002			
4	3	トラトラトラ馬渡	A-002			
5	4	パートナリング生岡	S-003			
6	5	ソウルスウェット仲光	A-003			
7	6	スリップ内山	S-004			
8	7	クマコン熊澤	A-004			
9						

そこで、F2セルに入力したような、INDEX関数とMATCH関数を組み合わせた式を使います。

```
=INDEX(A:C,MATCH(E2,C:C,0),2)
```

第二引数のMATCH関数は、C列においてE2セルの値が上から何行めにあるかを調べます。E2セルの値がA-002である場合、C列においてその値は4行めにありますから、このMATCH関数の結果は「4」となります。つまり、上記の式は、

「A:C列において、上から4行め、左から2列めにあるセル……つまり、B4を参照する」

ということになります。その結果として、B4セルの値である「トラトラトラ馬渡」がF2セルに出ている、ということです。

このような考え方で、VLOOKUP関数ではできなかった「検索列より左側のセルを参照」を実現することができます。

XLOOKUP関数を利用する

Excel 2021 ／ Microsoft 365以降では、VLOOKUP関数の弱点を解消した進化版であるXLOOKUP関数が利用できます。次の図を見てみましょう。

F2　=XLOOKUP(E2,C:C,B:B,"",0)

	A	B	C	D	E	F
1	No	取引先名	取引先ID		取引先ID	取引先名
2	1	ギャプリッジ松尾	A-001		A-002	トラトラトラ馬渡
3	2	トランキーロ清家	S-002			
4	3	トラトラトラ馬渡	A-002			
5	4	パートナリング生岡	S-003			
6	5	ソウルスウェット仲光	A-003			
7	6	スリップ内山	S-004			
8	7	クマコン熊澤	A-004			

F2セルに、次の式が入っています。

```
=XLOOKUP(E2,C:C,B:B,"",0)
```

このXLOOKUP関数には、5つの引数が使われていることがわかりますね。この関数が何をやっているか、日本語に訳してみましょう。

・第一引数のE2セルの値を、第二引数のC列で探しにいく

・C列にて第一引数の値が見つかったら、それと同じ行にある第三引数B列にあるセルを参照する
・もし第一引数の値が第二引数の範囲で見つからなかったら、第四引数の値を返す

これをふまえて、各引数の役割を見てみましょう。

・第一引数：検索値
・第二引数：検索範囲（第一引数の検索値を探す範囲）
・第三引数：戻り範囲（第一引数の値が第二引数で見つかった場合、この第三引数の同じ行にあるセルの値を返すことになる）
・第四引数：第一引数の値が第二引数で見つかった場合に返す値
・第五引数：VLOOKUP関数と同様、0を入れておけばいいと考えてください（FALSEと入力するのと同じ意味）

このような仕組みになっていることで、VLOOKUP関数ではできなかった「検索列より左側のセルを参照」ができるようになっています。

エラー値を非表示にするテクニック

エラー値が出たら毎回修正するのは非効率

請求書の明細欄や単価などの入力作業において、商品No.だけ入力したら商品名や単価も同時に入力できる仕組みがあると、非常に作業が捗りますし、入力のミスがなくなって便利です。ここでは、A列に商品No.を入力したら、その商品No.に該当する商品名を表示するVLOOKUP関数をB列に仕込んでみましょう。

❶ B2セルに次のVLOOKUP関数を入力する。

```
=VLOOKUP($A2,$E:$G,2,0)
```

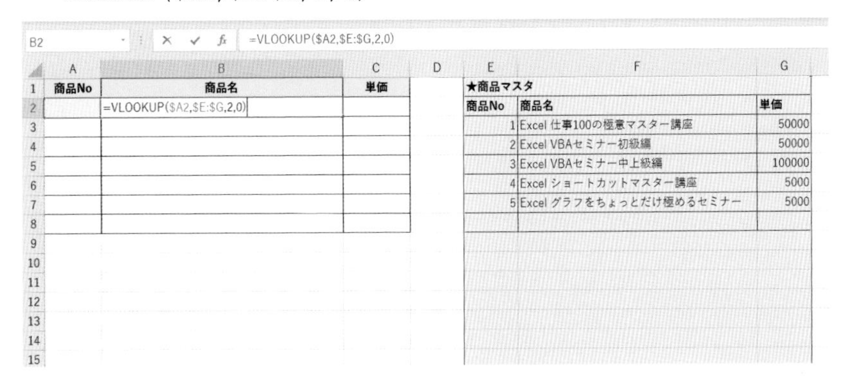

B2 =VLOOKUP($A2,$E:$G,2,0)

	A	B	C	D	E	F	G
1	商品No	商品名	単価		★商品マスタ		
2		=VLOOKUP($A2,$E:$G,2,0)			商品No	商品名	単価
3					1	Excel 仕事100の極意マスター講座	50000
4					2	Excel VBAセミナー初級編	50000
5					3	Excel VBAセミナー中上級編	100000
6					4	Excel ショートカットマスター講座	5000
7					5	Excel グラフをちょっとだけ極めるセミナー	5000
8							
9							
10							
11							
12							
13							
14							
15							

❷ Enter で確定して、一番下の行までコピーする。

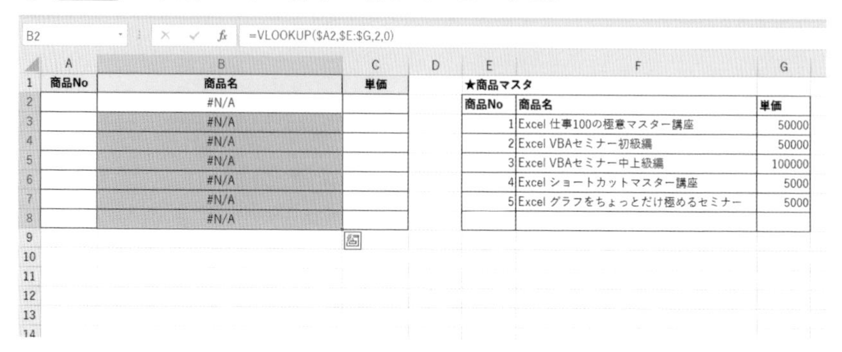

図のように、「#N/A」というエラー値が出てきてしまいました。これは、関数の入力をまちがえたのではありません。A2セルに1を入力してみると、商品マスタから該当する商品名を引っ張ってきてくれます。

▼ A2セルに1を入力すると商品名が出る

要は、これから検索値、つまり商品No.を入力するフォーマットとして関数を仕込んだのですが、A列が空白の状態だとこのようにエラー値が出てしまうのです。

社内のみで使うシートなら、これでも問題ないこともあります。しかし、見積書や請求書の場合は、このようなエラー値が出ていないほうが当然いいですよね。かといって、セルに入っている関数を消してしまっては、また次回使うときに式を入力し直す必要があり、非効率です。

式の結果がエラーだったら空白を返すようにする

このような問題は、「式の結果がエラーだったら空白を返す」という処理をおこなう関数式を組むことで解決できます。このような処理にはIFERROR関数を使用します。

エラー値を非表示にするケースは、まず基本となる式を入力した後でエラーが発生する可能性に気づき、加工するケースがほとんどです。ですから、先ほど入力したVLOOKUP関数に組み合わせる形で入力していきます。最終的にB2セルに入力する式は次のようになります。

```
=IFERROR(VLOOKUP($A2,$E:$G,2,0),"")
```

❶ B2セルを選択し、F2キーを押してセルを編集状態にする

VLOOKUP　=VLOOKUP($A2,$E:$G,2,0)

	A	B	C	D	E	F	G
1	商品No	商品名	単価		★商品マスタ		
2		=VLOOKUP($A2,$E:$G,2,0)			商品No	商品名	単価
3		#N/A			1	Excel 仕事100の極意マスター講座	50000
4		#N/A			2	Excel VBAセミナー初級編	50000
5		#N/A			3	Excel VBAセミナー中上級編	100000
6		#N/A			4	Excel ショートカットマスター講座	5000
7		#N/A			5	Excel グラフをちょっとだけ極めるセミナー	5000
8		#N/A					
9							
10							
11							

❷ イコール(=)記号の後にキーボードから「i」を入力すると候補リストが出るので、上から2つめの「IFERROR」を選択する。

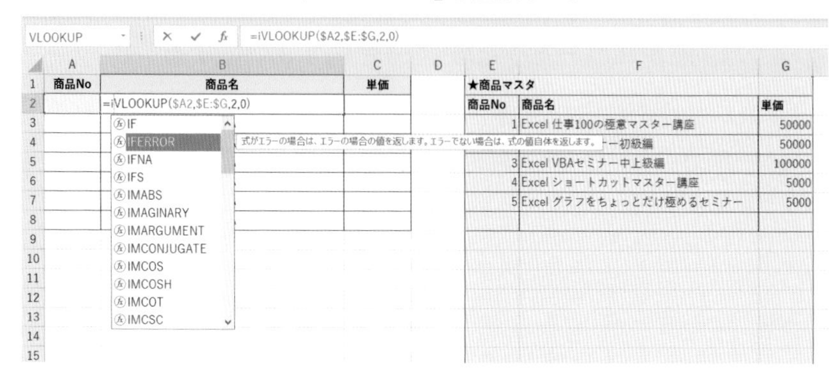

❸ TABキーを押して確定すると、=IFERROR(までが補完入力される。

❹ 式を完成させてEnterを押して確定、最終行までコピーすると、エラー値が非表示になる。

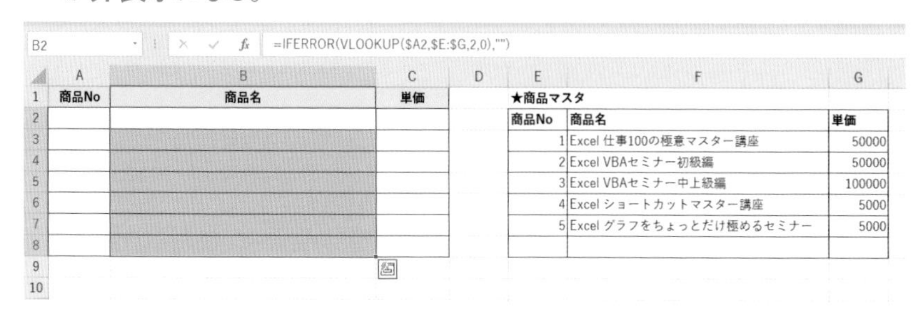

❺ A列に商品No.を入力すると、商品名が出てくる。

B2 =IFERROR(VLOOKUP($A2,$E:$G,2,0),"")

	A	B	C	D	E	F	G
1	商品No	商品名	単価		★商品マスタ		
2	3	Excel VBAセミナー中上級編			商品No	商品名	単価
3					1	Excel 仕事100の極意マスター講座	50000
4					2	Excel VBAセミナー初級編	50000
5					3	Excel VBAセミナー中上級編	100000
6					4	Excel ショートカットマスター講座	5000
7					5	Excel グラフをちょっとだけ極めるセミナー	5000
8							
9							
10							

IFERROR関数の第二引数には、「""」とダブルクオーテーションを2つ続けて入力していますが、これは「空白」を指定しています。

C列には、B列の式をコピーし、VLOOKUP関数の第三引数を3に変えています。

IFERROR関数は、第一引数で指定した関数がエラーだった場合、第二引数で指定した値を返す関数です。今回の場合は、第二引数では空白を指定しているので、「第一引数のVLOOKUP関数がエラーだった場合は空白にする」という設定になっているのです。

また、XLOOKUP関数が使える場合は、第四引数にて「第一引数の値が第二引数で見つからなかった場合に返す値を指定する」ことが可能になり、このようにIFERROR関数でエラー値を回避する必要はなくなりました。

SUMIF関数で複数の条件がある場合の集計方法

集計条件を入れる「作業列」を追加する

SUMIF関数やCOUNTIF関数は、条件に一致したセルの合計や個数を数える関数でした。これらの関数で2つ以上の条件があるような集計をおこなうには、ちょっとした工夫が必要になります。

たとえば以下の表にて、H4セルにA列の担当者名が「氷室」、B列の商品コードが「A001」であるときだけ、D列の売上計の数値を合計する場合を考えてみましょう。

A1　fx　元データ

	A	B	C	D	E	F	G	H	I	J	K	L	M
1	元データ						集計表						
3	担当者	商品コード	数量	売上計				A001	A002	B001	B002	C001	C002
4	氷室	A002	7	9800			氷室						
5	遠藤	A002	6	8400			遠藤						
6	熊澤	C002	6	120			熊澤						
7	内山	B001	5	13000			内山						
8	内山	A001	11	22000			松本						
9	氷室	A002	8	11200									
10	遠藤	A002	18	25200									
11	熊澤	C002	20	400									
12	内山	A002	17	23800									
13	内山	C001	9	27000									
14	氷室	C002	14	280									
15	遠藤	B002	16	3200									
16	遠藤	C001	16	48000									
17	内山	A002	8	11200									
18	松本	C001	6	18000									
19	氷室	B002	20	4000									
20	氷室	C001	13	39000									
21	熊澤	C001	20	60000									
22	内山	C001	13	39000									
23	内山	B001	15	39000									
24	氷室	A002	10	14000									
25	遠藤	B001	16	41600									
26	熊澤	C001	9	27000									
27	熊澤	C002	20	400									
28	熊澤	B002	5	1000									
29	氷室	A002	15	21000									

SUMIF関数の第一引数で指定できるのは1列のみです。しかし現状では、元データには、1列で担当者名と商品コードの2つの条件を同時に判

別できる列はありません。A列は担当者名、B列は商品コードしか判別できません。

このような際には、「元データに新たに集計条件とするデータ列を追加する」という工夫が必要になります。そのような作業を、俗に「作業列」や「計算セル」の追加などと呼びます。

ここでは新たに、担当者名と商品コードを結合したデータ列を作ってみます。具体的には、次のように作業します。

❶ E4セルに次の式を入力して、データ最下端行までコピーする。

```
=A4&B4
```

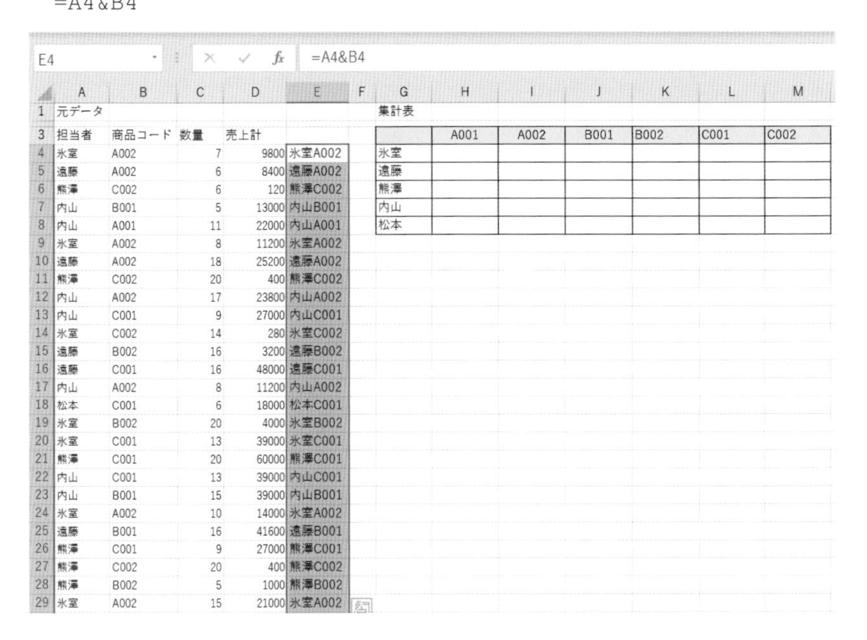

E4 =A4&B4

	A	B	C	D	E
1	元データ				
3	担当者	商品コード	数量	売上計	
4	氷室	A002	7	9800	氷室A002
5	遠藤	A002	6	8400	遠藤A002
6	熊澤	C002	6	120	熊澤C002
7	内山	B001	5	13000	内山B001
8	内山	A001	11	22000	内山A001
9	氷室	A002	8	11200	氷室A002
10	遠藤	A002	18	25200	遠藤A002
11	熊澤	C002	20	400	熊澤C002
12	内山	A002	17	23800	内山A002
13	内山	C001	9	27000	内山C001
14	氷室	C002	14	280	氷室C002
15	遠藤	B002	16	3200	遠藤B002
16	遠藤	C001	16	48000	遠藤C001
17	内山	A002	8	11200	内山A002
18	松本	C001	6	18000	松本C001
19	氷室	B002	20	4000	氷室B002
20	氷室	C001	13	39000	氷室C001
21	熊澤	C001	20	60000	熊澤C001
22	内山	C001	13	39000	内山C001
23	内山	B001	15	39000	内山B001
24	氷室	A002	10	14000	氷室A002
25	遠藤	B001	16	41600	遠藤B001
26	熊澤	C001	9	27000	熊澤C001
27	熊澤	C002	20	400	熊澤C002
28	熊澤	B002	5	1000	熊澤B002
29	氷室	A002	15	21000	氷室A002

	G	H	I	J	K	L	M
1	集計表						
3		A001	A002	B001	B002	C001	C002
4	氷室						
5	遠藤						
6	熊澤						
7	内山						
8	松本						

❷ H4セルに次の式を入力する。

=SUMIF($E:$E,$G4&H$3,$D:$D)

fx =SUMIF($E:$E,$G4&H$3,$D:$D)

D	E	F	G	H	I	J	K	L	M
			集計表						
売上計				A001	A002	B001	B002	C001	C002
9800	氷室A002		氷室	=SUMIF($E:$E,$G4&H$3,$D:$D)					
8400	遠藤A002		遠藤						
120	熊澤C002		熊澤						
13000	内山B001		内山						
22000	内山A001		松本						
11200	氷室A002								
25200	遠藤A002								
400	熊澤C002								

❸ H4に入力した式を表全体にコピーする。

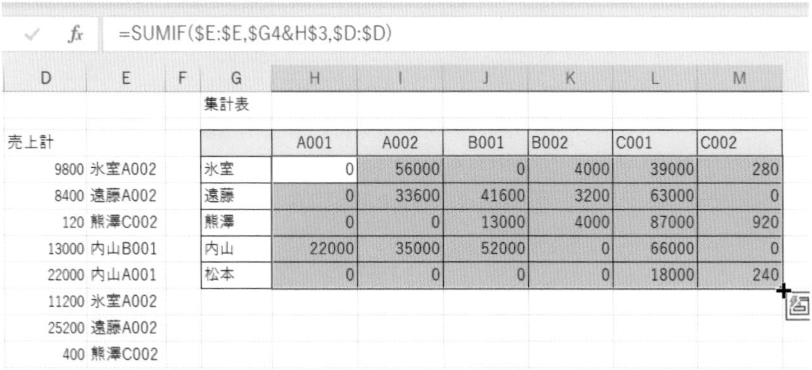

fx =SUMIF($E:$E,$G4&H$3,$D:$D)

D	E	F	G	H	I	J	K	L	M
			集計表						
売上計				A001	A002	B001	B002	C001	C002
9800	氷室A002		氷室	0	56000	0	4000	39000	280
8400	遠藤A002		遠藤	0	33600	41600	3200	63000	0
120	熊澤C002		熊澤	0	0	13000	4000	87000	920
13000	内山B001		内山	22000	35000	52000	0	66000	0
22000	内山A001		松本	0	0	0	0	18000	240
11200	氷室A002								
25200	遠藤A002								
400	熊澤C002								

ここでは、絶対参照の設定も大事です。SUMIF関数の引数指定で各セルを指定する際にF4キーを何度か押すことで、上記のような$マークがついた状態になっています。

ここでは、最初に入力するH4セルの式を、右方向にはM列まで、下方向には8行めまで、そのままコピーしています。その際に、参照するセルが正しい列や行からずれないように絶対参照の設定をしているのです。

わかりやすさを重視しよう

複数条件でも集計できるSUMIFS関数、COUNTIFS関数ならば、今回のような例では作業列を追加しなくても集計できます。しかし、集計条件が多くなってくると引数の指定がややこしくなるので、やはりこのように作業列を設けて処理を分解する工夫が大切になります。

また、配列関数やSUMPRODUCT関数でも同様の処理ができますが、やはりわかりやすさという点では作業列を追加して処理することを推奨します。

第5章

日付と時刻の落とし穴を知らずにExcelを使う恐ろしさ

日付の超基本

日付は西暦から入力する

「社員名簿で各社員の誕生日から年齢を出す関数を使ってみたんですけど、みんなの年齢がゼロとかになってしまうんです」

Excelでの日付の扱い方の基本をきちんと知っておかないと、そんなことが起こります。この章では、日付入力の方法、時刻データの特性について、後で困らないようにあらかじめ知っておくべきことを見ていきましょう。

まず、日付入力の基本です。大切な原則として、「日付は西暦の省略不可」というものがあります。たとえば「2026/4/1」という日付を入力する場合は、半角モードで、以下のように西暦と月と日をスラッシュ（/）記号で区切って入力してください。

```
2026/4/1
```

このとき、西暦を省略して「4/1」と入力すると、以下のようになります。

▼ 西暦を省略して「4/1」と入力すると

A1	✕ ✓ fx	2026/4/1			
	A	B	C	D	E	F
1	4月1日					
2						
3						

セルには「4月1日」と表示され、西暦などは表示されませんが、数式バーには「2026/4/1」と表示されています。つまり、西暦を入力しないで月日だけを入力した場合、その日付は自動的に入力時点の西暦、つまり「今年」の日付になるのです。今年以外の日付のつもりで入力した場合、西暦を省略すると、セルへの表示でも西暦が表示されない形式になるので、まちがいに気づきづらくなってしまいます。

Excelでは生年月日から年齢を計算する関数がありますが、その生年月日を入力するときに西暦を入れ忘れてしまうと、すべて入力時点の西暦の日付となってしまいます。今年の日付であろうと今年以外の日付であろうと、日付データを入力する際は、西暦、月、日をスラッシュで区切って入力しましょう。少々面倒ではありますが、まずはこの基本を身につけてください。

COLUMN

今日の日付や現在時刻をかんたんに入力するには

今日の日付をかんたんに入力するには、ショートカット[Ctrl]+[;]（セミコロン）が便利です。これを押すと、アクティブセルに今日の日付が入ります。

ついでにもう1つ、[Ctrl]+[:]（コロン）で現在時刻を入力できます。「だれがこんなの使うんだ」という意見をたまに聞きますが、Excelで会議の議事録などを取る際、発言時間も記録しておきたいケースなどで重宝されています。

日付・時刻データの正体とは　～シリアル値

Excelの日付データは基本的に「2026/1/1」という形式でセルに表示されますが、この日付データの正体は「シリアル値」という数値です。

たとえば、A1セルに2026/1/1という日付が入っているとき、書式設定によりA1セルの表示形式を「数値」に変更すると、46023と表示されます。これがシリアル値です。

このシリアル値とは、日付を「1900年1月1日を1日めとして、そこから何日めにあたるか」という数値で表したものです。2026年1月1日は1900年1月1日からみて46023日めなので、「2026/1/1」という日付データのシリアル値は46023なのです。

「セルに1と入力したら、"1900/1/1" って出てきたんですけど」

という相談をたまにいただきますが、それは入力したセルの表示形式が日付になってしまっていたことによるものです。そのようなときは、そのセルの表示形式を「数値」や「標準」に戻せば、普通に「1」という表示に直ります。

実務で日付を扱うに際して、シリアル値を意識する必要はさほどありません。本来日付が入ってるはずのセルに「46338」などのわけのわからない数値が出てきたら、それは日付を意味する「シリアル値」であり、セルの表示形式が「日付」ではなく「数値」になっているためだと理解して対応できれば問題ありません。

関数の解説でも「シリアル値を作る」「引数にシリアル値を指定する」などの説明を目にすることがあったら、シリアル値=日付だと理解してください。Excelの内部では日付に関する計算、たとえば日数計算や年齢計算、日付から曜日を出す関数などは、このシリアル値を使って計算しています。

たとえば、2026年3月28日から2026年4月3日までの経過日数をExcelで出すとしましょう。A2セルに「2026/3/28」、B2セルに「2026/4/3」と入力し、2つの日付の間の日数を出すには、C2セルに次の式を入力します。

```
=B2-A2
```

すると、B2セルの日付からA2セルの日付を引いた結果として「6」がC2セルに出ます。

B2セルの日付データ「2026/4/3」は、シリアル値では46115です。

A2セルの日付データ「2026/3/28」は、シリアル値では46109です。

2つのシリアル値どうしの引き算、「46115-46109」の結果として「6」という答えが出たということです。

よくあるのが、A2セルに「20260328」、B2セルに「20260403」という、Excelでは日付データとしては扱われないがそのデータにおいては日付を意味する2つの数値どうしを引き算して日数差を出そうというまちがいです。この2つのデータはあくまでも「20260328」という数値であり、「2026年3月28日」という日付データではありません。この場合、「=B2-A2」と入力したセルには、この2つの8桁数値の引き算結果である「75」が出てきてしまいます。このような場合は、日付を意味する8桁数値を日付データに変換してから計算する必要があります（P.170を参照）。

時刻を扱うためのポイント

時刻データのシリアル値は小数

次は時刻です。時刻データは、以下のように時間、分、秒をコロン（:）で区切って入力します。

```
13:00:00
```

陸上競技の記録などの際は秒単位まで入力する必要がありますが、勤務時間の管理など、秒単位で入力することがない場合は、時間と分のみをコロンで区切るだけでも問題ありません。

この時刻データにもシリアル値があります。日付のシリアル値が整数だったのに対して、時刻のシリアル値は0から1までの小数になります。

日付のシリアル値は、1900年1月1日を1として、そこから1を足すごとに次の日付を意味します（ちなみに、Excelで扱える最後の日付は、9999年12月31日です。シリアル値だと2958465になります）。一方、時刻の場合は、午前0時0分0秒を0として、そこから1秒増えるごとに「86400分の1」という数字を足します。1日は60（秒）×60（分）×24（時間）＝86400秒なので、翌日の午前0時0分0秒で1になるというわけです。

【例】

・午前6:00のシリアル値：0.25
・午後12時のシリアル値：0.5
・午後6時のシリアル値　：0.75

実務においてはこんなややこしいシリアル値について覚えたり意識する必要もありませんが、これも日付と同様に、表示形式が標準などになっているとわけのわからない小数が出てきます。そのようなときに、「時刻のシリアル値だ」と認識できて、セルの表示形式を時刻に直せれば大丈夫です。

誤差が出る点に注意

問題なのは、大前提として、コンピュータでの小数点以下の計算では必ず誤差が出るということです。意外なことに、小数が絡む計算において、Excelは正確な答えを出せません。コンピュータのデータが2進数で表現されており、表現できない小数点数が存在するため、計算過程で誤差が生じてしまうのです。これは、シリアル値に小数点以下の数値を使うExcelの時刻計算でも同様の問題が発生するということです。

たとえば以下では、B列の開始時間とC列の終了時間との引き算で、D列に経過時間をそれぞれ出しています。AもBも、経過時間はセル上では1:01となっているのですが、この2つのセルを比較すると、値は違うと判定されています（D4セル）。

▼ **経過時間は同じなのに、値は違うと判定されている**

D4　=D3=D2

	A	B	C	D	E	F	G
1		開始時間	終了時間	経過時間			
2	A	8:25	9:26	1:01			
3	B	10:25	11:26	1:01			
4				FALSE			
5							
6							

この問題は、各時刻データがじつは秒単位までデータを含んでいる場合などの事情も絡み、かんたんな処理方法を知っておかないと非常に厄介です。

正しい時刻データを作るには

時刻データの処理を詳細に解説してしまうとかえって理解を阻害する……というより、読むのもいやになってしまうほど長くて難解な解説になってしまうので、解決策だけ紹介します。

まず、TIME関数を知っておきましょう。時間、分、秒を指定して時刻データを作る関数です。たとえば「9:30:00」という時刻データを作る関数式は、以下のようになります。

```
=TIME(9,30,0)
```

逆に、たとえばA1セルに時刻データ(「9:00」など)が入っているときに、そのセルの時刻データから時間、分、秒の数字を取り出すには、それぞれHOUR関数、MINUTE関数、SECOND関数を使います。それぞれ、次の式で、必要な数字を取り出せます。

- =HOUR(A1)　：　A1セルの時刻の時間数を取り出す
- =MINUTE(A1)　：　A1セルの時刻の分数を取り出す
- =SECOND(A1)　：　A1セルの時刻の秒数を取り出す

あらゆる時刻データは、次の関数式を使って、誤差が発生しない時刻データに変換することができます(A1セルに時刻データが入っていると想定)。

```
=HOUR(A1)*60+MINUTE(A1)
```

こうすると、たとえばA1セルに「8:25」と入っていれば「505」という数値に変換されます。これは「午前0:00」から「午前8:25」という時刻までの経過時間を分で示した数字、つまり「午前0:00」から505分、という意味の数値になります。このように、小数点以下を含まない整数に時刻データを変換することで、誤差なく計算することができるようになります。

先ほどの誤差が出たケースでは、次のような途中処理を加えて解決します。

▼ 誤差が出たケースで途中処理を加えて解決

E2 =HOUR(B2)*60+MINUTE(B2)

	A	B	C	D	E	F	G	H
1		開始時間	終了時間	経過時間	開始時刻変換	終了時刻変換	経過時間(分数)	
2	A	8:25	9:26	1:01	505	566	61	
3	B	10:25	11:26	1:01	625	686	61	
4				FALSE			TRUE	
5								

E列とF列にて、それぞれ先ほどの関数を使って、開始時刻と終了時刻を午前0:00からの分数に変換しています。

E列からG列までは、セルの表示形式を「数値」にしています。この変換した数値どうしで引き算した結果であるG列の経過分数も、小数点以下を含まない整数なので誤差が生じることはありません。G4セルには、この2つの経過分数が同値かどうかを判定する論理式（=G3=G2）が入力されていますが、結果はTRUE、つまり同じ経過時間であるという判定になっています。

日付や時刻を効率的に扱う

入力したデータが勝手に日付に変換されてしまわないようにする

日付のつもりではなかったとしても、「1-11」や「1/21」と入力すると、Excelが勝手に日付データと認識して「1月11日」のような表示の日付データに変換してしまいます。そうなってほしくない場合は、以下のいずれかの方法で対処してください。

- **セルの書式設定の表示形式を「文字列」にしてから入力する**
- **先頭にシングルクオーテーション（'）を入力する**

参考までに、分数は、以下のいずれかの方法で入力できます。

- **表示形式を「分数」にする**
- **「0 1/2」というように、先頭にゼロと半角スペースを入力する**

常に今日の日付を出す

「この請求書、発行日が先週のままになってるぞ！」

請求書など、日付と内容だけ打ち変えて使いまわすフォーマットを使っていると、こうした変更忘れなどのミスがよく起こります。そのような事態を防ぐために、常に入力時点の日付、つまり「今日」の日付を自動的にセルに出してくれるのがTODAY関数です。以下のように入力したセルには、常に今日の日付が表示されます。一度入力しておけば、翌日以降に打ち直す必要がなくなります。

```
=TODAY()
```

▼ **=TODAY()と入力した結果　※2026年6月13日時点の場合**

	A	B	C	D	E	F
1	2026/6/13					
2						
3						
4						

TODAY関数は、納期までの日数や年齢、入社期間などを自動計算するのに欠かせません。Excelで日付処理を扱うのに真っ先に知っておきたい関数といえます。

ただし、請求書などの日付欄にTODAY関数を用いる場合は注意が必要です。この関数は、毎日表示する日付が、その日の日付へと変わります。作った請求書をExcelのまま保存していると、その日付は日ごとに変わります。データとして残しておきたい場合は、PDFファイルに変換して保存するようにしてください。

年、月、日が別々のセルに入力されている場合の対処法

「日付は必ず年、月、日をスラッシュで区切って入力」と申し上げましたが、実際にそのように入力するのはかなり面倒です。そこで、「年と月と日を別々のセルに入力して日付データを作る」という工夫が有効な効率化策になります。しかし、年、月、日が別々のセルに入力されている場合は、いったん日付データ（シリアル値）にしないと日付として扱うことができません。つまり、日数や期間、年齢の計算ができなかったり、その日付から曜日を出すことができません。

そこで、年、月、日の3つの数字から日付データつまりシリアル値を作る、

DATE関数を使います。日付を出すセルに次の式を入力します。=DATE(まで入力したら、Ctrlキーを押しながらA2セル、B2セル、C2セルを順にクリックしていくと、手間なく入力することができます。

```
=DATE(A2,B2,C2)
```

▼ D2セルに=DATE(A2,B2,C2)と入力した結果

	A	B	C	D
1	年	月	日	日付変換
2	2026	1	1	2026/1/1
3				
4				

DATE関数は、第一引数から第三引数まで順番に、年、月、日の数字を入れることにより、その年月日の日付データ（シリアル値）を作る関数です。正式な日付形式になっていない日付を意味するデータを日付データとして計算に使う場合は、まずこのDATE関数で日付に変換する必要があります。

日付をたとえば2026年1月1日なら「20260101」といった8桁数値で管理しているケースもありますが、日付データとして計算に使う場合は、やはりDATE関数を使って日付データに変換しなければなりません。その際は、後述するLEFT関数、MID関数、RIGHT関数で、この8桁数値から年、月、日に相当する部分を抽出して、それぞれDATE関数に組み込みます。

【例】

```
=DATE(LEFT(A1,4),MID(A1,5,2),RIGHT(A1,2))
```

このテクニックについては、次章の文字列操作のところでくわしく解説します。

日付データから年、月、日を取り出すには

逆に、日付データから年、月、日の数字を取り出せるYEAR関数、MONTH関数、DAY関数というものがあります。たとえば、A1セルに入っている日付データから年、月、日の数字を取り出したい場合は、各関数で以下のように取り出すことができます。

・=YEAR(A1) → A1セルの西暦
・=MONTH(A1) → A1セルの月
・=DAY(A1) → A1セルの日

関数を使いこなして日付や時刻の処理をより便利に

期日まであと何日……を随時出したいとき

顧客管理において、それぞれのお客さんの誕生日や契約更新日など、「ある日付まで、あと何日か」を自動で出してくれるようにすると便利です。次回更新日が入力されている表の「残日数」の欄に、「次回更新日まであと何日……」という日数をリアルタイムで出したい場合は、「次回更新日の日付から今日の日付を引く」という発想で対応できます。

たとえば、以下のように入力すると、B2セルの日付までの残日数が出てきます。

```
=B2-TODAY()
```

▼ **C2セルに=B2-TODAY()と入力した結果**

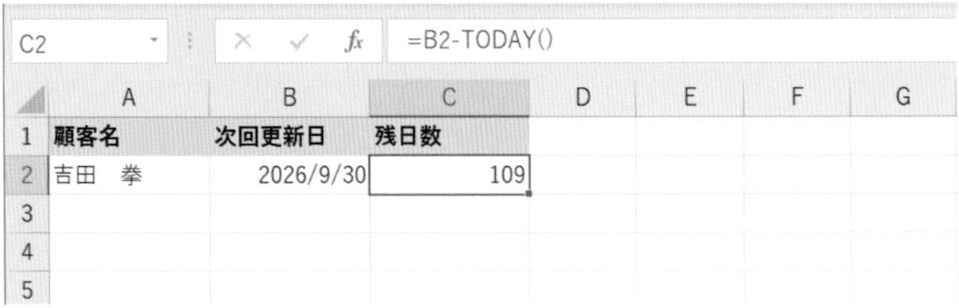

C2 | =B2-TODAY()

	A	B	C	D	E	F	G
1	顧客名	次回更新日	残日数				
2	吉田　拳	2026/9/30	109				
3							
4							
5							

これは、B2セルの日付データの正体であるシリアル値と、TODAY関数が出す今日の日付のシリアル値どうしで引き算した結果が出ているわけです。「日付の計算はシリアル値でおこなわれている」ということに、こうした事例からなじんでいただけるとうれしく思います。

土日祝を除いた営業日数を出したいとき

期日までの日数を、土日祝を除いた営業日数で出したい場合は、NETWORKDAYS関数を使います。企業においては、むしろこちらの営業日数を数えるケースのほうが一般的になります。

前準備として、Excelは日本の祝祭日など知りませんから、祝祭日一覧表を別途用意しておく必要があります。ここでは「祝日マスタ」シートを用意して、そこに以下のように祝祭日一覧表を作っておきます。このような祝日一覧は、ネットからかんたんに入手できます。

▼祝祭日一覧表

A1 日付

	A	B	C
1	日付	曜日	祝日名
2	2025/1/1	水	元日
3	2025/1/13	月	成人の日
4	2025/2/11	火	建国記念の日
5	2025/2/23	日	天皇誕生日
6	2025/2/24	月	振替休日
7	2025/3/20	木	春分の日
8	2025/4/29	火	昭和の日
9	2025/5/3	土	憲法記念日
10	2025/5/4	日	みどりの日
11	2025/5/5	月	こどもの日
12	2025/5/6	火	振替休日
13	2025/7/21	月	海の日
14	2025/8/11	月	山の日
15	2025/9/15	月	敬老の日
16	2025/9/23	火	秋分の日
17	2025/10/13	月	スポーツの日
18	2025/11/3	月	文化の日
19	2025/11/23	日	勤労感謝の日
20	2025/11/24	月	振替休日
21	2026/1/1	木	元日
22	2026/1/12	月	成人の日
23	2026/2/11	水	建国記念の日
24	2026/2/23	月	天皇誕生日
25	2026/3/20	金	春分の日
26	2026/4/29	水	昭和の日

A2セルに納期の日付が入っているとき、その納期まで、土日祝を除いた営業日数であと何日かを計算するには、「今日の日付」から「その日付までの日数から土日祝の分だけ引いた数」を出せばいいことになります。そのための式は、以下のとおりです。

```
=NETWORKDAYS(TODAY(),A2,祝日マスタ!A2:A195)
```

この関数の引数は、以下のとおりです。

・第一引数：日数計算の開始日
・第二引数：日数計算の終了日
・第三引数：日数計算から除外する祝祭日が入力されている範囲

ここでは「今日から何営業日後か」を出すわけですから、開始日にはTODAY関数を当て込んでいます。

第三引数の祝祭日指定は、「祝日マスタ」シートにて、実際に祝祭日の日付データが入っているセル範囲（ここではA2:A195）を指定しています。自社独自の休業日なども考慮したい場合は、この第三引数を調整することになります。

年齢を自動計算する

Excelには、生年月日を入力しておけばその人の年齢を自動計算してくれる関数があります。それがDATEDIF関数です。毎日何時間もかけて誕生日をチェックし、誕生日の人がいたら年齢に1を足す……という作業を延々おこなっていたという事例を見たことがありますが、この関数さえ知っておけばそんな作業も時間もまったく必要なくなるのです。

DATEDIF関数は、次のような構造になっています。

【書式】

```
=DATEDIF(開始日,終了日,単位)
```

開始日と終了日を指定することで、その期間を出すことができます。
第三引数は、その期間を表す単位によって、次のように指定します。

・"Y" → 年
・"M" → 月
・"D" → 日

年齢を出す場合は年単位ですから、次のように入力します（生年月日がB2セルに入力されていると想定）。ちなみに、この関数は入力補助機能がきかないので、「=DATEDIF(」まで手入力しなければなりません。

```
=DATEDIF(B2,TODAY(),"Y")
```

▼C2セルに=DATEDIF(B2,TODAY(),"Y")と入力した結果

C2 =DATEDIF(B2,TODAY(),"Y")

	A	B	C	D	E	F
1	氏名	生年月日	年齢			
2	吉田　拳	1975/11/12	50			
3						
4						
5						

このように、年齢を自動算出させるには、開始日を生年月日に指定したら、終了日には常に「今日」の日付を取得してくれるTODAY関数をあてがえばいいわけです。そして、生年月日から今日までの経過期間を年単位で表示するわけですから、第三引数の単位には"Y"と入力します。
このような計算を正しくおこなうには、生年月日がきちんと西暦から入

力されている必要があります。日付の基礎を知らずに、誕生日の日付のみ、つまり月と日だけを入力してしまった場合は、その入力時点の西暦の日付になってしまい、年齢を正しく計算することができません。「日付はすべて西暦から入力する」ように心がけましょう。

年齢や経過期間を「○年○ヶ月○日」と出すには

年齢や経過期間を「○年○ヶ月○日」と出したいケースもよくあります。そのためには、まず開始日から終了日までの年数を除いた月数（つまり「○ヶ月」の部分）、または開始日から終了日までの年数と月数を除いた日数（つまり「○日」の部分）を出す方法を覚えましょう。

「○ヶ月」の部分の数字を出すには、第三引数の単位を"YM"と指定します。

▼ D2セルに=DATEDIF(B2,TODAY(),"YM")と入力すると、月数が出る

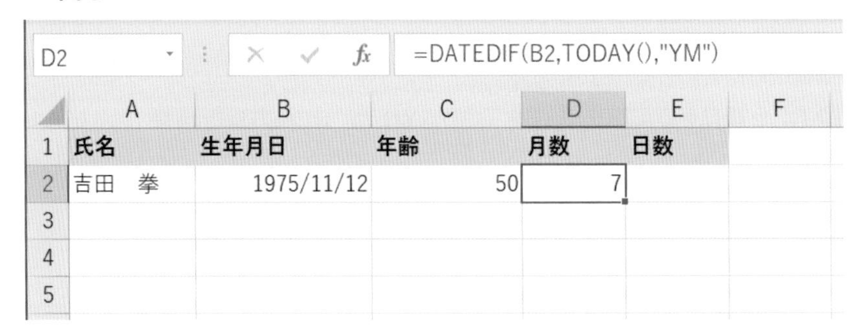

「○日」の部分を出すには、第三引数の単位を"MD"と指定します。

▼ E2セルに=DATEDIF(B2,TODAY(),"MD")と入力すると、日数が出る

E2 =DATEDIF(B2,TODAY(),"MD")

	A	B	C	D	E	F
1	氏名	生年月日	年齢	月数	日数	
2	吉田　拳	1975/11/12	50	7	1	
3						
4						
5						

こうすれば、別々のセルにそれぞれの値を出すことができます。

ちなみに、1つのセルに「○年○ヶ月」と出したい場合は、&記号による文字列結合などで値や関数式を組み合わせる工夫で実現します。

日付から曜日を出すには

Excelでは、日付データからその日付の曜日を出すこともできます。これを知っていれば、カレンダーや予定表などを作成する際、非常に助かります。

Excelには、WEEKDAY関数という、まさに曜日を出すためのような関数があります。しかし、それよりもかんたんなのが、TEXT関数を使うことです。

たとえば、A2セルの日付の曜日をB2セルに出すには、B2セルに次の式を入力します。

```
=TEXT(A2,"aaa")
```

▼B2セルに=TEXT(A2,"aaa")と入力した結果

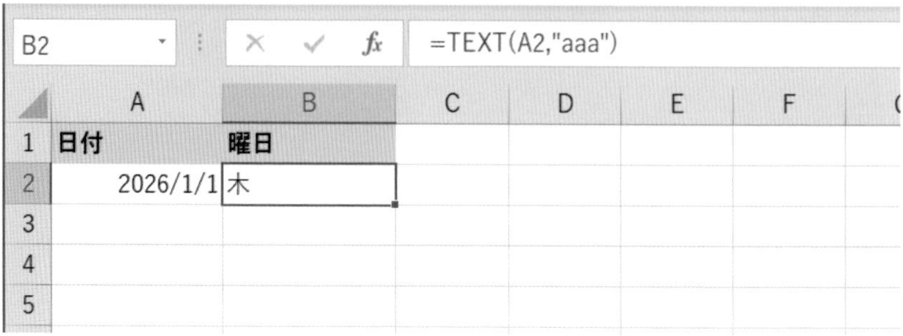

B2 =TEXT(A2,"aaa")

	A	B	C	D	E	F
1	日付	曜日				
2	2026/1/1	木				
3						
4						
5						

このとき、第二引数の指定方法によって、曜日の表示形式が次のように変わります。

- "aaa" → 日
- "aaaa" → 日曜日
- "ddd" → Sun
- "dddd" → Sunday

第6章

文字を自在に扱う

文字列操作の超基本

セル内の文字列の一部だけを別のセルに取り出す

Excelが便利なのは、数値の集計だけではありません。セルに入力された文字列を自在に操作するためにも優れた能力を発揮します。ここでは、さまざまなデータ加工に必須な文字列を扱うテクニックをご紹介します。

まず、セル内文字列の一部だけを別のセルに取り出すことができる関数をおさえておきましょう。「一部」というのは、たとえば「左から何文字」、「右から何文字」、「途中から何文字」という具合です。それぞれ、LEFT関数、RIGHT関数、MID関数というものを使います。

- =LEFT(A1,3)　→　A1セルの左から3文字が取り出される
- =RIGHT(A1,4)　→　A1セルの右から4文字が取り出される
- =MID(A1,5,2)　→　A1セルの5文字めから2文字だけ抽出する

LEFT関数とRIGHT関数は、どちらも第一引数に指定したセルの左もしくは右から、第二引数で指定した数の文字数分だけを抽出します。

MID関数は、第二引数で抽出の開始位置、第三引数で抽出する文字数を指定します。

日付を意味する8桁数値を日付データに変換する

これら3つの関数の活かし方を、日付を意味する8桁数値を日付データに変換するテクニックを例に見てみましょう。

前章で解説したように、Excelで日付を扱うには、以下のように、年と月と日をスラッシュ（/）で区切って入力しておく必要があります。

```
2026/11/12
```

しかし、企業によっては「20261112」といった8桁数値で日付を示すようにしている場合があります。これは日付データではなく、単なる数値データであり、ここから日数計算や曜日を出すなどができません。そのため、これを日付データ（シリアル値）に変換する必要があります。

シリアル値を作るには、DATE関数を使います。「2026/11/12」という日付データを作るのであれば、以下のように、第一引数に西暦、第二引数に月、第三引数に日の数字を指定します。

```
=DATE(2026,11,12)
```

では、この年、月、日の数字をA2セルに入力されている「20261112」から取り出すにはどうすればいいでしょうか。次のように考えてみてください。

- 「年」の数字は、A2セル「20261112」の左から4文字を取り出せば「2026」となる
- 「月」の数字は、A2セル「20261112」の5文字めから2文字だけを取り出せば「11」となる
- 「日」の数字は、A2セル「20261112」の右から2文字を取り出せば「12」となる

このように、対象となるセル内のデータから一部だけを取り出すために、LEFT関数、MID関数、RIGHT関数を使うのです。

B2セルに、A2セルの左から4文字を抽出するには、次のように入力します。

```
=LEFT(A2,4)
```

▼ B2セルに=LEFT(A2,4)と入力した結果

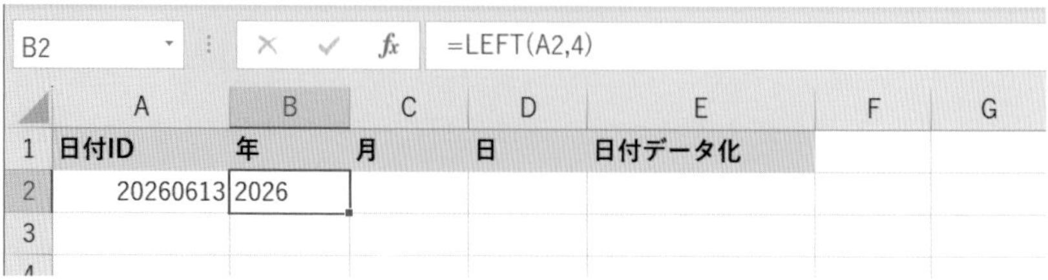

B2 | =LEFT(A2,4)

	A	B	C	D	E	F	G
1	日付ID	年	月	日	日付データ化		
2	20260613	2026					
3							

次に、月の数字を出すため、以下のようにMID関数を入力して、A2セルの5文字めから2文字だけ取り出します。

```
=MID(A2,5,2)
```

▼ C2セルに=MID(A2,5,2)と入力した結果

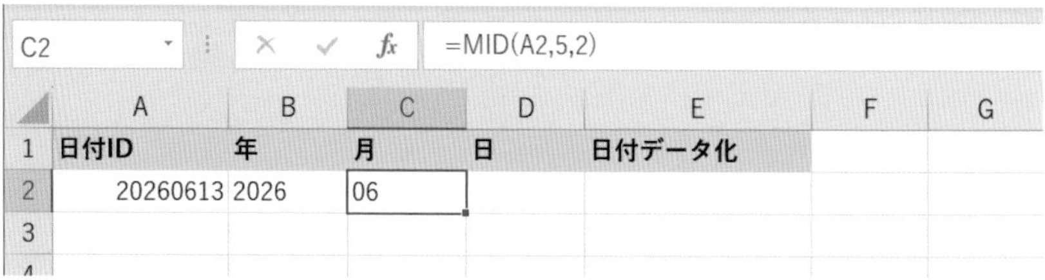

C2 | =MID(A2,5,2)

	A	B	C	D	E	F	G
1	日付ID	年	月	日	日付データ化		
2	20260613	2026	06				
3							

最後に、日の数字を取り出すには、A2セルの右から2文字を取り出すため、以下のようにRIGHT関数を使います。

```
=RIGHT(A2,2)
```

D2セルに=RIGHT(A2,2)と入力した結果

D2 =RIGHT(A2,2)

	A	B	C	D	E	F	G
1	日付ID	年	月	日	日付データ化		
2	20260613	2026	06	13			
3							

こうして年、月、日を取り出したら、あとはそれを以下のようにDATE関数の引数に指定すれば、この日付のシリアル値ができます。

```
=DATE(B2,C2,D2)
```

E2セルに=DATE（B2,C2,D2）と入力した結果

E2 =DATE(B2,C2,D2)

	A	B	C	D	E	F	G
1	日付ID	年	月	日	日付データ化		
2	20260613	2026	06	13	2026/6/13		
3							

なお、ここまで解説した処理は、次のように1つのセルでの処理にまとめることができます。

```
=DATE(LEFT(A2,4),MID(A2,5,2),RIGHT(A2,2))
```

文字列の左から、または右から指定した文字数だけ、もしくは文字列の途中から指定した文字数だけを抽出するLEFT関数、RIGHT関数、MID関数は、文字列操作の基本中の基本です。これを応用することで、さまざまな処理ができるようになります。

文字列をうまく分割する

住所から都道府県だけを抜き出す

「都道府県から始まる住所を、都道府県とそれ以降に分けなければいけなくなった」

これは、文字列分割の基本です。根本的な話をすれば、あとでそういう作業が発生しなくてもいいように、「最初から都道府県だけ別の列として入力する表形式にしておく」などの計画性が大事になります。しかし、もともとつながって入力されてしまっている場合は仕方がありません。そのような場合に備えて、都道府県だけ別のセルに抜き出せるスキルが重要になります。

こうした問題は、Excelの機能や関数にくわしいだけでは解決できません。独自のロジックでさまざまな処理を実現する発想が大切になります。

まず、「日本の47都道府県名はどのようなデータか？」を考えてみましょう。すべて、3文字か4文字のいずれかですね。

そのうち、4文字なのは和歌山県、神奈川県、鹿児島県の3つのみです。4文字なのは、いずれも「県」で、あとは全部3文字であることです。

このことがわかると、次のようなロジックで、住所のセルから都道府県だけを取り出せるようになります。

「住所のセルの4文字めが『県』という字だったら左から4文字だけ、そうじゃなかったら（4文字めが『県』という文字ではなかったら）左から3文字だけ取り出せばいい」

この考え方をExcelの関数に変換すると、次のような式になります。

```
=IF(MID(A2,4,1)="県",LEFT(A2,4),LEFT(A2,3))
```

これを入力したセルをコピーすると、すべての都道府県名のみが出されます。

▼ B2セルに=IF(MID(A2,4,1)="県",LEFT(A2,4),LEFT(A2,3))と入力し、B12セルまでコピーした結果

B2 =IF(MID(A2,4,1)="県",LEFT(A2,4),LEFT(A2,3))

	A	B	C	D	E	F
1	住所	都道府県				
2	北海道札幌市XXXX	北海道				
3	青森県八戸市XXXX	青森県				
4	宮城県仙台市XXXX	宮城県				
5	東京都世田谷区XXXX	東京都				
6	神奈川県横浜市XXXX	神奈川県				
7	愛知県春日井市XXXX	愛知県				
8	大阪府大阪市XXXX	大阪府				
9	京都府京都市XXXX	京都府				
10	和歌山県和歌山市XXXX	和歌山県				
11	福岡県福岡市XXXX	福岡県				
12	鹿児島県指宿市XXXX	鹿児島県				
13						

「4文字めが"県"」という条件は、「住所のセルの4文字から1文字だけを抜き出した結果が"県"」ということになるので、MID関数で論理式を作っています。この論理式が真か偽かによって、LEFT関数で抽出する文字数を変える処理をIF関数で指定しています。

住所を都道府県と都道府県以降に分けるには

では、先ほどの表において、C列に都道府県を除いた市町村以降のみを取り出すにはどう考えたらいいでしょうか。

こういうときも、とにかく「考え方」が大切です。「いかにかんたんに考えるか」が大切なのです。

同時に、Excelにはどんな関数があるかを知っておくこと。知らなくても、「こんなことができる関数はないのかな？」と考える姿勢も大事です。

まず、住所から都道府県を取り出すときには、「左から何文字取り出すか」という処理をおこなうために、LEFT関数を使いました。一方、市町村以降を取り出すには「右から何文字取り出せばいいか」という考え方をするので、RIGHT関数を使います。

次に、この処理で必要なのは、「セル内の文字数をカウントする」関数です。そのためにあるのがLEN関数です。LENとはLength（長さ）の意味。以下の式は、A1セルに入力されている文字数を取得します。

```
=LEN(A1)
```

これを知っていれば、アイデアが出てきます。

今回の例では、A列に住所があって、その隣のB列に都道府県だけ取り出されています。この状態で、C列に都道府県以降を取り出すには、A列の右から何文字取り出せばいいのでしょうか。答えは以下のとおりです。

「住所欄の文字数から、都道府県欄の文字数を引いた数だけ、A列の右から取り出す」

これは、次のような式で実現できます。「A2セル内文字列の右から、A2セルの文字数からB2セルの文字数を引いた数の文字数を取り出す」という処理です。

```
=RIGHT(A2,LEN(A2)-LEN(B2))
```

これをC2セルに入力し、データの最下端行までコピーすると、すべての住所の都道府県以降を抽出することができます。

▼ C2セルに=RIGHT(A2,LEN(A2)-LEN(B2))と入力して、C12セルまでコピーした結果

C2 =RIGHT(A2,LEN(A2)-LEN(B2))

	A	B	C	D
1	住所	都道府県	都道府県以降	
2	北海道札幌市XXXX	北海道	札幌市XXXX	
3	青森県八戸市XXXX	青森県	八戸市XXXX	
4	宮城県仙台市XXXX	宮城県	仙台市XXXX	
5	東京都世田谷区XXXX	東京都	世田谷区XXXX	
6	神奈川県横浜市XXXX	神奈川県	横浜市XXXX	
7	愛知県春日井市XXXX	愛知県	春日井市XXXX	
8	大阪府大阪市XXXX	大阪府	大阪市XXXX	
9	京都府京都市XXXX	京都府	京都市XXXX	
10	和歌山県和歌山市XXXX	和歌山県	和歌山市XXXX	
11	福岡県福岡市XXXX	福岡県	福岡市XXXX	
12	鹿児島県指宿市XXXX	鹿児島県	指宿市XXXX	
13				

氏名を苗字と名前に分けるには

文字列をつなげるのは結合演算子である&記号でかんたんにできますが、別々に切り離すのは若干大変です。たとえば、以下のように苗字と名前が半角スペースで区切られているとき、苗字と名前で別々のセルに取り出すにはどうしたらいいでしょうか。

▼ 苗字と名前が半角スペースで区切られているデータ

A1 氏名

	A	B	C	D	E	F	G
1	氏名	苗字	名前				
2	林 誠二						
3	平尾 淳史						
4	大八木 大						
5	流 和樹						
6	姫野 歩						
7	五郎丸 敏之						

この場合、半角スペースなどの「区切り文字」(スペースも1つの文字と考えます)があれば、その前後で別々のセルに分けることができます。手順を1つずつ見ていきましょう。

❶ 苗字を取り出す

まず、苗字を取り出します。苗字を取り出すということは、「セル内の文字列の左から何文字かを取り出す」ということですから、LEFT関数を使います。問題は、取り出す文字数の指定です。

ここで必要なのは、「区切り文字は何文字めにあるか」という情報です。A2セルの「林 誠二」の場合、区切り文字である半角スペースは2文字めに出てきます。この「2」という数字が得られれば、その2という数字から1を引いた数、つまり左から1文字を取り出せば苗字が取り出せることになります。言い換えると、以下のとおりです。

「区切り文字が何文字めに出てくるかを示す数から1を引いた文字数だけ、文字列の左から取り出す」

これをおこなう式は、以下の形になります。

```
=LEFT(A2,FIND(" ",A2)-1)
```

第二引数にFIND関数というものを使っている点に注目してください。これは、指定した文字が指定したセルの中で何文字めに出てくるかという数字を出す関数です。

なお、""というようにダブルクオーテーションを2個連続で入力すると「空白」の意味になりますが、" "というようにダブルクオーテーションの間に半角スペースを入れると、半角スペースを意味します。

この式をB2セルに入力すると、A2セルの半角スペースより手前の文字列、つまりこのケースでは苗字だけをB2セルに取り出すことができます。

▼B2セルに=LEFT(A2,FIND(" ",A2)-1)と入力した結果

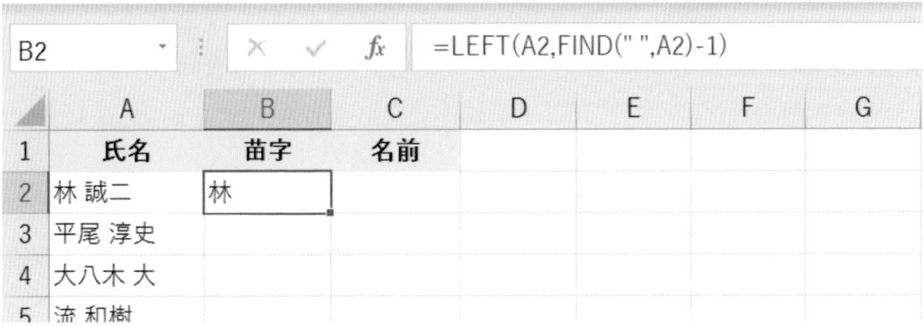

B2 | =LEFT(A2,FIND(" ",A2)-1)

	A	B	C	D	E	F	G
1	氏名	苗字	名前				
2	林 誠二	林					
3	平尾 淳史						
4	大八木 大						
5	流 和樹						

区切り文字である半角スペースが2文字めにあるとわかれば、苗字を取り出すために文字列の左から取り出すべき文字数はその数から1を引いた1、ということになります。結果、文字列の左から1文字である「林」だけが取り出されている結果になっています。

❷ 名前を取り出す

次に名前ですが、今度は右から取り出すことになるので、RIGHT関数を使うことになります。問題は「右から何文字取り出すか」という設定ですが、これは次のような関数式で取り出します。

```
=RIGHT(A2,LEN(A2)-FIND(" ",A2))
```

▼C2セルに=RIGHT(A2,LEN(A2)-FIND(" ",A2))と入力した結果

C2 | =RIGHT(A2,LEN(A2)-FIND(" ",A2))

	A	B	C	D	E	F	G
1	氏名	苗字	名前				
2	林 誠二	林	誠二				
3	平尾 淳史						
4	大八木 大						
5	流 和樹						

RIGHT関数の第二引数で、LEN関数とFIND関数を使って抽出する文字数を設定しています。「A2セルの文字数から、A2セルにて半角スペースが何文字めにあるかの数を引く」という計算をおこなっているわけです。このケースの場合、A2セルの文字数は4です（半角スペースも1文字に数えます）。

次に、半角スペースが出てくるのは2文字めです。4－2＝2ということで、A2セルの右側から2文字だけ取って、A2セルの半角スペースより後ろの部分、つまり名前を取り出すことができています。

あとはこれを以下の行にもコピーすれば、同様の処理をおこなうことができます。

▼式をほかのセルにもコピーした結果

B2 =LEFT(A2,FIND(" ",A2)-1)

	A	B	C	D	E	F	G
1	氏名	苗字	名前				
2	林 誠二	林	誠二				
3	平尾 淳史	平尾	淳史				
4	大八木 大	大八木	大				
5	流 和樹	流	和樹				
6	姫野 歩	姫野	歩				
7	五郎丸 敏之	五郎丸	敏之				
8							

ただし、この処理は区切り文字がないケース（今回の例ならば、苗字と名前の間に半角スペースがない場合）にはどうにもなりません。その意味でも、最初にデータを入力する際の設計が後で影響してくることになるので、慎重に考えておくことが必要です。原則として、「できるだけ細かく分けておく」のが得策です。つなげるのは後でいくらでもできるのですから。

データをきれいに整える

文字列が同じかどうかを判定するには

手入力で打たれたデータは、形式が不ぞろいになってることが多くあります。それを手作業で同一の形式に整えようと思うと、とんでもない手間がかかります。

たとえば、全角で打たれた電話番号。顧客名簿の重複チェックのため、電話番号を基準に、COUNTIF関数の応用（P.105を参照）で重複を確認するためには、すべての電話番号が同一の形式である必要があります。全角のデータと半角のデータでは、同じ電話番号として入力したつもりでも、Excelは同一のものと判定できません。

以下では、A列に同じ電話番号が2つ入力されていますが、A2セルは全角、A3セルは半角で入力されています。B2セルには、文字列が同じかどうかを判定するEXACT関数（以下の式）が入っています。

```
=EXACT(A2,A3)
```

▼ A2セルとA3セルの文字列が異なると判定されている（B2セル）

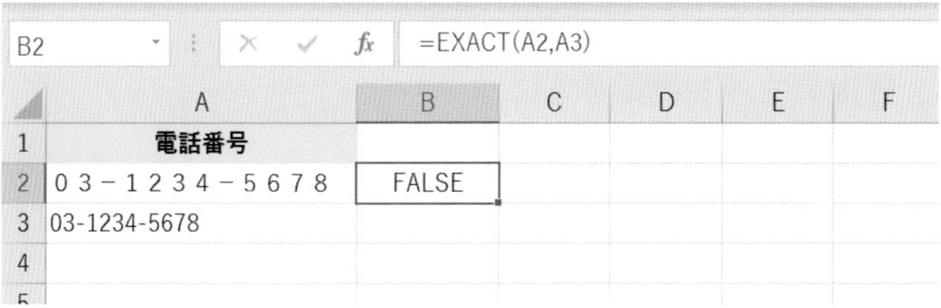

B2 =EXACT(A2,A3)

	A	B	C	D	E	F
1	電話番号					
2	０３－１２３４－５６７８	FALSE				
3	03-1234-5678					
4						
5						

EXACT関数は、引数に指定した2つの文字列が同一だった場合は

TRUE、異なる場合はFALSEを返しますが、結果はFALSE（異なる）となっています。

このような場合は、データの形をそろえる必要があります。このような作業は「データ整形」「データクレンジング」などと呼び、いくつかの文字列操作関数が威力を発揮します。

全角文字を半角に変換するには

全角文字を半角に変換するには、ASC関数を使います。たとえば、次の関数式で、A2セルの全角文字が半角になった状態で出てきます。

```
=ASC(A2)
```

▼ B2セルに=ASC(A2)と入力した結果

B2 =ASC(A2)

	A	B	C
1	電話番号	半角変換	ハイフン削除
2	０３－１２３４－５６７８	03-1234-5678	
3	03-1234-5678		
4			
5			

特定の文字を削除するには

次に、このB2セルからハイフン（-）を削除した値をC2セルに出してみましょう。このように、特定の文字を削除したい場合は、SUBSTITUTE関数を使います。SUBSTITUTEは、「取り替える」という意味です。

```
=SUBSTITUTE(B2,"-","")
```

▼ C2セルに=SUBSTITUTE(B2,"-","") と入力した結果

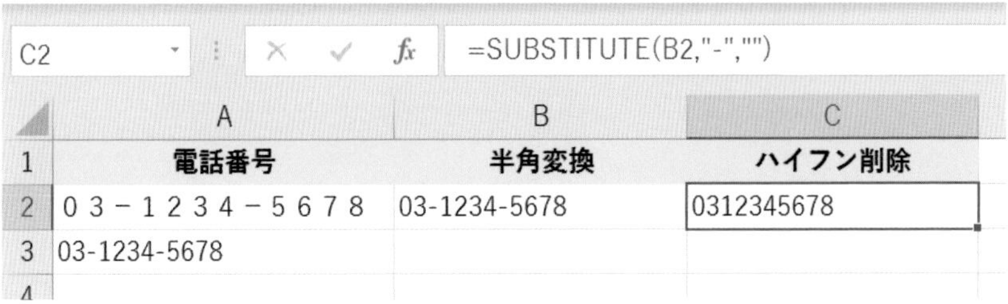

C2 =SUBSTITUTE(B2,"-","")

	A	B	C
1	電話番号	半角変換	ハイフン削除
2	０３－１２３４－５６７８	03-1234-5678	0312345678
3	03-1234-5678		
4			

この関数は、第一引数で指定した文字列において、第二引数で指定した文字を、第三引数で指定した文字に置き換えます。この場合、第三引数では""、つまり空白を指定しています。ハイフンを空白に置き換える、つまりハイフンを削除する処理になっているわけです。

これらを組み合わせて1つにまとめると、次のようになります。ASC関数で半角に変換した文字列において、さらにSUBSTITUTE関数でハイフンを空白に置き換えています。

```
=SUBSTITUTE(ASC(A2),"-","")
```

これをデータの最下端行までコピーすれば、すべての電話番号を同じ形に整えることができます。

▼ =SUBSTITUTE(ASC(A2),"-","")をデータの最下端行までコピーした結果

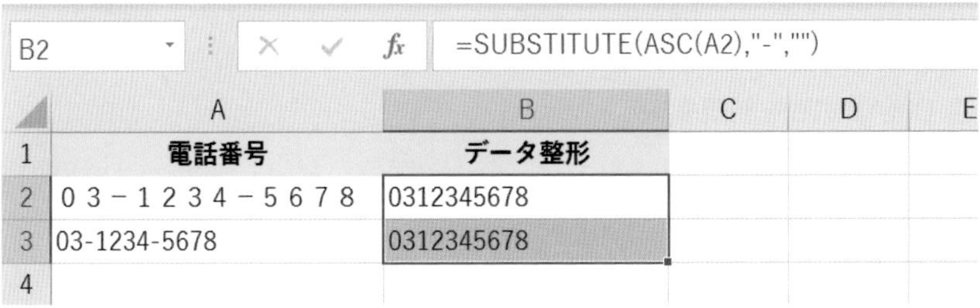

B2 =SUBSTITUTE(ASC(A2),"-","")

	A	B	C	D	E
1	電話番号	データ整形			
2	０３－１２３４－５６７８	0312345678			
3	03-1234-5678	0312345678			
4					

文字を効率的に処理する

アルファベット26文字を連続入力したいときは

Excelには「オートフィル」という機能があります。たとえばA2セルに「月」と入力して、下方向にコピーすれば、自動的に月から始まる曜日が連続入力されます。

▼ **A2セルに「月」と入力し、下方向にコピーすると、自動的に曜日が連続入力される**

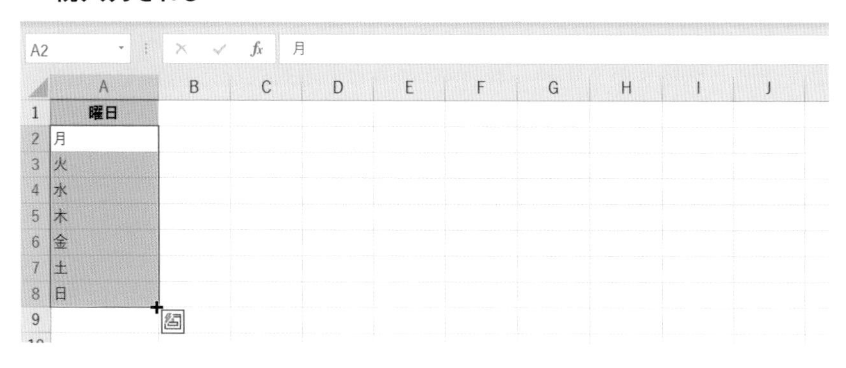

このオートフィル、じつはアルファベットの連続入力ができません。しかし、「項目名として、アルファベットをAから順番に入力したい」という要望はけっこうよくあります。実現するための方法は2つあります。

❶ CHAR関数を利用する

まず、かんたんな方法としては、CHAR関数を利用します。CHAR関数は引数に指定した文字コードに該当する文字を返します。

たとえば、アルファベットAの文字コードは65です。つまり、次の式を入れたセルにはAが表示されることになります。

```
=CHAR(65)
```

この65が66になれば、Bになります。つまり、この文字コードを1ずつ増やしながらCHAR関数を連続入力していけば、アルファベットの連続入力ができることになります。たとえばA2セルから下方向にアルファベットの連続入力をおこなう場合、引数にROW関数を組み込んで、次のような関数式を入力します。

```
=CHAR(ROW()+63)
```

A2セルはシートの2行めですから、この式のROW関数はA2セルでは2を取得します。それに調整値として63を足して、「A」の文字コードである65になるように調整しているのです。

これを入力してコピーすると、アルファベットの連続入力ができます。

▼ A2セルに=CHAR(ROW()+63)と入力して、A27セルまでコピーした結果

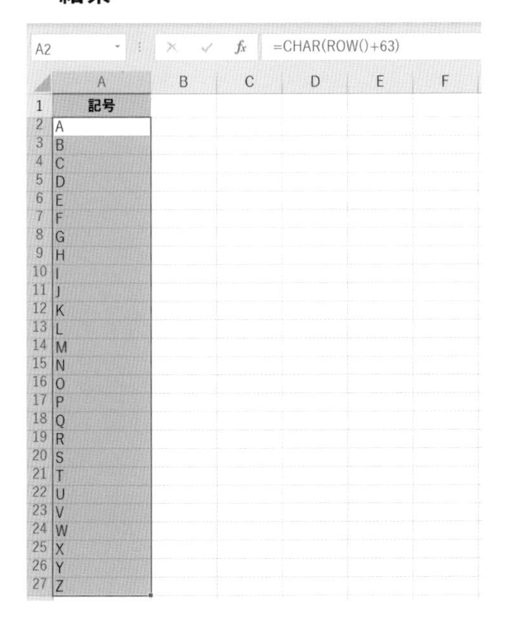

❷ SUBSTITUTE関数とADDRESS関数を使う

次の式なら、Zの次はAA、AB……とつなげることもできます。

```
=SUBSTITUTE(ADDRESS(1,ROW()-1,4),1,"")
```

この式は、ぜひ自分で解読してみてください。これも、2行めに入力して、下方向にコピーする場合の式です。

「ないものは自分で作る」

それが大人の仕事の基本です。そして、Excelの基本機能でできないことを実現する場合にも、まったく同じ姿勢が必要になるのです。

ある文字がセルの中にいくつ入っているかを数えるには

単純にセル内の文字数を数えるだけなら、LEN関数で可能です。一方、セル内で特定の文字だけの数を数えるにはどうしたらいいでしょうか。

以下のような、A列にURLを示す文字列が入っているデータがあったとします。

A列にURLが入っているデータ

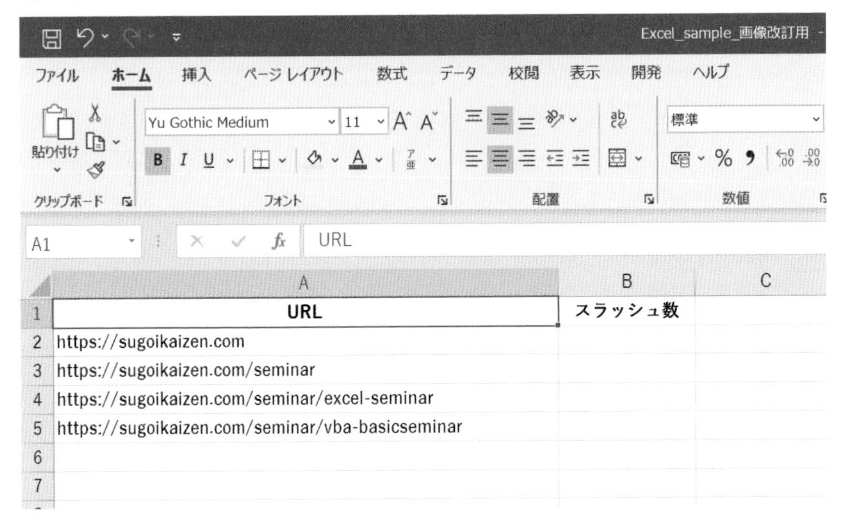

このとき、「A列のセルの中にスラッシュ（/）がいくつ入っているかを、B列に出したい」ケースではどうすればいいでしょうか。

このように、セルの中にある特定の文字がいくつ入っているかを数えるには、まずB2セルに次のように入力します。

```
=LEN(A2)-LEN(SUBSTITUTE(A2,"/",""))
```

これをデータの最下端行までコピーすれば、各URLにスラッシュ記号（/）がいくつ含まれているかを出すことができます。

▼B2セルに=LEN(A2)-LEN(SUBSTITUTE(A2,"/",""))と入力して、B6セルまでコピーした結果

B2 =LEN(A2)-LEN(SUBSTITUTE(A2,"/",""))

	A	B	C
1	URL	スラッシュ数	
2	https://sugoikaizen.com	2	
3	https://sugoikaizen.com/seminar	3	
4	https://sugoikaizen.com/seminar/excel-seminar	4	
5	https://sugoikaizen.com/seminar/vba-basicseminar	4	
6			
7			
8			
9			

ここでは、LEN関数とSUBSTITUTE関数の2つを使って、A2セルに「/」という文字がいくつあるかを出しています。式の考え方は以下のとおりです。2つの数字で引き算をしています。

A2セルの文字数
ーA2セルの文字列から「/」の文字を削除したあとの文字数

まず、LEN(A2)でA2セルの文字数を出しています。このデータでは、23です。

LEN(SUBSTITUTE(A2,"/",""))の部分では、LEN関数の引数としてSUBSTITUTE関数が組み込まれています。これは、SUBSTITUTE関数によって、A2セルからスラッシュ(/)を空白に置き換えた後の文字数、つまりA2セルからスラッシュを削除したあとの文字数をLEN関数で出しているということです。A2セルの場合、数字は21です。

この2つを引き算して出た「2」が、A2セルに含まれているスラッシュ(/)の数になるというわけです。

第7章

表作成の極意
～日々の資料作成を効率化するには

「Excelで仕事をする」とはそもそもどういうことか

仕事において、Excelで具体的に何をするのかを極めて単純化すると、「表を作る」ことに集約されます。会議資料であれ、請求書であれ、経理データであれ、仕事の成果物として完成させなければならないものの多くは「表」の形を取っています。そこで大事になるのが、「では、どんな表を作ればいいか？」を考えることです。

この「Excelで表を作る」という作業を効率化するために大切な原則が、「インプット、マスタ、アウトプットの原則」です。第10章でくわしく解説しますが、ルーティンワークとなるExcel資料作成を効率化する場合、Excelファイルのシート構成は大きく分けて「インプット」「マスタ」「アウトプット」の3種類に分かれるという原則です。

データベース形式の7つのルール

まず、「インプット」と「マスタ」は、「データベース形式」である必要があります。Excelでデータ集計や分析をスムーズにおこなうには、その材料となるデータを「データベース形式」と呼ばれる形で蓄積しておくことが大前提となります。集計や分析すべきデータが正しい形式で蓄積されていなければ何も始まらないわけです。これが「データベースファーストの原則」です。まずデータベース形式の材料データの蓄積がありき、という考え方です。

そして、この「データベース形式」は、並べ替えやオートフィルタ、ピボットテーブルなどの「データベース機能」（P.209を参照）がきちんと正常に動作するための条件でもあります。その原則を押さえておきましょう。

・1行めに項目行がある

・1行1レコードの原則

→1行めに項目行があり、2行め以降は各項目に対応したデータが1行1件（1レコード）の形で縦方向に羅列されている状態です。

- **1セル1データの原則**

→1つのセルに複数のデータ、情報を入力してはいけないということです。

	A	B	C
1	購入日	担当者	品目・金額
2	2026/6/13	吉田 田中 佐藤	りんご　1万円 みかん　3万円 バナナ　5万円
3			

- **1列1データ型の原則**

→各列のデータはそれぞれ、同じ型のデータで統一されている必要があります。データの型とは「日付」や「数値」などのデータの種類を指します。たとえば、数値が入っているべき列に文字列が混じってしまっていることがないように整える必要があります。

- **セル結合禁止の原則**

→データベース形式表においてセル結合をおこなうと、「並べ替えができなくなる」などさまざまな不具合の元になります。

- **周囲に余計なデータの入力されたセルがくっついていない（周囲から独立したセル範囲である）**
- **途中に空白列、空白行がない**

▼データベース形式の表の例

	A	B	C	D	E	F	G
1	日付	担当者	商品コード	数量	売上計		
2	2026/4/1	氷室	A002	7	9800		
3	2026/4/2	遠藤	A002	6	8400		
4	2026/4/3	熊澤	C002	6	120		
5	2026/4/4	内山	B001	5	13000		
6	2026/4/5	内山	A001	11	22000		
7	2026/4/6	氷室	A002	8	11200		
8	2026/4/7	遠藤	A002	18	25200		
9	2026/4/8	熊澤	C002	20	400		
10	2026/4/9	内山	A002	17	23800		
11							

1行めに設定する項目はできるだけ細分化しておく

このとき、1行めに設定する項目はできるだけ細分化しておくと後々助かることになります。たとえば、住所の欄なら都道府県とそれ以降を分けて入力することで、顧客の都道府県別分布数を計算する際などに作業がラクになります。別々のセルのデータを後からつなげることは&記号やCONCATENATE関数（Excel 2016以降ではCONCAT関数）でかんたんにできますが、1つのセルの内容を2つに分けるのは少々手間がかかるためです。場合によっては、関数などでの処理では分けることができず、手作業で大変な思いをして分けるハメになる恐れもあります。

このようなデータベース形式の表が顧客や売上などの管理に活用されることになります。その表を材料に、さまざまな分析データ資料を作成し、仕事に活かしていくのです。

すでにデータが入力された表を使って新しく資料を作る

一方、ダウンロードしたデータや蓄積してきたデータをもとに加工・集計をおこない、目的に応じた資料を作る作業では、ただ関数を入力するのではなく「どんな材料から、どのような完成品を作るのか」を整理して考える必要があります。

Excelでデータ分析資料を作成するときの基本は、次の3つです。

❶ データベース形式の表（インプット）から、縦軸と横軸からなる逆L字型のマトリックス表（アウトプット）へ変換する

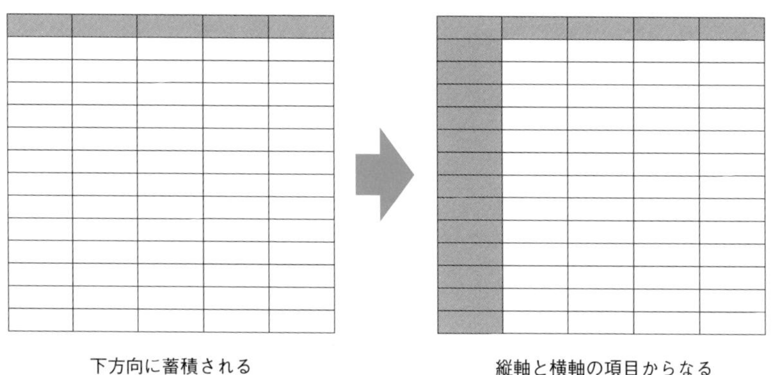

❷ 項目を再設定する

「日別の数字を月別に集計」

「都道府県別の数字を地域別に集計しなおす」

など、多くの場合は、分析の目的に応じて、細かい単位の項目を大きい単位の項目に変換します。これは、変換マスタを用意したうえで、VLOOKUP関数によっておこないます。

さらに、そこに前年比、予実比、構成比など、現状分析に必要な項目を加えていきます。どのような項目を加えるべきかについては、第10章で説明します。

❸ 定期的に作成・更新する資料では、関数を表に入れたフォーマットを作成しておく

定期的に何度も作成・更新する資料では、発生するコピペ作業の手間と

それに伴う貼りつけまちがいなどのミスを犯すリスクが大変大きくなります。あらかじめ表のフォーマットを確定し、表に入力しておいた関数による自動集計でその表を埋める仕組みを整えることで、材料データを所定の場所に貼り付けるだけで表が完成するようにしておくのが鉄則です。具体的には、SUMIF関数、COUNTIF関数を駆使することになります。

具体的な手順については第10章で解説しますが、原則として、ピボットテーブルやオートフィルタを多用している作業は大幅に改善する余地があると考えてください。多くの場合、関数による処理に変更することで大幅な効率化、省力化が期待できます。

ここからは、以上の注意点をふまえたうえで、表作成の作業を効率化するための機能やテクニックをご紹介していきます。

セル内改行と罫線で注意すべきこと

セル内で改行する方法と、改行したデータに関する注意

表を作るとき、特に項目名が1行ではセルに収まりきらないときは、改行して入力したいことがあります。Excelのセルの中でテキストを改行するには、改行したいところで次のショートカットを押します。

Alt + Enter

まちがっても、スペースをたくさん押して改行したように見せかけるようなことをしないよう、必ず覚えておいてください。

ただし、改行したセルの値は、改行する前のセルの値とは異なるデータになってしまう点に注意してください。以下ではA2セルとB2セルに「すごい改善」と入力していますが、B2セルのほうは「すごい」の後にAlt + Enterを入力して改行しています。C2セルにはこの2つのセルの値が同一かどうかを調べるEXACT関数を入力していますが、その結果としてFALSEを返しています。つまり、この2つのセルの値は違うものということです。

▼同じ「すごい改善」でも、改行前と改行後は違う値になる

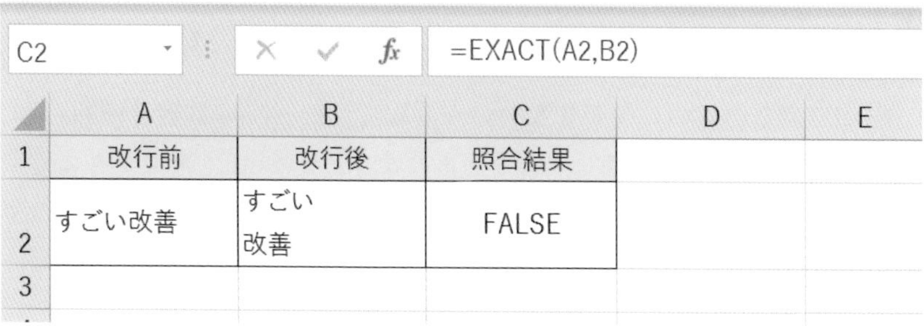

C2 =EXACT(A2,B2)

	A	B	C	D	E
1	改行前	改行後	照合結果		
2	すごい改善	すごい 改善	FALSE		
3					

そのため、たとえばVLOOKUP関数の検索値、検索範囲などに使用する値を改行する際は注意が必要です。どちらかだけを改行してある場合、処理がうまくいかなくなってしまいます。これは、このショートカットによって「改行コード」というものを入力していることが原因です。

セル内改行をなくす2つの方法

このセル内改行をなくす方法は2つあります。

1つめは、CLEAN関数を使う方法です。たとえば、以下の式を入力したセルには、A1セルの改行をなくした値が返されます。

```
=CLEAN(A1)
```

もう1つは、置換機能を使うことです。たとえば、A列のセルの改行を一気に解消したい場合、次のように操作します。

❶ A列を選択し、Ctrl+Hで置換を起動する。
❷ [検索する文字列]ボックス内を一度クリックしてから、ショートカットCtrl+Jを押す(ボックス内には何も表示されませんが、気にせず続けてください)。
❸ [すべて置換]をクリック→[閉じる]をクリックする。

罫線は全部1種類で済ませる。線の種類にこだわらない

Excelで表を作るのに欠かせないのが罫線です。Excelの罫線の種類には、普通の実線のほかに、破線、太線などあります。ただし、効率面を考えるなら、いろいろ種類は使い分けず、すべて同じ普通の実線にしておくことをおすすめします。

たとえば、次のように項目セルは実線、それ以下の行の罫線は破線などにすると、たしかに表の見た目がすっきりし、見た目のメリハリが出る効果はあります。

▼ 項目は実線、それ以下の行の罫線は破線にした表

D2 | =B2*C2

	A	B	C	D	E	F	G
1	商品コード	単価	数量	売上計			
2	A002	11,763	7	82,341			
3	A002	11,096	6				
4	C002	11,959	6				
5	B001	11,565	5				
6	A001	11,733	11				
7	A002	11,165	8				
8	A002	10,605	18				
9	C002	11,181	20				
10	A002	11,854	17				
11	C001	11,406	9				
12	合計		107	82,341			
13							

しかし、この見た目のわずかなこだわりは、仕事の成果を左右するほどのものではありません。

さらに、この状態でたとえばD2セルに数量×単価の計算をする数式「=B2*C2」を入力して、D列の一番下のセルまでドラッグコピーすると、書式もいっしょにコピーされてしまい、せっかく破線にしておいた罫線がすべて実線になってしまいます。

破線にしておいた罫線がすべて実線になってしまっている

D2 =B2*C2

	A	B	C	D	E	F	G
1	商品コード	単価	数量	売上計			
2	A002	11,763	7	82,341			
3	A002	11,096	6	66,576			
4	C002	11,959	6	71,754			
5	B001	11,565	5	57,825			
6	A001	11,733	11	129,063			
7	A002	11,165	8	89,320			
8	A002	10,605	18	190,890			
9	C002	11,181	20	223,620			
10	A002	11,854	17	201,518			
11	C001	11,406	9	102,654			
12	合計		107	1,215,561			
13							

このとき、書式はコピーせず数式をコピーするテクニックはあります。（「形式を選択して貼り付け」機能、Ctrl＋Enterで複数セルに同時入力、右クリックをしながらのドラッグコピーなど）。しかし、それらをわざわざ使うこと、さらにそもそも罫線を破線に設定するという2つの手間を発生させることに仕事上大きな意義があるとは言い難いのです。この観点から、基本的には罫線はすべて実線の一種類で作っておいたほうが、総合的には仕事の効率が高まります。

資料の見た目と仕事の成果に、さほど大きな因果関係はありません。見やすくても、中身がなければその資料は無意味なのです。見た目にこだわるのは、もう少し後でも大丈夫です。仕事の優先順位をまちがえてはいけません。

セル結合による非効率地獄をなくす

「セルの結合だけは極力しないようにしてください」

私のExcelセミナーで毎回必ず申し上げていることです。いったい何がそんなに問題なのでしょうか。

スムーズな数式のコピーをセル結合が妨げる

セル結合には、2つの問題があります。

1つめは、スムーズな数式のコピーを妨げるというものです。次の表を見てください。この表は、C3:F8の範囲にSUMIFS関数を入力することで完成する集計表です。しかし、1行めとA列の項目セルが結合されてしまっており、SUMIFS関数の参照セルは図のような状態になります。

	A	B	C	D	E	F	G	H	I
1			1Q		2Q			年度	四半期
2	酒税区分	東西区分	2024	2025	2024	2025			
3	ビール	東日本	=SUMIFS($L:$L,$J:$J,$A3,$K:$K,$B3,$H:$H,C$2,$I:I,C1)						
4		西日本	0	0	0	0			
5	発泡酒	東日本	0	0	0	0			
6		西日本	0	0	0	0			
7	新ジャンル	東日本	0	0	0	0			
8		西日本	0	0	0	0			
9									

最初にC3セルに入力した式を、C3:F8まですべてのセル全体にそのままコピーできたらラクですが、この表では1行めとA列のセル結合がそれを妨げてしまっており、C3:D4までしかコピーできません。それ以上の範囲までコピーしても、その後5回も式を修正しなければならなくなり、大

変面倒です。

Excel作業をスムーズにするコツの1つとして、「コピー可能数式の原則」と私が呼んでいるものがあります。

「式を入力するセルは最初の1つだけ。あとはコピーで広げられるようにしておくとラク」

というものです。次のようにセル結合していない表だったら、最初にC3セルに入力した式をC3:F8までそのままコピーして使えるわけです。

	A	B	C	D	E	F	G	H	I
1			1Q	1Q	2Q	2Q		年度	四半期
2	酒税区分	東西区分	2024	2025	2024	2025			
3	ビール	東日本	=SUMIFS($L:$L,$J:$J,$A3,$K:$K,$B3,$H:$H,C$2,$I:I,C1)						
4	ビール	西日本	0	0	0	0			
5	発泡酒	東日本	0	0	0	0			
6	発泡酒	西日本	0	0	0	0			
7	新ジャンル	東日本	0	0	0	0			
8	新ジャンル	西日本	0	0	0	0			
9									

この原則において、最大の役割を果たすのが「絶対参照」です。数式だけではなく、表組みにおいてもスムーズに項目のセルを参照して使えるような工夫、配慮が必要になります。

ちなみに、この表は1行め、A列では同じ値が繰り返し出ており、これでは見づらいので、最終的には1つめだけ残し、2つめ以降は文字色を白にするなど、表としての体裁を整えると見やすくなります。この工夫の詳細は、第10章のP.395に記載があります。

データベース機能がセル結合で使えなくなる

セル結合の2つめの問題は、データベース機能が使えなくなることです。

データベース機能の代表的なものを挙げると、並べ替え、オートフィルタ、ピボットテーブルの3つです。次の上の表ならばデータベース機能が使えますが、下のようにセル結合してしまっては使えません。

	A	B	C	D
1	販売年月	小売店県名	商品コード	売上金額
2	202401	愛知県	27210786	2992920
3	202401	愛知県	27220883	136920
4	202401	愛知県	27220957	997920
5	202401	愛知県	27220985	56448
6	202401	愛知県	27260317	40320
7	202402	愛知県	27260665	794640
8	202402	愛知県	27350171	6670
9	202402	愛知県	27350921	17342
10	202402	愛媛県	27210786	286440
11	202402	愛媛県	27220883	141960
12	202402	愛媛県	27220957	95760

<table>
<tr><td></td><td>A</td><td>B</td><td>C</td><td>D</td></tr>
<tr><td>1</td><td>販売年月</td><td>小売店県名</td><td>商品コード</td><td>売上金額</td></tr>
<tr><td>2</td><td rowspan="5">202401</td><td rowspan="8">愛知県</td><td>27210786</td><td>2992920</td></tr>
<tr><td>3</td><td>27220883</td><td>136920</td></tr>
<tr><td>4</td><td>27220957</td><td>997920</td></tr>
<tr><td>5</td><td>27220985</td><td>56448</td></tr>
<tr><td>6</td><td>27260317</td><td>40320</td></tr>
<tr><td>7</td><td rowspan="6">202402</td><td>27260665</td><td>794640</td></tr>
<tr><td>8</td><td>27350171</td><td>6670</td></tr>
<tr><td>9</td><td>27350921</td><td>17342</td></tr>
<tr><td>10</td><td rowspan="3">愛媛県</td><td>27210786</td><td>286440</td></tr>
<tr><td>11</td><td>27220883</td><td>141960</td></tr>
<tr><td>12</td><td>27220957</td><td>95760</td></tr>
</table>

データベース形式の表について認識しておくべきことは、「見るためのものではない」ではないということです。今後の集計や分析のために、使いやすい形式でただひたすらデータを貯めておくためのものです。ですから、見やすさのためにセル結合しようなどと考える必要は一切ないわけです。

セル結合が多用される「Excel方眼紙」問題

これはある中小企業の経理担当者さんからご相談いただいたExcelの実例です。

▼経費精算申請書

1–3	経費精算申請書	広域営業部営業一課	部門長	湯澤 裕
			承認者	梅田 ひかり
			使用者	乾 康弘

行	使用日	支払先名称 利用目的	支払金額						同行者名（会社名）		
6	2026/2/14	鮨 好日	1	3	1	2	0	0	松尾(ギャブリッジ)	生岡(ファイブ)	仲光(魂汗)
7		取引先懇親会							熊澤(メゾン)	内山(ミスフライト)	
8	2026/2/17	柳井商店		4	4	0	0	0	山口(クロジカ)	森岡(モーリー)	内山(Beckyo's)
9		取引先打ち合わせ							馬渡(トラトラトラ)		
10	2026/2/20	共楽			2	0	0	0	内山(スペリング)	清家(トランキーロ)	
11		社内打ち合わせ									
12											
13											

このように、Excelにおいて各列の幅を一律で狭くした状態は「Excel方眼紙」と俗称され、公的機関を中心に広く散見されます。

人間が見て内容を把握する分には特に問題はないレイアウトです。しかし、ここに入力する作業、また入力されたデータを再利用しようとする際の使い勝手において、非常にストレスフルであると悪評も高い使い方であるため、基本的には推奨できるものではありません。

まず、上の図の「支払金額」のように「1セル1字」で入力させる形式は、過去にもある官公庁で使われていたところ、当時の行政改革担当大臣が廃止を命じたことで話題になったほどに、めんどうな入力作業を強いるものになります。

また、入力された内容を別のセルに転記する作業においても、セル結合によるさまざまなトラップに悩まされることになります。たとえば、先ほどのようなExcelから、データベース形式の表に次のように1行1件でその内容を入れていく作業をしなければならなくなったとしたら何が起きるでしょうか。

	A	B	C	D	E	F	G	H	I	J
1	使用日	支払先名称	利用目的	支払金額	同行者名_1	同行者名_2	同行者名_3	同行者名_4	同行者名_5	同行者名_6
2	2026/2/14	鮨 好日	取引先懇親会	131200	松尾（キャブリッジ）	生岡（ファイブ）	仲光（魂汗）	熊澤（メゾン）	内山（ミスフライト）	
3	2026/2/17	柳井商店	取引先打ち合わせ	44000	山口（クロジカ）	森岡（モーリー）	内山（Beckyo's）	馬渡（トラトラトラ）		
4	2026/2/20	共楽	社内打ち合わせ	2000	内山（スペリング）	扇家（トランキーロ）				
5										

たとえば、セル範囲A6:E7が結合された、この赤枠の結合セル。

このセルを選択してCtrl+Cでコピー、データベースシートのA2セルを選択してCtrl+Vで貼り付けるというコピペ作業をおこなうと、こうなってしまい、困ることになります。

	A	B	C	D	E	F
1	使用日	支払先名称	利用目的	支払金額	同行者名_1	同行者名
2	2026/2/14					
3						
4						
5						

このように貼り付け先でも同じサイズのセル結合をされてしまうのを避けるためには、貼り付ける際に「値貼り付け」を使います。A2セルを選択して貼り付ける際に、「値貼り付け」のショートカット[Shift]+[10]→[V]を押すとこのようになります。

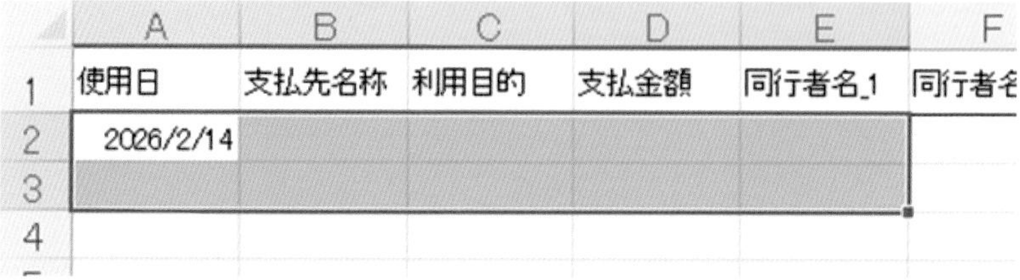

	A	B	C	D	E	F
1	使用日	支払先名称	利用目的	支払金額	同行者名_1	同行者名
2	2026/2/14					
3						
4						

結合コピー元の結合セルと同じサイズの範囲が選択状態になるのが気にはなりますが、結合されることなくA2セルに値が入ります。

1字1セルで入力されている金額はどうするか。もしこれを処理しなければならなくなったとしたら、表外に設けた作業列にて、各セルを結合、さらに数値に変換するといった対処が考えられます。下の図では、文字列結合が可能なCONCAT関数（Excel 2016以降で使用可／Excel 2013まではCONCATENATE関数を使用）と結合した値を数値に変換するVALUE関数の組み合わせでこの処理をおこなっています。

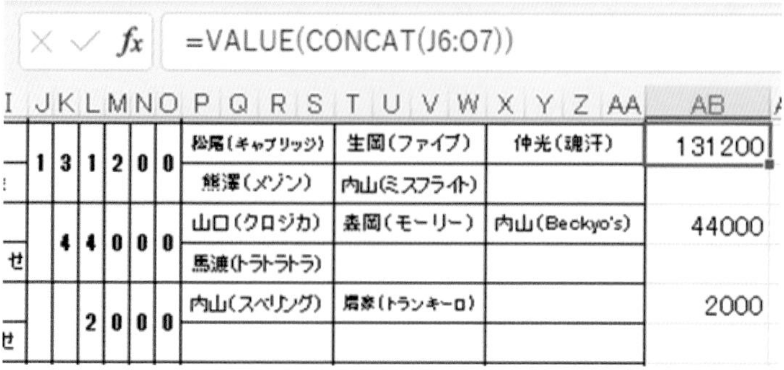

=VALUE(CONCAT(J6:O7))

I	J	K	L	M	N	O	P–S	T–W	X–AA	AB
	1	3	1	2	0	0	松尾(キャブリッジ)	生岡(ファイブ)	仲光(魂汗)	131200
							熊澤(メゾン)	内山(ミスフライト)		
		4	4	0	0	0	山口(クロジカ)	森岡(モーリー)	内山(Beckyo's)	44000
せ							馬渕(トラトラトラ)			
			2	0	0	0	内山(スペリング)	眉家(トランキーロ)		2000
せ										

このような手間を生じさせる意味で、「1セル1字」などという入力形式は断じて使ってはならないものです。

また、たとえばP.202の経費精算申請書にて、範囲A1：AA3の部分を1列右にずらしたいと考えたとします。この範囲を選択して、ドラッグ操作で1列右に移動させようとすると、こうなります。

経費精算申請書　広域営業部営業一課　部門長　湯澤 裕　承認者　梅田 ひかり　使用者　乾 康弘

使用日　支払先名称 利用目的　同行者名（会社名）

2026/2/14　仲光（魂汗）

2026/2/17　内山（Beckyo's）

2026/2/20　社内打ち合わせ　2000

Microsoft Excel

この操作は結合したセルには行えません。

OK

このように、ちょっとしたレイアウト変更をおこなうにも作業が阻害され、非常に使い勝手が悪くなるのがセル結合を多用するExcel方眼紙の欠点です。

「1シート1表の原則」で自在にレイアウトする方法

では、Excelでこのような様式を作らなければならない時はどうしたらいいのでしょうか。

まず、最初から1枚のシート上に複数の表や入力欄を直接レイアウトしようとするのでなく、それぞれ個別のシートで別々に作ります。複数の入力欄や表どうしの列数や行数、列幅や行高などの兼ね合いを考える必要がなくなり、セル結合などの強引な調整が必要なくなります。これを「1シート1表の原則」と呼んでいます。

「1つのシート上で作る表は、1つだけにしましょう」

という考え方です。この方法論によって、さまざまな弊害をもたらすセル結合をおこなう必要もなくなります。

そして、個別のシートで作った入力欄や表は、ある特殊なコピペの方法を使って、1つのシートにまとめます。ここでとても大事な役割を果たすのが、「リンクされた図」という貼り付け方法です。さきほどの「経費精算申請書」の下側の明細表を例に、別シートで作った表をどのように持ってくるかを見てみましょう。

まずは、別シートにて明細欄の表を作成しておきます。

❶ 範囲A1:E4を選択して、Ctrl＋Cでコピーする。

	A	B	C	D	E
1	使用日	支払先名称	利用目的	支払金額	同行者名
2	2026/2/14	鮨　好日	取引先懇親会	121,200	松尾（ギャブリッジ）,生岡（ファイブ）,仲光（魂汗）,熊澤（メゾン）,内山（ミスフライト）
3	2026/2/17	柳井商店	取引先打ち合わせ	44,000	山口（クロジカ）,森岡（モーリー）,内山（Beckyo's）,馬渡（トラトラトラ）
4	2026/2/20	共楽	社内打ち合わせ	2,000	内山（スペリング）,清家（トランキーロ）

ここではセル結合は一切せず、支払金額欄も1つのセルに、さらに同行者名の入力方法も1セルにカンマ区切りでデータを入れる形式に変更しています。

❷ 経費精算申請書の上の表部分だけを用意したシートにて、この表を配置したい場所あたりで右クリック→［形式を選択して貼り付け］→［その他の貼り付けオプション］から［リンクされた図］をクリックする。

❸ コピーした範囲が、図として貼り付けられる。

経費精算申請書	広域営業部営業一課	部門長	湯澤 裕
		承認者	梅田 ひかり
		使用者	乾 康弘

使用日	支払先名称	利用目的	支払金額	同行者名
2026/2/14	鮨 好日	取引先懇親会	121,200	松尾（ギャブリッジ）,生岡（ファイブ）,仲光（魂汗）,熊澤（メゾン）,内山（ミスフライト）
2026/2/17	柳井商店	取引先打ち合わせ	44,000	山口（クロジカ）,森岡（モーリー）,内山（Beckyo's）,馬渡（トラトラトラ）
2026/2/20	共楽	社内打ち合わせ	2,000	内山（スペリング）,清家（トランキーロ）

コピーした範囲が図として貼り付けられると、オートシェイプや画像などと同様に、大きさや位置などを自在に操作できるようになります。さらに、コピー元のセルの値を変更すると、貼り付けた図のセルの値にも反映されます。

このように、1つ1つの入力欄や表を個別のシートで作り、それをコピーしたものを「リンクされた図」として貼り付け、自在にレイアウトできれば、セル結合を多用することで生じるさまざまな弊害を防ぐことが可能です。

そもそもExcelで申請書などを作るのをやめる世界を目指そう

近年提唱され始めたDX（デジタルトランスフォーメーション）の考え方からすれば、こうした申請書の提出など「データの収集」においては、もうExcelなどの「ファイルに入力して送信」というやり方自体から脱却することが理想です。具体的には、ExcelやWordで申請書などを作るのではなく、Webフォームの活用に切り替えることです。

しかし、現実にはこちらでご紹介したようなExcel方眼紙を扱わざるをえない現場が多いのも事実です。そのようなケースでも、できるだけExcelの操作で困ることのないように、次の3つに留意することで、少しでも余計な労力を減らす工夫がとても大切です。

- **セルの結合は極力避ける**
- **入力されたデータを再利用する際のことを考える**
- **そのためにデータベースファーストの原則、そして1シート表の原則を意識する**

並べ替え・オートフィルタ・ピボットテーブルが正しく動作する条件を把握する

・ある病院で、ガン検査結果のデータの並べ替えに失敗し、誤った結果を被験者に送ってしまったという不祥事の謝罪会見がテレビニュースで全国中継される事態に陥ってしまった
・ある自治体で、ふるさと納税者とマイナンバーをひもづけたデータの並べ替えに失敗し、他人のマイナンバーを各納税者に通知してしまう不祥事が発生した
・ピボットテーブルで集計したデータの範囲がまちがっていて、誤った売上情報を公開してしまった

以上は、P.190で紹介した「データベース形式のルール」を守らなかったために、このような事態が発生してしまったという失敗事例です。並べ替え、オートフィルタ、ピボットテーブルなどのいわゆる「データベース機能」が正常に動くには、この「データベース形式のルール」を守ることが必須です。あらためて確認しておきましょう。

具体的には次のような状態です。

▼データベース形式の例

	A	B	C	D	E	F	G
1	日付	担当者	商品コード	数量	売上計		
2	2026/4/1	氷室	A002	7	9800		
3	2026/4/2	遠藤	A002	6	8400		
4	2026/4/3	熊澤	C002	6	120		
5	2026/4/4	内山	B001	5	13000		
6	2026/4/5	内山	A001	11	22000		
7	2026/4/6	氷室	A002	8	11200		
8	2026/4/7	遠藤	A002	18	25200		
9	2026/4/8	熊澤	C002	20	400		
10	2026/4/9	内山	A002	17	23800		
11							
12							

このようになっていればデータベース形式として認識され、並べ替えやオートフィルタをスムーズに使うことができます。ためしに、この表の範囲内のセルを1つ選択してショートカットCtrl＋Aを押すと、次のように表範囲全体が選択されます。

▼Ctrl＋Aを押すと、表範囲全体が選択される

	A	B	C	D	E	F	G
1	日付	担当者	商品コード	数量	売上計		
2	2026/4/1	氷室	A002	7	9800		
3	2026/4/2	遠藤	A002	6	8400		
4	2026/4/3	熊澤	C002	6	120		
5	2026/4/4	内山	B001	5	13000		
6	2026/4/5	内山	A001	11	22000		
7	2026/4/6	氷室	A002	8	11200		
8	2026/4/7	遠藤	A002	18	25200		
9	2026/4/8	熊澤	C002	20	400		
10	2026/4/9	内山	A002	17	23800		
11							
12							

つまり、これはデータの一番下までをデータベース機能の対象範囲として認識しているということです。

これは、次のように途中に空白行があるケースと比較するとわかりやすくなります。途中の行に空白がある場合、空白行の上の表範囲内のセルを選択して[Ctrl]+[A]を押すとこうなります。

▼ 途中の行に空白がある場合に[Ctrl]+[A]を押すと

	A	B	C	D	E	F	G
1	日付	担当者	商品コード	数量	売上計		
2	2026/4/1	氷室	A002	7	9800		
3	2026/4/2	遠藤	A002	6	8400		
4	2026/4/3	熊澤	C002	6	120		
5	2026/4/4	内山	B001	5	13000		
6	2026/4/5	内山	A001	11	22000		
7							
8	2026/4/6	氷室	A002	8	11200		
9	2026/4/7	遠藤	A002	18	25200		

空白行から下の部分が同じデータベースの範囲だと認識されず、並べ替えやオートフィルタなどの対象範囲から外れてしまうのです。並べ替えやオートフィルタにおいて「無視されるデータがある」などと思える場合は、途中で1行まるまる空白の行でデータが分断されていないか確かめてみてください。

並べ替えのかんたんな方法

並べ替えに必要な条件を確認したところで、日付順に並べ替える場合を例に、並べ替えの具体的な方法を見ていきましょう。かんたんな方法と、丁寧な方法の2通りがあります。まずは、かんたんな方法から見ていきましょう。

❶ 「商品コード」フィールドのいずれかのセルを選択する。

どこでもいいので、表内で並べ替えの基準としたい列のセルを選択します。

❷［データ］タブ→［並べ替え］アイコンの左側にある［昇順］アイコンをクリックする。

並べ替えの丁寧な方法

並べ替えの基準が1つのときはかんたんな方法でかまいませんが、基準が2つ以上あるときなどは丁寧な方法を使います。手順は以下のとおりです。

❶ 並べ替えをしたい表の中のセルどれかをクリックする（表の中ならどのセルでも大丈夫）。
❷［データ］タブ→［並べ替え］をクリックする。
❸［最優先されるキー］で［商品コード］を選択する。
❹［順序］で［昇順］を選択する。
❺［先頭行をデータの見出しとして使用する］にチェックを入れる。

❻［OK］をクリックする。

複数の並べ替え基準があるときは、［レベルの追加］をクリックして、条件を追加します。

並べ替えがうまくいかない場合によくある2つの原因

データベース形式の条件を満たし、上記の手順で並べ替えをおこなったとしても、並べ替えがうまくいかないことがあります。そのパターンと対処法は以下のとおりです。

❶ 名前を五十音順にしたいがうまくいかない場合

これは、セルに入っている名前のデータが正しいふりがなデータを含んでいないケースで起こります。キーボードから入力されたデータなら、入力されたとおりのふりがなデータを含んでいます。本来の読み方ではない入力でその漢字を入力した場合は、その漢字データは正しいふりがなデータを持っていません。また、テキストファイルやCSV、ネットなどからコピペされた文字列などは、ふりがなデータを含んでいないケースがあるので、これも正しく並べ替えされません。

この問題を回避するには、原則として「漢字のデータで並べ替えはしない。別途フリガナの列を用意して、そこを並べ替えの基準にする」という対策が必要になります。

❷ [先頭行をデータの見出しとして使用する]のチェックの有無の問題

マウスなどで選択したセル範囲だけで並べ替えをしたい場合、[先頭行をデータの見出しとして使用する]にチェックが入っていると、その範囲の先頭の行が並べ替えの対象から外れてしまって、思いどおりの並べ替えにはなりません。

逆に、先頭行があるデータで並べ替えをするときに、ここにチェックが入っていない状態で並べ替えをしても、項目行もいっしょに並べ替えられ、データがぐちゃぐちゃになってしまいます。

もしも「かんたんな方法」で並べ替えをしておかしなことになったときは、Ctrl+Zでいったん元に戻して、「丁寧な方法」で「先頭行をデータの見出しとして使用する」のチェックの有無を確認してみてください。

データの表示にひと工夫加える方法 ～ユーザー定義

セルに入力したデータの表示の仕方をさまざまに設定することができるのが、[セルの書式設定]の「ユーザー定義」。これでどんなことができるかというと……

・金額を自動的に千円単位の表示にできる
・会社名を入力したら、自動的に「御中」が付くようにできる
・時給バイトの給与計算などで、勤務時間も足したら24時間以上になった場合の時間数を「25:00」といった表示にできる
（普通の設定だと24時間でいったん0:00に戻るので「25:00」は「1:00」と表示されてしまう）

まずは、設定したいセルを選んで、Ctrl+1で[セルの書式設定]を起動しましょう。セルの書式設定をこのショートカットで開けることはぜひ知っておいてください（テンキーの1では不可です）。

▼ Ctrl+1で[セルの書式設定]を起動

［表示形式］タブの［分類］で［ユーザー定義］を選択すると、右側に［種類］という入力欄が出てきます。ここに入力する値によって、さまざまな設定ができるようになります。1つずつ見ていきましょう。

大きい金額を千円単位で表示するには

売上資料などでは、金額を千円単位で表記することが多くあります。つまり、1,000,000という数字なら「1,000」という表示になります。

以下の表では、A1セルには「1,000」と表示されていますが、数式バーでは1000000となっています。実際に入力されているのは100万ですが、セルの表示のみ千円単位に変えているわけです。

▼1000000と入力されているが、1,000と表示されている

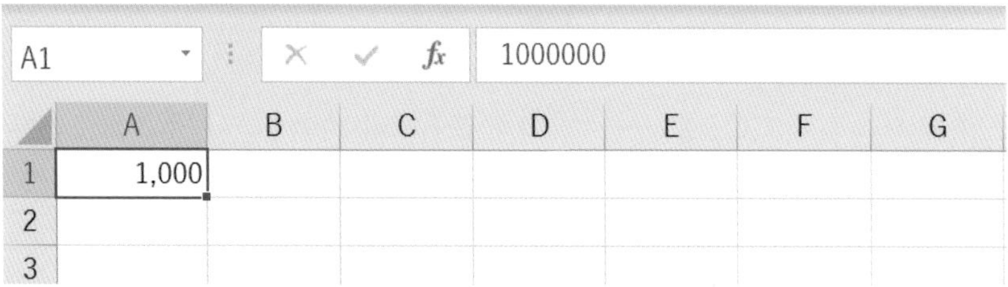

A1　fx　1000000

	A	B	C	D	E	F	G
1	1,000						
2							
3							

この設定をするには、表示形式の［種類］欄に次のように入力します。

```
#,###,
```

すると、このように数式バーでは1000000が入力されていますが、セルでの表示は「1,000」となっているのがわかります。

もちろん、このような場合は、注釈として表の外側などに「単位：千円」といった表記が必要です。50000という売上なのに、千円単位だからと50という値をセルに入力しないようにしてください。

また、数値を100万円単位で表示したい場合は、表示形式→［ユーザー定義］の［種類］欄に次のように入力して設定します。

```
#,###,,
```

会社名を入力したセルに自動的に「御中」が付くようにするには

請求書の宛名欄などでは、宛先に「御中」が自動的に付くように設定しておくと、入力忘れもなくなります。そのためには、表示形式→［ユーザー定義］の［種類］欄に次のように入力して設定します。

```
@ 御中
```

アットマークの後ろに入力した値が、セルに入力した値の後ろについて表示されるわけです。

ちなみにここでは、アットマークの後ろに半角スペースを入れてから「御中」と入力しています。こうすることで、「株式会社すごい改善 御中」というように、社名と御中の間に半角スペースを入れることができます。

このように設定したA1セルに会社名を入力すると、会社名のあとに「御中」の文字がつきます。

▼会社名のあとに「御中」がつく

	A	B	C	D	E	F
1	株式会社すごい改善 御中					
2						
3						

A1　×　✓　fx　株式会社すごい改善

ただし、これは表示のみを変えているだけです。このセルに入力されている値自体は、数式バーに見えているとおり「株式会社すごい改善」のみであることを理解しておいてください。

足したら24時間以上になった場合の時間数を「25:00」などのように表示にするには

Excelで時間を計算する際は、少々注意が必要です。

まず基本として、時間は半角数字で「9:00」という形式で入力すると時刻データとして認識されます。

勤務時間などの経過時間は、終了時刻から開始時刻を引くことで計算できます。

▼ 終了時刻から開始時刻を引くことで、経過時間を出せる

D2 =C2-B2

	A	B	C	D	E	F	G
1	日	出勤時刻	退勤時刻	勤務時間			
2	1	9:00	18:00	9:00			
3	2	9:00	18:00	9:00			
4	3	9:00	18:00	9:00			
5	4	9:00	18:00	9:00			
6	5	9:00	18:00	9:00			
7			計	21:00			
8							

問題は、時間を合計する場合です。

以下の表のD7セルでは、D2セルからD6セルを合計するSUM関数を入力しています。合計は9時間×5ですから、45時間となるはずです。しかし、D7セルには「21:00」と表示されています。

▼45時間となるはずが21:00と表示されている

D7 =SUM(D2:D6)

	A	B	C	D	E	F	G
1	日	出勤時刻	退勤時刻	勤務時間			
2	1	9:00	18:00	9:00			
3	2	9:00	18:00	9:00			
4	3	9:00	18:00	9:00			
5	4	9:00	18:00	9:00			
6	5	9:00	18:00	9:00			
7			計	21:00			
8							

なぜ、45時間になるはずの計算が、21時間になってしまうのでしょうか？

これは、Excelで計算された時刻は、0:00から23:59まではそのとおりに表示されるのですが、時間合計が24時間を超えると、24時間の時点で表示が「0:00」に戻ってしまうためです。これは表示だけの問題ですから、算出結果の値そのものはきちんと45時間という時間になっています。しかし、これでは見た目には計算ミスとしか映りません。

合計時間どおりの表示にするには、表示形式→[ユーザー定義]の[種類]欄に次のように入力して設定します。

```
[h]:mm
```

これで、合計時間どおりの表示に変わります。

▼ 合計時間どおりの表示になった

D7 =SUM(D2:D6)

	A	B	C	D	E	F	G
1	日	出勤時刻	退勤時刻	勤務時間			
2	1	9:00	18:00	9:00			
3	2	9:00	18:00	9:00			
4	3	9:00	18:00	9:00			
5	4	9:00	18:00	9:00			
6	5	9:00	18:00	9:00			
7			計	45:00			
8							

ほかにも、表示形式→［ユーザー定義］の［種類］欄の設定で表示形式を変えることができます。

・00 → 数字の1が「01」に
・000 → 数字の1が「001」に

「データの入力規則」を活用し、ムダとミスを減らす

「データの入力規則」を使う2つのメリット

仕事の効率や生産性を上げるために大事なことの1つが、「ミスをなくすための仕組みづくり」です。ミスが出れば、そのリカバリーのために本来はかけなくて済んだ時間や労力が必要になり、生産性を落とすわけですから、ミスの発生率を下げる努力はそのまま生産性の向上につながります。

そのための重要な機能に「データの入力規則」があります。この機能の活用には、大きく分けて2つのメリットがあります。

- 入力作業を効率化できる
- 入力ミスを防止できる

たとえば、いくつかの選択肢の中から同じデータを何度も入力する必要がある際などは、入力するセル範囲に「リスト」入力を設定し、プルダウンメニューから入力したいデータを選択して入力できるようにすることで、入力作業を効率化することができます。

このリスト入力を使用することによって、同じデータは毎回必ず同じ文字列で確実に入力できるというメリットが生まれます。たとえば、同じ会社名を入力するときに「○○株式会社」と入力されていたり「○○（株）」と入力されていたりというように、同じ会社を指すデータでも入力された文字列に相違がある（「表記のゆれ」といいます）ことがあります。その場合、データの集計や処理においてその2種類の会社名データが同一の会社名だとExcelは認識できず、集計などの処理上においてさまざまな不具合や不都合を起こすことになります。

さらに、セルに入力できる値を制限することで、入力ミスを防止できるようになります。

セルに入力できる数値を制限するには

第5章でお伝えしたように、日付を入力する必要がある場合は、「2026/1/1」という形式で西暦からきちんと入力する必要がありますが、それは非常に面倒な作業です。さらに、現実にそのシートに入力する人がすべて日付入力の基礎をわかっている人だとは限りません。

そこで、日付を入力する表を作る際は「年、月、日の数字を別々の3つのセルに入力し、その3つのセルを参照するDATE関数で日付を作る」という仕組みを作ることで、日付入力がラクになります。これだとスラッシュを入力する手間も省けて、入力が終わるのが早くなります。

▼ 年、月、日を別々の3つのセルに入力し、その3つのセルを参照するDATE関数で日付を作る

A6 =DATE(A1,A2,A3)

	A	B	C	D	E	F	G	H	I	J
1	2026	年								
2	1	月								
3	1	日								
4										
5	日付	曜日								
6	2026/1/1	木								
7										
8										

さらに、これなら「だれが入力してもミスが起きないようにする工夫」もできています。前述しましたが、作ったファイルをほかの人も使うことがある場合、日付データは西暦からきちんと入力する必要があることを知らない方も当然いらっしゃいます。そのような方でも正しい日付データを入力できるような形式を考えることで、自分の仕事もスムーズになるのです。

上記の表では、A1セルに年、A2セルに月、A3セルの日の数字を入力すれば、A6セルのDATE関数がA1、A2、A3セルを参照して日付データを作ってくれる仕組みになっています。さらに、B6セルではA6セルの日付を参照するTEXT関数で曜日を出しています。

このとき、たとえば月を入力するセルには1～12以外の数字を入力してしまってはいけないわけです。入力できる値を制限する場合は、以下のように操作します。

❶ 入力できる値を1～12に制限するセル、つまりA2セルを選択して、[データ]タブ→[データの入力規則]をクリックする。

❷ [入力値の種類]から[整数]を選択する。

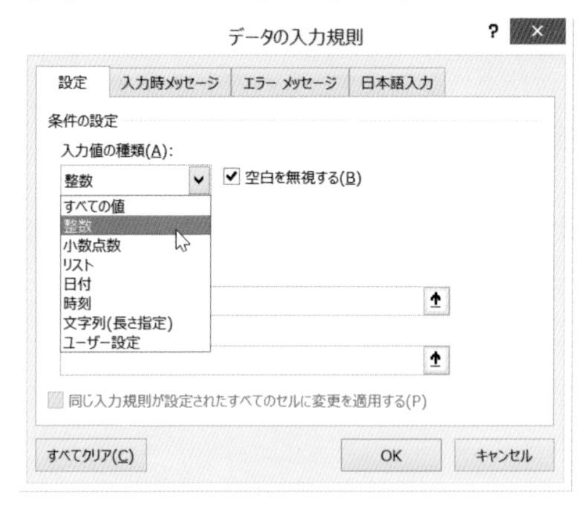

❸ [最小値]に1、[最大値]に12を入力して、[OK]をクリックする。

データの入力規則

設定 | 入力時メッセージ | エラー メッセージ | 日本語入力

条件の設定

入力値の種類(A):
整数
空白を無視する(B)

データ(D):
次の値の間

最小値(M):
1

最大値(X):
12

同じ入力規則が設定されたすべてのセルに変更を適用する(P)

すべてクリア(C)　OK　キャンセル

このように設定されたA2セルには、1～12以外の数値を入力しようとしても以下のようなアラートが出て、入力ができません。

▼1～12以外の数値を入力しようとすると、アラートが出て入力できない

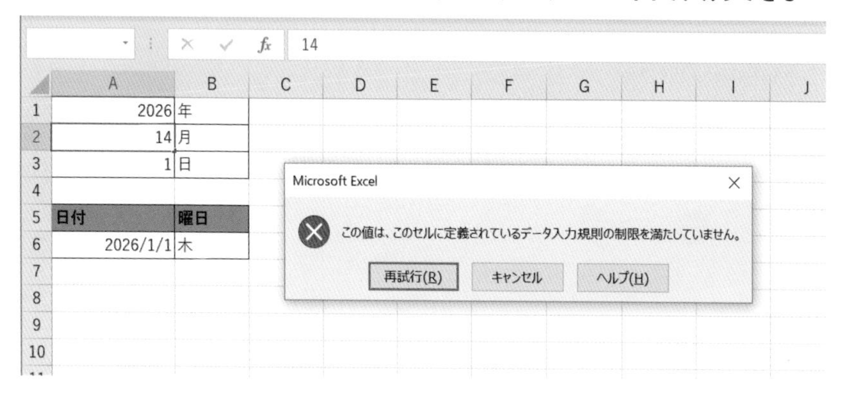

このようにして、誤入力を防げるのです。

アラートのテキストを変更するには

アラートに出てくるテキストは変更することができます。たとえば「1～12の数字を入力してください」というようにアラートが表示されたほうが、まちがえた方にとってもよりわかりやすくなりますね。そのような配慮も、仕事をスムーズに進めるためには大切です。手順は以下のとおりです。

❶ 先ほど入力規則を設定したA2セルを選択して、[データ]タブ→[データの入力規則]をクリックする。
❷ [エラーメッセージ]タブを選択する。

❸ [タイトル]と[エラーメッセージ]にアラートで表示させたいテキストを入力して、[OK]をクリックする。

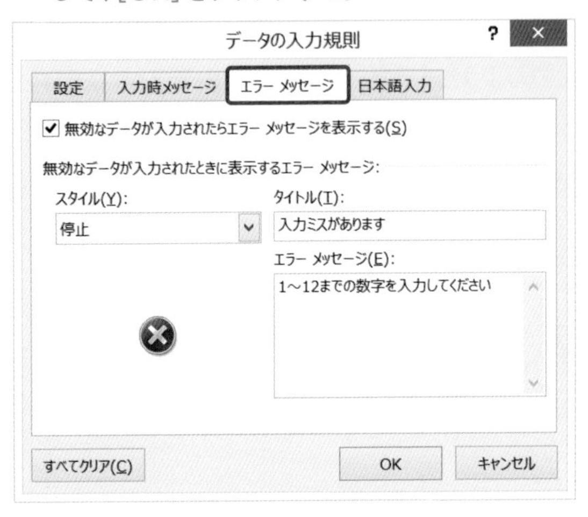

この設定をした後、再度1～12以外の数値を入力しようとすると、今度は先ほどの設定画面で入力したとおりのアラートが出てきます。

▼設定したとおりのアラートが出る

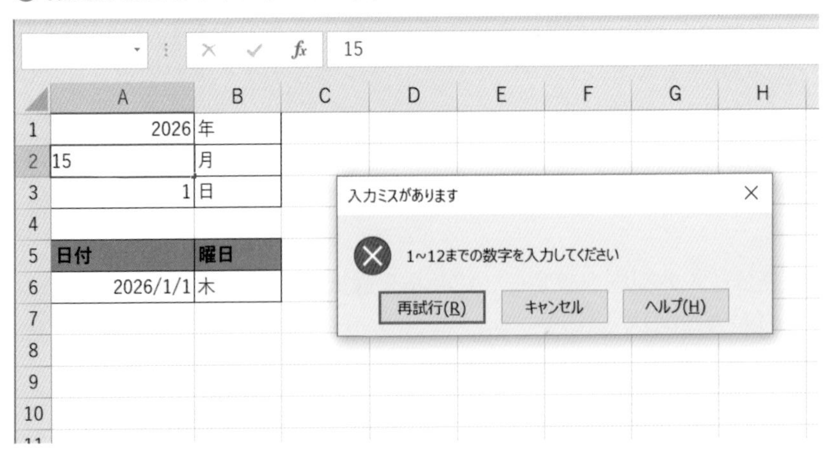

入力モードを自動で半角英数に切り替えるには

先ほど説明したケースでは、A2セルに入力するのは、半角英数の数値でした。このセルを選択したときに、入力モードが全角になっている場合、英数字を入力しようとすると全角で数字が入力され、いったん変換状態になるので、Enterキーを2回押す必要が出てしまいます。ちょっとわずらわしいですね。こんなとき、A2セルを選択したら、必ず自動的に入力モードが半角英数になってくれるとスムーズです。

また、A列に名前、B列にメールアドレスという一覧を作成する際、日本人の場合はA列には通常全角日本語で名前を入力しますが、名前を入力した後にB列に移動したら半角英数モードに切り替えて入力することになります。そのような際にも、B列のセルを選択したら自動的に半角英数モードになるように設定しておくと、わざわざ手動で入力モードを切り替える必要がなくなり、入力作業がスムーズになります。

実現する手順は、以下のとおりです。

❶ 半角英数モードに設定したいセルを選択する(ここではB列全体)。
❷ [データの入力規則]→[日本語入力]タブをクリックする。
❸ [日本語入力]欄のプルダウンメニューから[無効]を選択して、[OK]をクリックする。

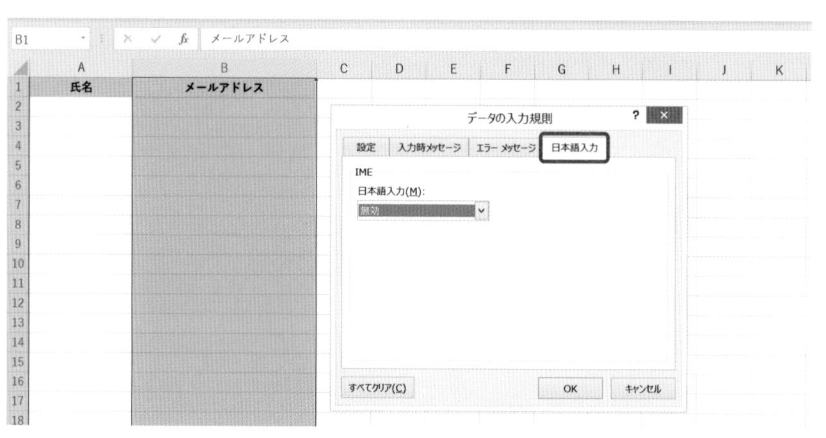

これでB列のセルを選択すると、自動的に半角英数モードになります。

[日本語入力]欄で[オフ(英語モード)]を選んでも、セルを半角英数モードにすることができます。しかしその場合は、半角/全角キーなどのキーボード操作によって、入力モードを日本語モードなどに切り替えることができてしまいます。一方、これが「無効」の場合は、この設定を変えない限り、キーボード操作では入力モードを半角英数から変更することはできません。「半角英数以外での入力は絶対不可」というように制限を強めたいかどうかで、使い分けることになります。

リスト入力で参照範囲を変更する手間をなくす

「データの入力規則」機能の中でも、最も重要なのがリスト入力です。リスト入力とは、いわゆるプルダウンメニューのようなものを作れる機能です。入力ミスの回避、入力できる値を限定したい場合などに重宝します。

このリスト入力について、ぜひ知っておきたいテクニックがあります。

1~12の数字をプルダウンから入力できるようにする方法

次のように選択肢となる値をカンマ区切りで直接入力して設定することができます。

❶ リスト入力を設定したいセルを選択し、[データ]タブ→[データの入力規則]をクリックする。

❷ [設定]タブの[入力値の種類]で[リスト]を選択する。

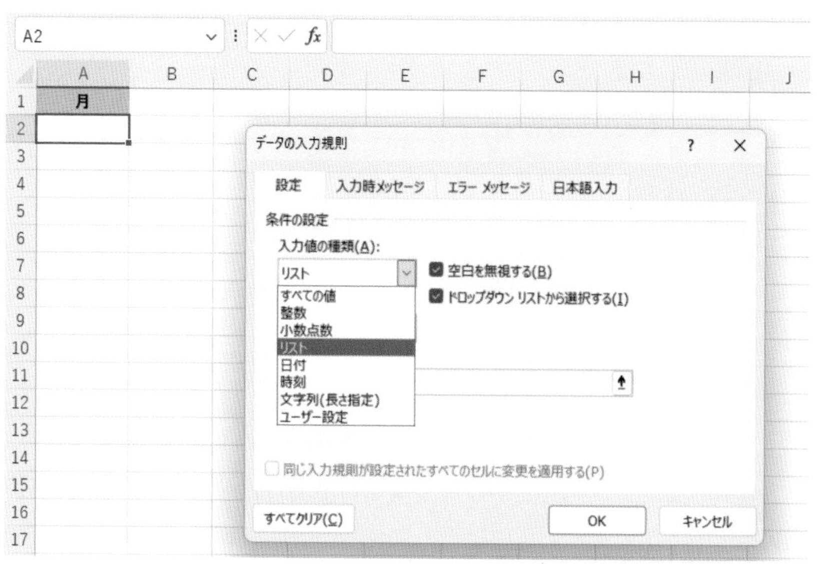

❸ ［元の値］ボックスに1から12までの数字をカンマで区切って入力→［OK］をクリックする。

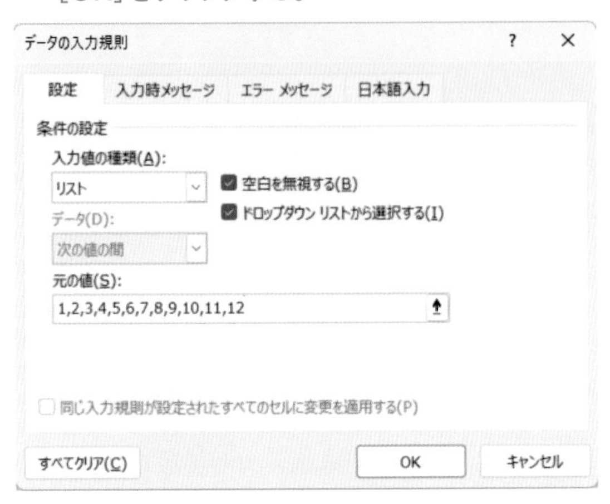

これで、A2セルにて1から12までの数字から選んで入力できるリスト入力を設定できました。

▼ A2セルにて1から12までの数字から選んで入力できるようになった

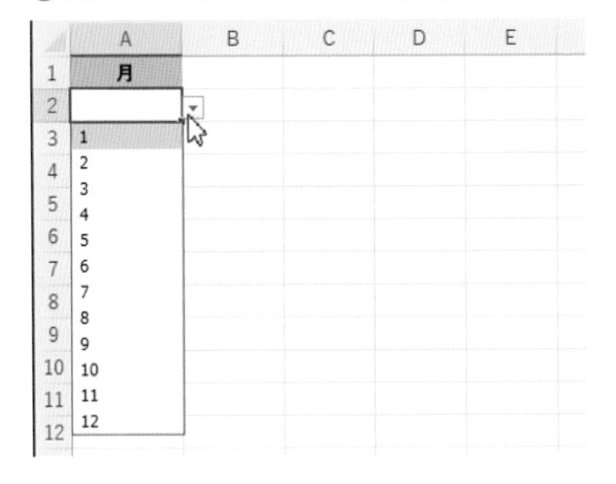

［元の値］ボックスの中にカンマで区切って入力した順に、リスト入力の選択肢として出てくるようになります。

なお、区切るのはカンマ(,)です。日本語の読点(、)ではないので、気をつけてください。

シート上にあらかじめ選択肢一覧を作っておき、それを参照するには

以下のように、C列に入力しておいた担当者名を選択肢として、A2セルにてリスト入力で入力するにはどうすればいいでしょうか。

▼C列に入力しておいた担当者名を選択肢として、A2セルにてリスト入力で入力するには

A1 | 担当者名

	A	B	C	D	E	F	G
1	担当者名		担当者名マスタ				
2			氷室 裕				
3			遠藤 斉				
4			熊澤 聡				
5							

選択肢の増減がなく(つまり、メンテナンスの必要がなく)同一シート内に参照先を置いておきたい場合などは、以下のようにするのがかんたんです。

❶ A2セルを選択し、[データ]タブ→[データの入力規則]をクリックする。
❷ [設定]タブ→[入力値の種類]で[リスト]を選択する。

❸ ［元の値］ボックス内をクリックしてから、マウスでC2セルからC4セルまでを選択して、［OK］をクリックする。

これで、A2セルにセル範囲C2:C4を元データとしたリスト入力を設定できました。

▼ **A2セルに、セル範囲C2:C4を元データとしたリスト入力を設定できた**

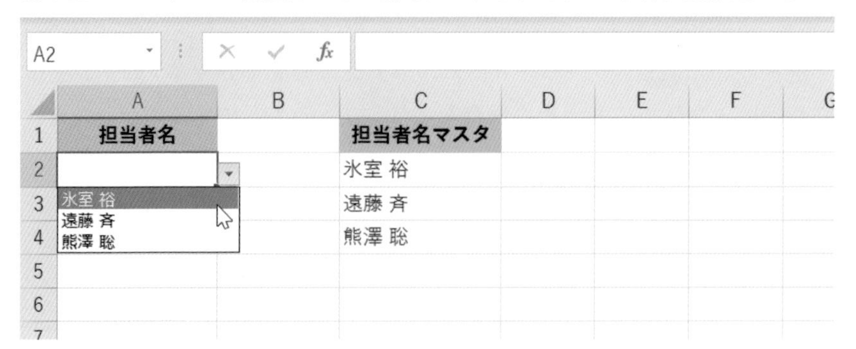

このように、あらかじめ入力すべきセルをリスト入力に設定しておけば、あとはそこから選べばいいだけですから、入力自体はラクになりますし、誤字などのミスもなくなります。

このようなリスト入力を多用する入力フォーマットにおいては、先ほどのようにリスト入力の「元の値」となる範囲、いわゆる「マスタ」を同一シートに用意するよりは、別のシートをマスタ専用として用意し、まとめておいたほうが管理しやすくなります。

セルやセル範囲に自分の好きな名前をつける～名前の定義

さらに、[元の値]ボックスにおいて、選択肢となるデータが入力されているセル範囲を指定する際、先ほどのように直接マウス選択でセル範囲を指定するのではなく、セル範囲につけた「名前」を使って指定する方法を覚えてください。なぜなら、Excel 2003以前では、別シートのセルを[元の値]に使用するのは、先ほどのような直接マウス操作による範囲選択ではできないからです(Excel 2007以降ではできるようになっていますが)。

Excelでは、任意のセルやセル範囲に自分の好きな名前をつけることができます。この機能を「名前の定義」といいます。

たとえば、先ほどの図でセル範囲C2:C4に対して「担当者名マスタ」という名前をつけてみましょう。

❶ C1セルを選択した状態で、[数式]タブ→[名前の定義]をクリックする。
❷ [新しい名前]という画面が立ち上がる。

❸ [名前]ボックスにはつけたい名前を入力する。

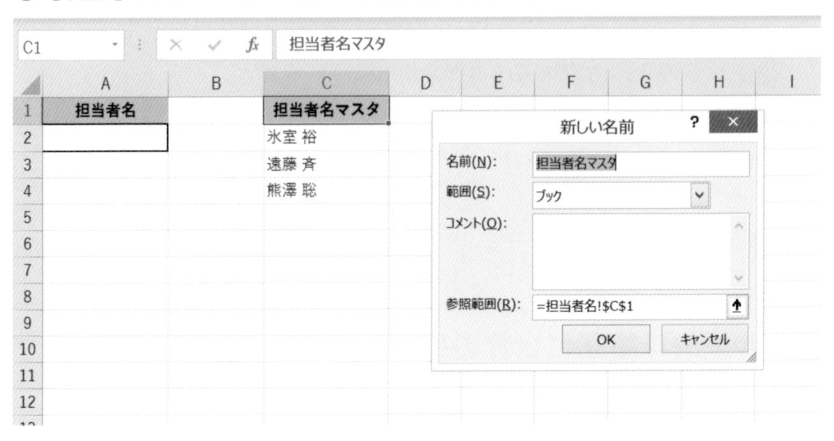

この機能を立ち上げる際に選択されているセルの値が自動的に[名前]ボックスに入ります。使いたい値がシート上のセルに入力されている場合は、そのセルを選択しておくとラクです。

❹ [参照範囲]ボックス内をいったんすべて消去し、範囲C2:C4をマウス選択で指定して、[OK]をクリックする。

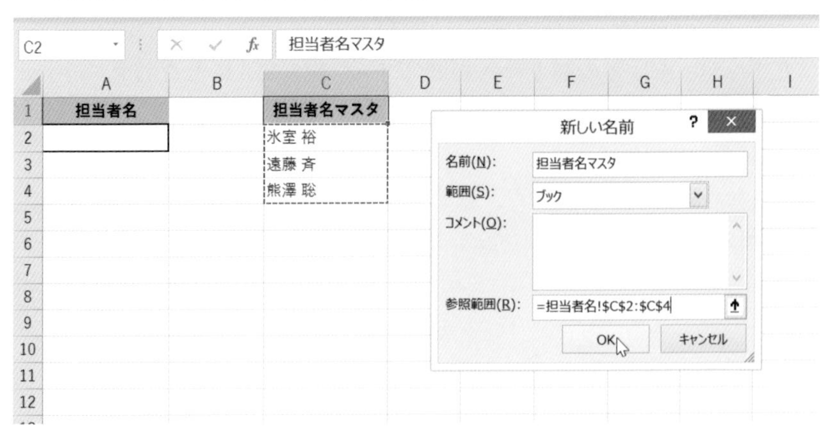

❺ 範囲C2:C4セルに「担当者名マスタ」という名前がつく。

定義した名前とその参照範囲を確認、編集する場合は、「名前の管理」を使います。［数式］タブから［名前の管理］をクリックすると、以下の画面が開き、どのような名前がどの範囲につけられているのかがわかります。

▼［名前の管理］画面

名前を使ってリスト入力を設定する

次に、この「名前」を使ってリスト入力を設定してみましょう。そのためには、リスト入力の設定の［元の値］ボックスにて［名前の貼り付け］という機能を使います。詳細は以下のとおりです。

❶ A2セルを選択して、[データ]タブ→[データの入力規則]をクリックする。
❷ [設定]タブ→[入力値の種類]で[リスト]を選択する。
❸ [元の値]ボックス内をクリックしたらF3キーを押すと[名前の貼り付け]が立ち上がる。
❹ [担当者名マスタ]を選択して[OK]をクリックする。

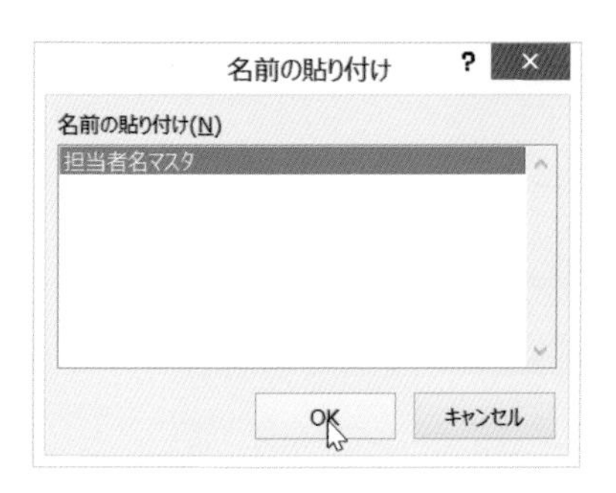

❺ [元の値]ボックスに[=担当者名マスタ]と入力されるので、[OK]をクリックして終了する。

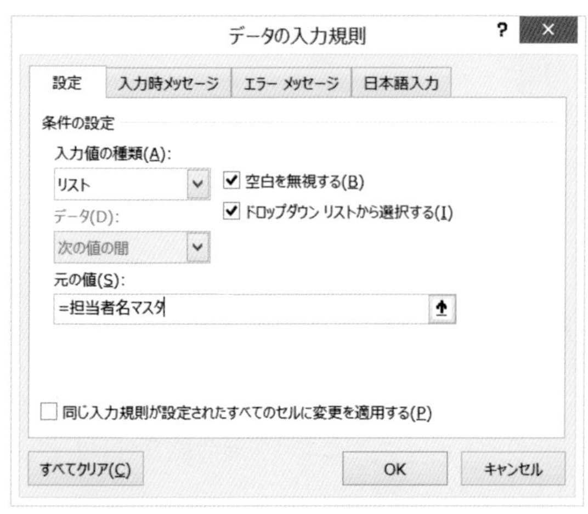

このようにして、セル範囲に定義した名前を使ってリスト入力を設定することができます。

選択肢が増減することがよくあるリスト入力の場合

次に、たとえばC列の「担当者名マスタ」という項目の選択肢……現実には増えたり減ったりすることが多いものです。商品名などでも、商品改廃など増減があるものです。そのような際、「担当者名マスタ」という名前の範囲がこれまで設定してきたようにC2:C4という固定的なものだったら、たとえばC5セルに新しい担当者名を入力しても、A2セルのリスト入力の選択肢には反映されません。

▼新しい担当者名を入力しても、リスト入力に反映されない

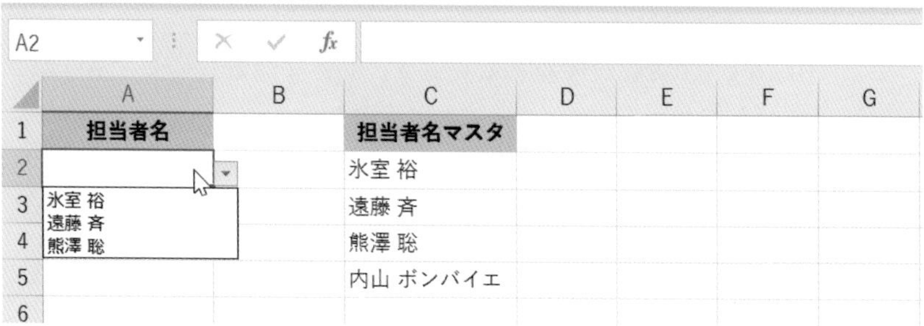

A2 fx

	A	B	C	D	E	F	G
1	担当者名		担当者名マスタ				
2			氷室 裕				
3	氷室 裕 遠藤 斉 熊澤 聡		遠藤 斉				
4			熊澤 聡				
5			内山 ボンバイエ				
6							

C5セルも範囲に含めるには、再度「元の値」に指定する範囲を再設定する必要があります。選択肢の増減が滅多にないなら、こうした作業でメンテナンスをするのでもたいした時間はかかりませんが、頻繁に「元の値」の範囲が増減するようだと大変です。この「元の値」の増減にリスト入力が自動的に対応してくれたら、そうした状況でも苦労はなくなります。

そのためには、名前「担当者名マスタ」の参照範囲に次のような式を入力して設定します。

```
=OFFSET(担当者名!$C$1,1,0,COUNTA(担当者名!$C:$C)-1,1)
```

▼ 参照範囲に=OFFSET(担当者名!$C$1,1,0,COUNTA(担当者名!$C:$C)-1,1)と入力

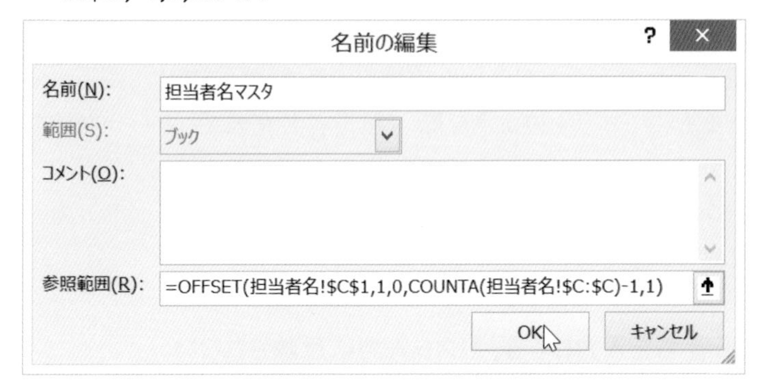

ここではOFFSET関数が使われています。重要な関数なので、しっかりと理解しておきましょう。ポイントは、以下の2つです。

・基準となるセルを決めて、そこから参照するセルを「ずらす」というイメージで理解する
・基準としたセルからずらした先を起点にしてセル範囲を指定できる

OFFSET関数は、次のような書式でできています。

【書式】

=OFFSET(基準セル,ずらす行数,ずらす列数)

OFFSET関数は、「第一引数で指定したセル(基準セル)から、第二引数で指定した数だけ上か下に、さらにそこから第三引数で指定した数だけ右か左にあるセルの値を持ってくる」という関数です。第二引数が正の数であれば基準より下、負の数であれば上の値を見にいきます。第三引数が正の数であれば基準セルより右、負の数であれば左の値を見にいきます。

使用例を見てみましょう。次のシートでは、範囲A1:D3に男女別・コース別の料金表が作られています。

▼ 範囲A1:D3に男女別・コース別の料金表が作られている

B7

	A	B	C	D	E	F	G
1	料金表	初級(1)	中級(2)	上級(3)			
2	男性（1）	1000	2000	3000			
3	女性（2）	800	1200	2200			
4							
5	性別	1					
6	コース	2					
7	料金						
8							
9							

男性に1、女性に2という数字がカッコ内に振られています。これはそれぞれ、A1セルを基準とすると、男性の料金はA1セルの1つ下の行、女性の料金はA1セルの2つ下の行にあることを意味していると考えてください。

コースについては、初級に1、中級に2、上級に3、という数字が割り振られています。これは、A1セルを基準とすると、初級はA1セルの1つ右、中級はA1セルの2つ右、上級はA1セルの3つ右にあることを意味していると考えてください。

このとき、B5セルに男女いずれかの数字、B6セルに3つのコースいずれかの数字を入力すると、B7セルにそれに応じた金額が出てくるようにするには、次の関数式をB7セルに入力します。

```
=OFFSET(A1,B5,B6)
```

B7セルに=OFFSET(A1,B5,B6)と入力

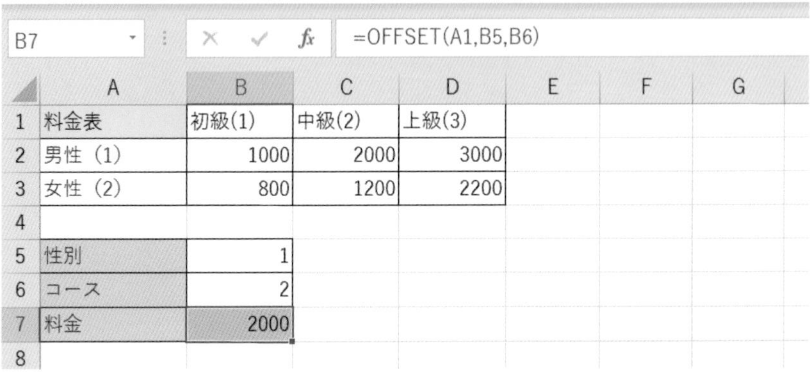

B7 =OFFSET(A1,B5,B6)

	A	B	C	D	E	F	G
1	料金表	初級(1)	中級(2)	上級(3)			
2	男性（1）	1000	2000	3000			
3	女性（2）	800	1200	2200			
4							
5	性別	1					
6	コース	2					
7	料金	2000					
8							

これは、A1セルを基準にして、A1セルからB5セルに指定した数だけ下、B6セルに指定した数だけ右にずらした位置にあるセルの値を持ってくる式になっています。

図では、第二引数にしているB5セルには1、第三引数に指定しているB6セルには2が入力されています。したがって、A1セルから1つ下、2つ右……つまりC2セルの値を持ってきています。これが、「第一引数で指定したセルを基準に、第二引数で指定した数だけ下、さらにそこから第三引数で指定した数だけ右にあるセルを参照する」というOFFSET関数の基本です。

第二引数に指定した値が負の数であれば第一引数の基準セルより上のセル、第三引数にした値が負の数であれば第一引数の基準セルよりも左のセルの値を持ってこれます。

ちなみに、これを応用すると、よく聞く質問の1つである「VLOOKUP関数にて、検索する列より左側の値をひっぱってくるにはどうしたらいいか」という問題も解決できます（P.134を参照）。

範囲を指定するには

さらに、このOFFSET関数は、基準セルから第二引数分下に、第三引数分右にずらした先を起点にして、そこからさらに「範囲」を指定することができます。範囲を指定したい場合は、引数をさらに2つ追加します。

```
=OFFSET(基準セル,ずらす行数,ずらす列数,高さ,幅)
```

以下の表では、B列に日別の売上が入力されています。D1セルに1日からの累計売上を知りたい日数を入力すると、G1セルにその数字が出てくる仕組みになっています。

G1 　 fx =SUM(OFFSET(B1,1,0,D1,1))

	A	B	C	D	E	F	G	H	I	J
1	日付	売上高		2	日目までの合計売上は		29119	です。		
2	1日	15436								
3	2日	13683								
4	3日	18165								
5	4日	19175								
6	5日	10024								
7	6日	18787								
8	7日	10983								
9	8日	10847								
10	9日	17166								
11	10日	13188								
12	11日	10378								
13	12日	13080								
14	13日	16040								
15	14日	13044								
16	15日	18943								

この表ではD1セルの値は2となっているので、1日から2日めまでの累計売上高がG1セルにて計算されています。

G1セルには、次の関数式が入っています。

```
=SUM(OFFSET(B1,1,0,D1,1))
```

数値を合計する処理ですから、大枠はまずSUM関数です。SUM関数は、カッコ内に指定したセル範囲の合計を出す関数でした。なので、このSUM関数のカッコ内に入っているOFFSET関数は、セル範囲を指定していることになります。

このOFFSET関数の部分だけ取り出して、どのような範囲を指定しているかを確認しましょう。これはB1セルを基準セルとして、そこから下に1つ、右にゼロずらす……つまり右には動かしません。すると、基準セルからずらした先はB2セルということになります。

そのB2セルを範囲の起点として、第四引数で指定した行数（ここではD1セルの値は2になっているので2行）、第五引数で指定した1列分の範囲（具体的にはB2:B3）を指定していることになります。

ここで理解すべき大事なイメージは、

「OFFSET関数の第四引数で指定する範囲の行数（高さ）を変えることによって、OFFSET関数で指定できる範囲を変更できる」

ということです。OFFSET関数が指定する範囲は、「D1セルの値によって、縦に広がっていく」という可変対応ができるのです。

・D1セルの値を3にする　→　B2:B4
・D1セルの値を5にする　→　B2:B6

これを応用すれば、リスト入力でも、「元の値」の範囲がデータが増えるのに応じて可変対応することで、選択肢が自動的に増えるようにできます。

では、先ほど「担当者名マスタ」という名前の参照範囲として入力した式をもう一度見てみましょう。

```
=OFFSET(担当者名!$C$1,1,0,COUNTA(担当者名!$C:$C)-1,1)
```

1つずつ解読していきましょう。

まず「担当者名」シートのC1セルを基準セルとして、そこから1つ下、右にゼロずらした先のセル、つまりC2セルを起点に範囲を作ります。

その範囲の行数を指定するために、COUNTA関数が使われています。

このCOUNTA関数では、C列全体のデータ件数から1を引いています。C列全体のデータ件数を数えると、1行めの「担当者名マスタ」という項目名のセルも含んで数えてしまうので、そのセルのカウントを除外するためです。

そして、範囲の幅を第五引数で1と指定しています。

第四引数のCOUNTA関数が常にC列のデータ件数マイナス1の数字を取るので、C列に担当者名が追加されたら、自動的に「担当者名マスタ」という名前の範囲はその分拡張されることになります。

これで、セル範囲の名前「担当者名マスタ」に入力された値とA2セルのリスト入力の選択肢に出てくる値が一致することになります。

▼「担当者名マスタ」に入力された値とリスト入力の選択肢の値が一致した

A2 fx

	A	B	C	D	E	F
1	担当者名		担当者名マスタ			
2			氷室 裕			
3	氷室 裕		遠藤 斉			
4	遠藤 斉 熊澤 聡		熊澤 聡			
5	内山 ボンバイエ		内山 ボンバイエ			
6						
7						

コピペもただ貼りつけるだけじゃない！
～「形式を選択して貼り付け」を駆使する

いわゆる「コピペ」にも、Excelではただ貼り付けるだけではなく、さまざまな処理をラクにできる機能があります。それが「形式を選択して貼り付け」です。

通常、コピペといえば、Ctrl＋Cでコピー、Ctrl＋Vで貼り付けがおこなわれます（もし右クリックメニューからコピペをしている場合は、すぐにこのショートカットを覚えてください）。しかし、貼り付けるときに右クリックメニューから［形式を選択して貼り付け］を選択すると、次の画面が立ち上がり、「書式はコピーしたくない」とか「表の縦と横を入れ替えたい」といったときに役に立ちます。

この中から、実務においてよく使われる有用なものをご紹介します。

［形式を選択して貼り付け］画面

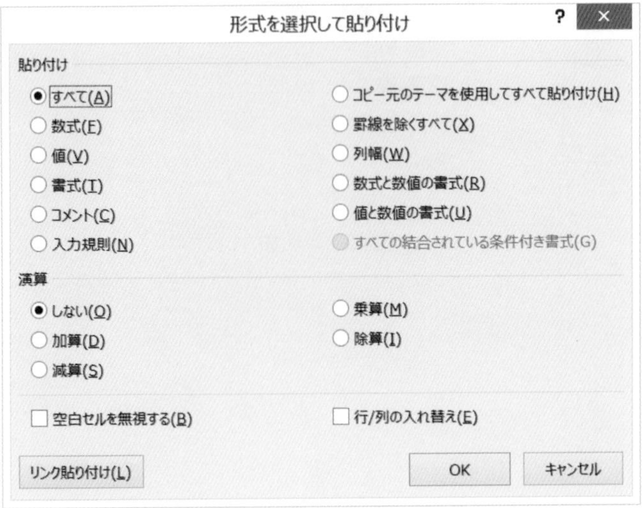

形式を選択して貼り付け

貼り付け
- すべて(A)
- 数式(F)
- 値(V)
- 書式(T)
- コメント(C)
- 入力規則(N)
- コピー元のテーマを使用してすべて貼り付け(H)
- 罫線を除くすべて(X)
- 列幅(W)
- 数式と数値の書式(R)
- 値と数値の書式(U)
- すべての結合されている条件付き書式(G)

演算
- しない(O)
- 加算(D)
- 減算(S)
- 乗算(M)
- 除算(I)

空白セルを無視する(B)　行/列の入れ替え(E)

リンク貼り付け(L)　OK　キャンセル

値

関数を多用したExcelファイルは、容量が重くなってしまい、メール添付で送る際などに支障をきたす場合があります。そんなときは、セルに入力された式をなくしてしまい、しかしその結果である「値」だけはセルに残すことで、ファイルを軽くすることができます。これが「値」で貼り付ける、ということです。俗に「値貼り付け」とか「式を抜く」とも呼ばれる操作です。

ここでは、シート全体から式を抜くため、シート全体をコピー→値貼り付けという手順をご紹介します。

❶ シート全体を選択するため、ワークシートの一番左上隅をクリックする。

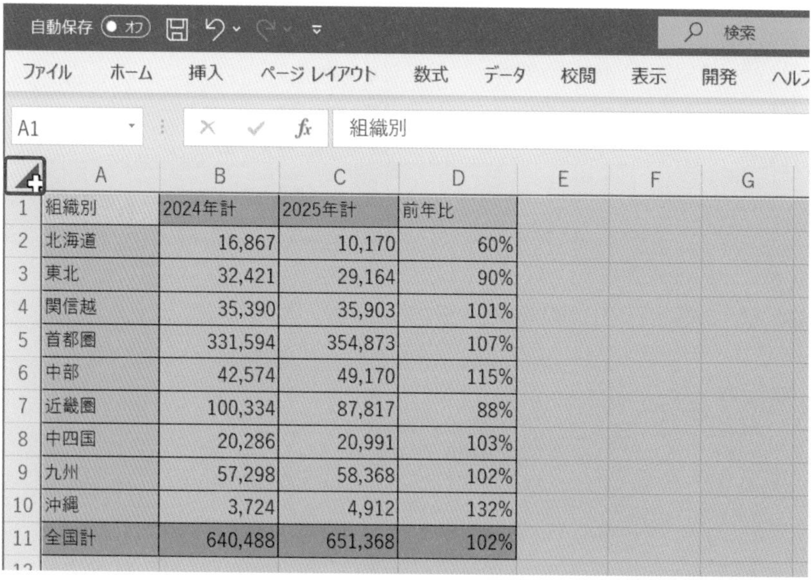

自動保存 オフ　検索

ファイル　ホーム　挿入　ページ レイアウト　数式　データ　校閲　表示　開発　ヘルプ

A1　fx　組織別

	A	B	C	D	E	F	G
1	組織別	2024年計	2025年計	前年比			
2	北海道	16,867	10,170	60%			
3	東北	32,421	29,164	90%			
4	関信越	35,390	35,903	101%			
5	首都圏	331,594	354,873	107%			
6	中部	42,574	49,170	115%			
7	近畿圏	100,334	87,817	88%			
8	中四国	20,286	20,991	103%			
9	九州	57,298	58,368	102%			
10	沖縄	3,724	4,912	132%			
11	全国計	640,488	651,368	102%			

❷ A1セルにカーソルを合わせて右クリック→[形式を選択して貼り付け]をクリックする。

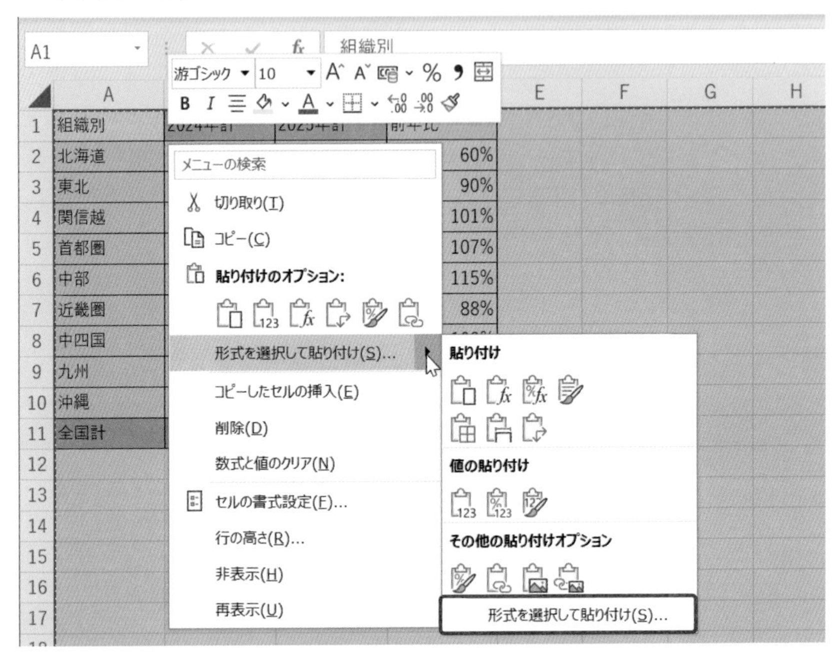

❸ [値]を選択して[OK]をクリックする。

形式を選択して貼り付け

貼り付け

- すべて(A)
- 数式(F)
- 値(V)
- 書式(T)
- コメント(C)
- 入力規則(N)
- コピー元のテーマを使用してすべて貼り付け(H)
- 罫線を除くすべて(X)
- 列幅(W)
- 数式と数値の書式(R)
- 値と数値の書式(U)
- すべての結合されている条件付き書式(G)

演算

- しない(O)
- 加算(D)
- 減算(S)
- 乗算(M)
- 除算(I)

空白セルを無視する(B)

行/列の入れ替え(E)

リンク貼り付け(L)

OK

キャンセル

セルを別のセルにコピーする際、普通にコピペするとその書式（罫線やセル、文字の色など）もコピー先に反映されてしまいます。しかし、値貼り付けならば、書式はコピーせず、値だけをコピペすることができます。

演算（加算、減算、乗算、除算）

たとえば以下の表で、「B列とC列の数字が実際の1000分の1の数字になってしまっているので、B列とC列の数字を全部まとめて1000倍したい」という状況になったとしましょう。

A1　組織別

	A	B	C	D
1	組織別	2024年計	2025年計	前年比
2	北海道	16,867	10,170	60%
3	東北	32,421	29,164	90%
4	関信越	35,390	35,903	101%
5	首都圏	331,594	354,873	107%
6	中部	42,574	49,170	115%
7	近畿圏	100,334	87,817	88%
8	中四国	20,286	20,991	103%
9	九州	57,298	58,368	102%
10	沖縄	3,724	4,912	132%
11	全国計	640,488	651,368	102%

このような際に［形式を選択して貼り付け］機能の［演算］オプションの使い方を知っておくと便利です。

❶ 使用していないセルに1000と入力し、そのセルをコピーする。

F1　1000

	A	B	C	D	E	F	G
1	組織別	2024年計	2025年計	前年比		1000	
2	北海道	16,867	10,170	60%			
3	東北	32,421	29,164	90%			
4	関信越	35,390	35,903	101%			
5	首都圏	331,594	354,873	107%			
6	中部	42,574	49,170	115%			
7	近畿圏	100,334	87,817	88%			
8	中四国	20,286	20,991	103%			
9	九州	57,298	58,368	102%			
10	沖縄	3,724	4,912	132%			
11	全国計	640,488	651,368	102%			
12							

❷ 1000倍したいセル範囲（ここではB2:C11）を選択→右クリックメニューから［形式を選択して貼り付け］を選択する。

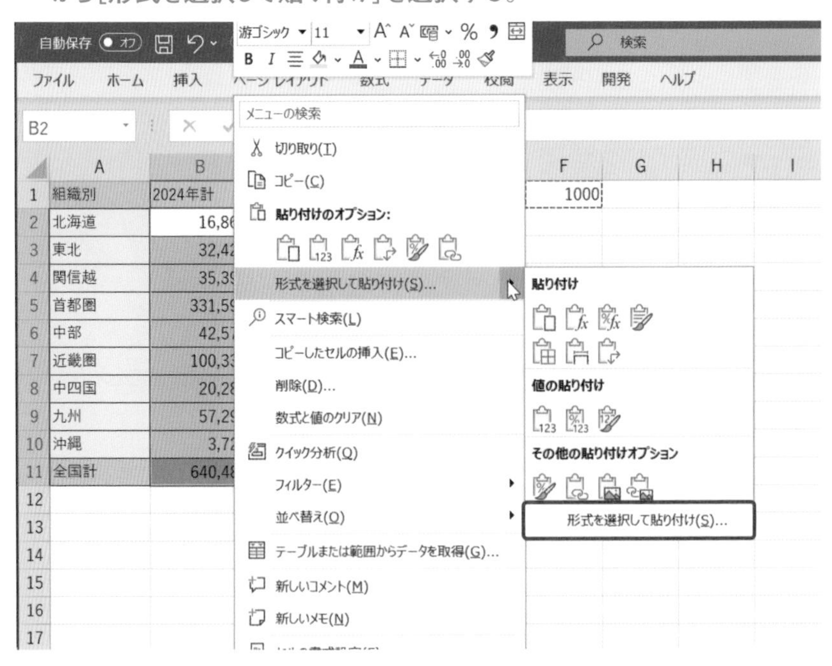

❸ [値]と[乗算]の2つを選択→[OK]をクリックする。

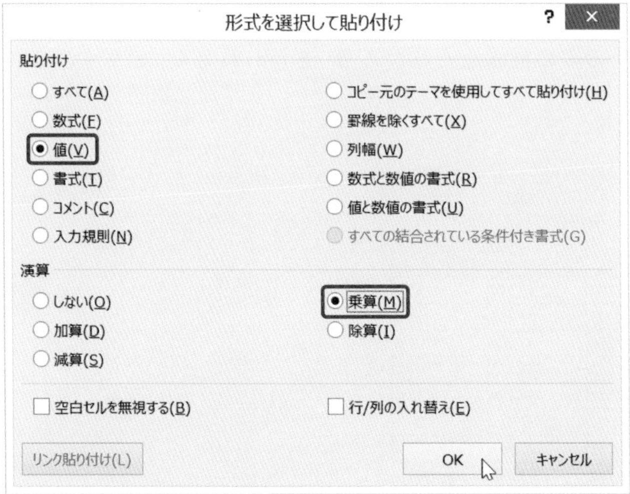

形式を選択して貼り付け ? ×

貼り付け

- ○ すべて(A)
- ○ 数式(F)
- ◉ 値(V)
- ○ 書式(T)
- ○ コメント(C)
- ○ 入力規則(N)
- ○ コピー元のテーマを使用してすべて貼り付け(H)
- ○ 罫線を除くすべて(X)
- ○ 列幅(W)
- ○ 数式と数値の書式(R)
- ○ 値と数値の書式(U)
- ○ すべての結合されている条件付き書式(G)

演算

- ○ しない(O)
- ○ 加算(D)
- ○ 減算(S)
- ◉ 乗算(M)
- ○ 除算(I)

☐ 空白セルを無視する(B)　☐ 行/列の入れ替え(E)

リンク貼り付け(L)　OK　キャンセル

❹ 貼り付けた範囲の数値に1000がかけ算される。

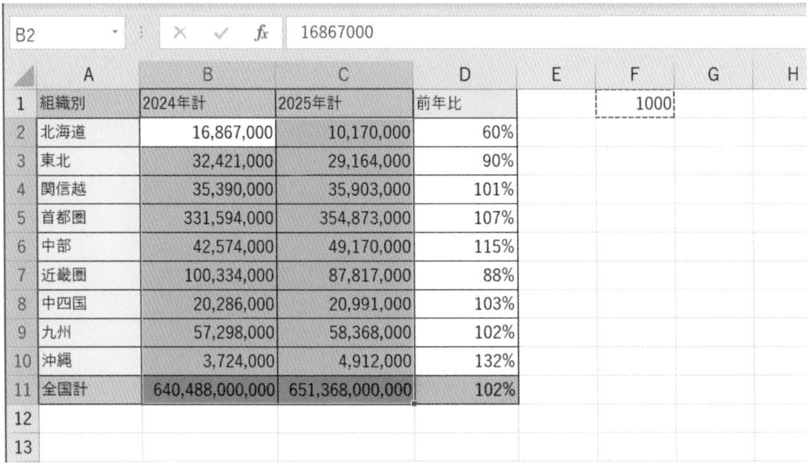

B2　fx 16867000

	A	B	C	D	E	F	G	H
1	組織別	2024年計	2025年計	前年比		1000		
2	北海道	16,867,000	10,170,000	60%				
3	東北	32,421,000	29,164,000	90%				
4	関信越	35,390,000	35,903,000	101%				
5	首都圏	331,594,000	354,873,000	107%				
6	中部	42,574,000	49,170,000	115%				
7	近畿圏	100,334,000	87,817,000	88%				
8	中四国	20,286,000	20,991,000	103%				
9	九州	57,298,000	58,368,000	102%				
10	沖縄	3,724,000	4,912,000	132%				
11	全国計	640,488,000,000	651,368,000,000	102%				
12								
13								

　このように、すでに入力されている数値に対して何かの数字を加減乗除したい場合は、上記の要領でおこなうことができます。

行と列を入れ替える

たとえば、「以下の表の縦横を入れ替えろ」と言われたら、どうすればいいでしょうか。

A1　組織別

組織別	2024年計	2025年計	前年比
北海道	16,867	10,170	60%
東北	32,421	29,164	90%
関信越	35,390	35,903	101%
首都圏	331,594	354,873	107%
中部	42,574	49,170	115%
近畿圏	100,334	87,817	88%
中四国	20,286	20,991	103%
九州	57,298	58,368	102%
沖縄	3,724	4,912	132%
全国計	640,488	651,368	102%

そんなときのために、Excelには「縦に並んでるデータを横並びに」「横に並んでるデータを縦並びに」変換してくれる機能があります。それが［行/列の入れ替え］です。

❶ 表範囲を選択→Ctrl＋Cでコピーする。

A1　組織別

組織別	2024年計	2025年計	前年比
北海道	16,867	10,170	60%
東北	32,421	29,164	90%
関信越	35,390	35,903	101%
首都圏	331,594	354,873	107%
中部	42,574	49,170	115%
近畿圏	100,334	87,817	88%
中四国	20,286	20,991	103%
九州	57,298	58,368	102%
沖縄	3,724	4,912	132%
全国計	640,488	651,368	102%

❷ 貼り付け先のセルを選択して右クリック→[形式を選択して貼り付け]をクリックする。

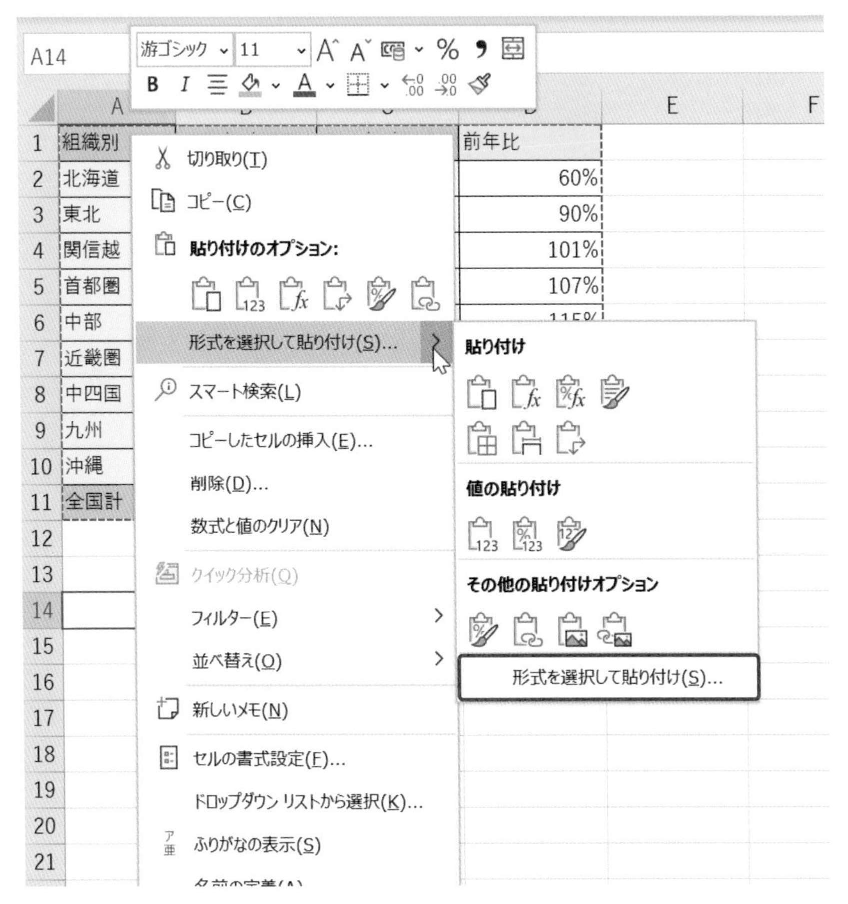

❸ [行/列の入れ替え]にチェックを入れて[OK]をクリックする。

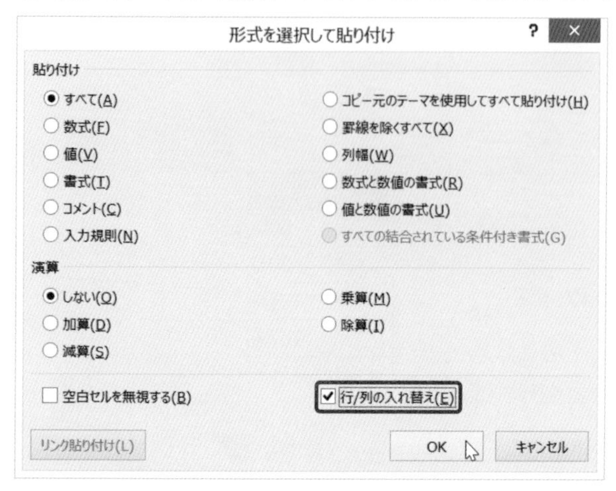

これで、任意の場所に表の縦横を入れ替えた表を作ることができます。

▼ **表の縦横を入れ替えた表ができた**

A14 組織別

	A	B	C	D
1	組織別	2024年計	2025年計	前年比
2	北海道	16,867	10,170	60%
3	東北	32,421	29,164	90%
4	関信越	35,390	35,903	101%
5	首都圏	331,594	354,873	107%
6	中部	42,574	49,170	115%
7	近畿圏	100,334	87,817	88%
8	中四国	20,286	20,991	103%
9	九州	57,298	58,368	102%
10	沖縄	3,724	4,912	132%
11	全国計	640,488	651,368	102%

	A	B	C	D	E	F	G	H	I	J	K
14	組織別	北海道	東北	関信越	首都圏	中部	近畿圏	中四国	九州	沖縄	全国計
15	2024年計	16,867	32,421	35,390	331,594	42,574	100,334	20,286	57,298	3,724	640,488
16	2025年計	10,170	29,164	35,903	354,873	49,170	87,817	20,991	58,368	4,912	651,368
17	前年比	60%	90%	101%	107%	115%	88%	103%	102%	132%	102%

また、これを応用して、「縦に並んでるデータを横並びに」や「横に並んでるデータを縦並びに」するのも一瞬でできます。

たとえば、A列の1行めから10行めに縦にデータが並んでいるとき、それを横方向に並び替えるのにも［行/列の入れ替え］が使えます。

❶ 範囲A1:A10を選択→Ctrl+Cでコピーする。

A1 組織別

	A	B	C	D	E	F	G	H	I	J	K
1	組織別										
2	北海道										
3	東北										
4	関信越										
5	首都圏										
6	中部										
7	近畿圏										
8	中四国										
9	九州										
10	沖縄										
11											

❷ B1セルを選択して右クリック→[形式を選択して貼り付け]をクリックする。

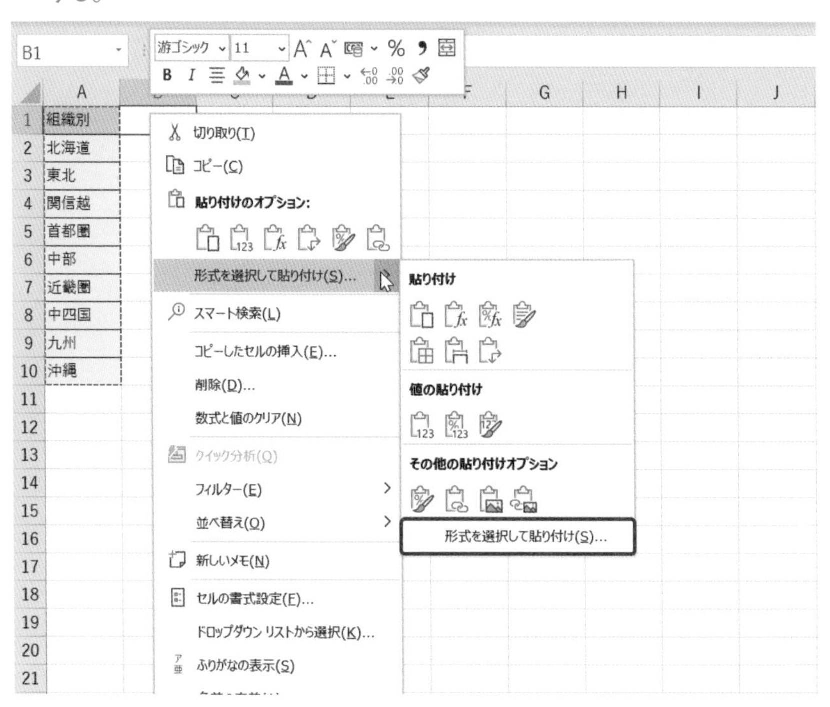

❸ [行/列の入れ替え]にチェックを入れて[OK]をクリックする。

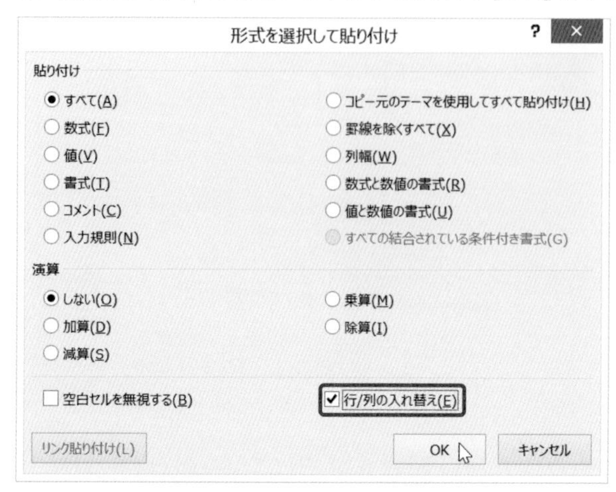

❹ B1セルから右横方向へのデータに変換されて貼り付けられる。

❺ A列を削除して縦に並んでいたデータを消すと、横方向のデータのみになる。

なお、この[行/列の入れ替え]機能では、貼り付け先をコピー元の範囲の始点と同じセルにすることはできません。その点のみ、注意してください。

参照しているセルの値を変えても式の結果が変わらないときは

以下の表では、A3セルにA1セルとA2セルの値を合計するSUM関数が入力されています。400と300の合計ですから、700という数字が表示されています。

▼ A3セルに=SUM(A1:A2)と入力された表

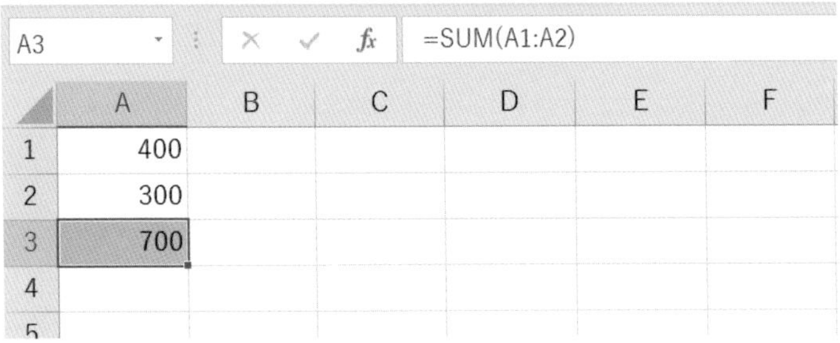

A3 =SUM(A1:A2)

	A	B	C	D	E	F
1	400					
2	300					
3	700					
4						

ここで、A2セルの値を400に変更してみましょう。Enterを押せば、A3セルの値は400と400の足し算なので800になるはず……ですが、なりません。

▼ A2セルの値を400にしても、A3セルが800にならない

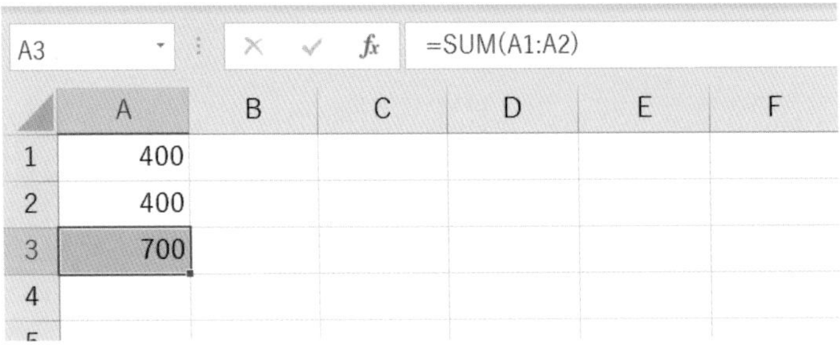

A3 =SUM(A1:A2)

	A	B	C	D	E	F
1	400					
2	400					
3	700					
4						

このように、何らかの数式を入力しているセルにおいて、その式が参照しているセルの値を変更しても数式の結果に反映されない現象が起こることがあります。これは、Excelには「計算方法の設定」というものがあるためです。計算方法の設定には「自動」と「手動」があって、普段は「自動」になっているのですが、「手動」になっていると、上記のような現象が起こります。つまり、計算が「自動」でなされない状態なのです。

では、どのように「手動」でおこなうのかですが、これはF9キーを押すことで「再計算」という処理がおこなわれ、計算式に参照したセルの変更が反映されます。しかし多くの場合、そんな煩わしい設定にしているケースはほとんど見かけません。

問題は、普段は「自動」になっているのに、なぜかいつのまにか「手動」に変わってしまっていることです。理由が気になるかもしれませんが、その原因は何かを調べて防止しようというより、単純に「自動に戻す」という対処法を知っておけば大丈夫です。

❶ [数式]タブ→[計算方法の設定]をクリックすると、[自動]と[手動]を選べる選択肢が表れる。

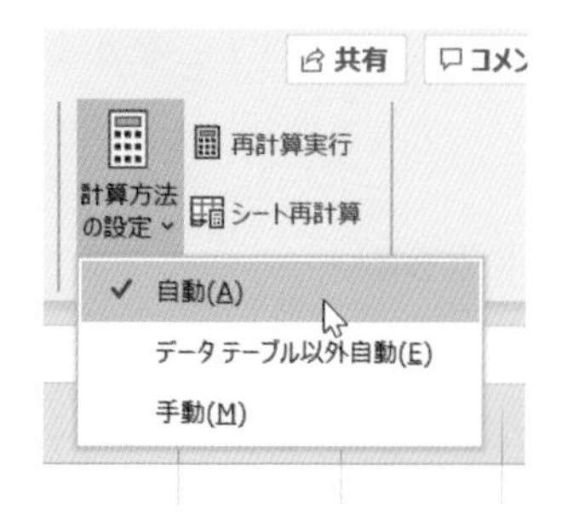

❷ [手動]にチェックがついていたら、[自動]をクリックする。

めんどうなデータ処理を瞬時に終わらす

「条件付き書式」で見やすい表を一瞬で作る

企業が売上などの業績を判断する際、最も一般的に使われる指標が「前年比」です。

今年の売上は、昨年より何パーセント上がったのか。または下がったのか。下がったのなら、何が原因で下がったのか。

そういったことを検証し、原因を特定して、対策を講じていきます。

そのために、「前年比の数値が100%を下回っていたら、そのセルを塗りつぶす」などの処理で前年比を強調表示した資料を作ることが多くあります。そのような書式設定の操作を手作業でやっていたら大変です。

そうした作業を自動化してくれるのが、「条件付き書式」という機能です。これは、セルの値によってセルの書式を変えられるというものです。

ここでは、前年比が算出されているE3セルからE11セルにおいて、セルの値が100%を下回っていたらそのセルを赤で塗りつぶすように設定してみましょう。

❶ セル範囲E3:E11を選択する。

E3 =D3/C3

	A	B	C	D	E
1			1Q		
2	酒税区分	組織別	2024年	2025年	前年比
3	ビール	北海道	5,025	1,389	28%
4		東北	10,389	11,847	114%
5		関信越	12,421	11,071	89%
6		首都圏	90,704	101,116	111%
7		中部	10,129	19,250	190%
8		近畿圏	29,856	20,432	68%
9		中四国	7,500	7,011	93%
10		九州	19,449	18,117	93%
11		沖縄	2,057	2,079	101%
12					
13					

❷ [ホーム]タブ→[条件付き書式]→[新しいルール]をクリックする。

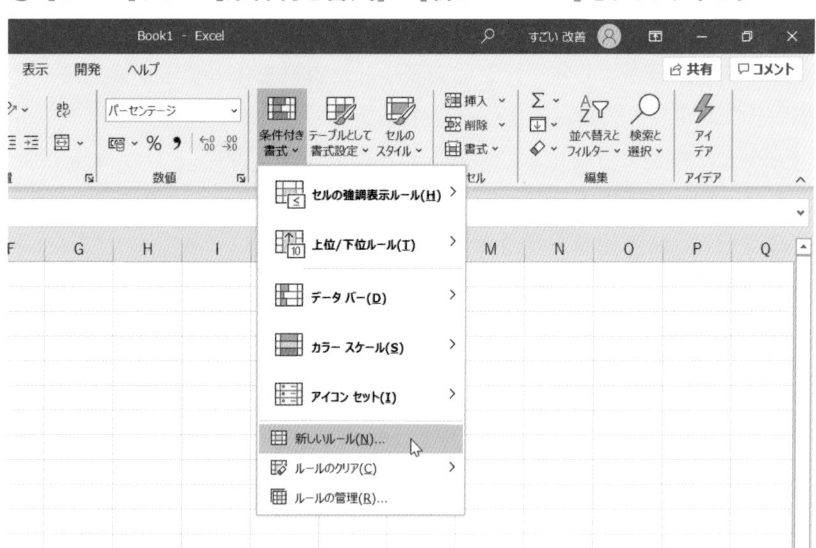

❸ [数式を使用して、書式設定するセルを決定]を選択する。

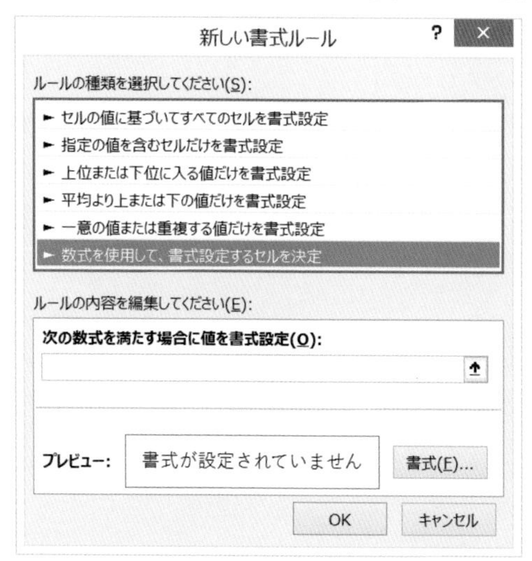

❹ [次の数式を満たす場合に値を書式設定]欄に次の論理式を入力する。

=E3<100%

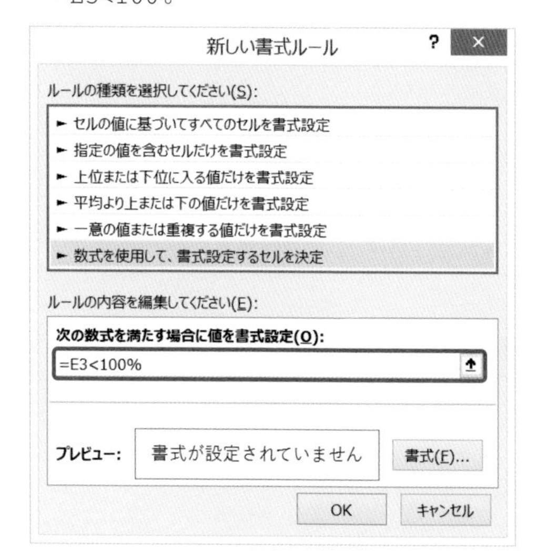

このとき、[次の数式を満たす場合に値を書式設定]ボックスの中を1回クリックしてから、シート上であらかじめ選択していた範囲の中で1つだけ白くなっていたE3セルをクリックします。

すると、「=$E$3」という絶対参照形式で入力されるので、F4キーを3回押して$マークを外します。

その後、キーボードから続きの式を入力してください。論理式が真の場合にどのような書式にするかを設定します。

❺ [書式]ボタンをクリックして[セルの書式設定]を開き、[塗りつぶし]タブで赤色を選択し、[OK]をクリックする。

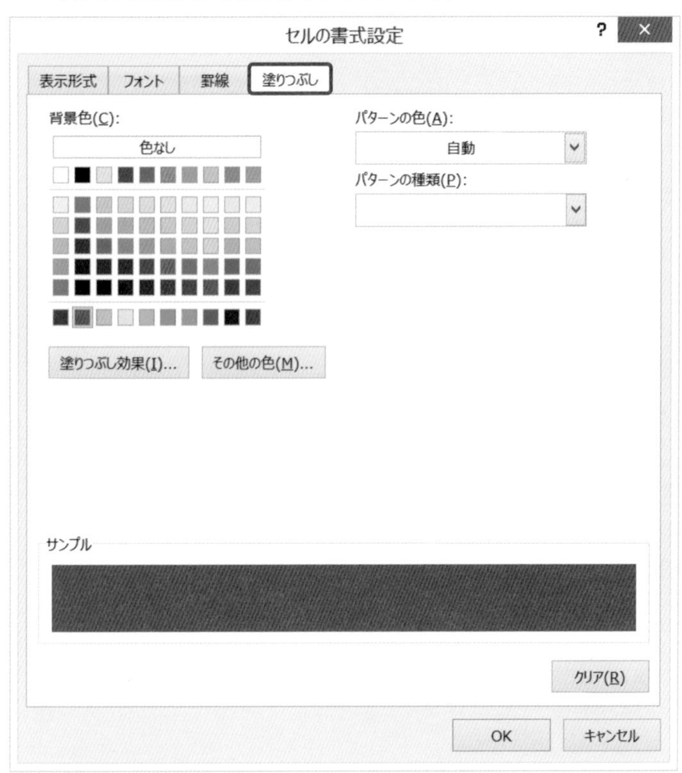

❻ この画面に戻るので、再度[OK]をクリックする。

❼ 選択した範囲において、100%未満のセルのみ指定した書式に変わる。

E3 ｜ =D3/C3

	A	B	C	D	E	F	G	H	I	J
1			1Q							
2	酒税区分	組織別	2024年	2025年	前年比					
3	ビール	北海道	5,025	1,389	28%					
4		東北	10,389	11,847	114%					
5		関信越	12,421	11,071	89%					
6		首都圏	90,704	101,116	111%					
7		中部	10,129	19,250	190%					
8		近畿圏	29,856	20,432	68%					
9		中四国	7,500	7,011	93%					
10		九州	19,449	18,117	93%					
11		沖縄	2,057	2,079	101%					
12										

一瞬かつ自動でできてしまう作業をがんばって手作業でやってしまわないよう、基本機能の存在をきちんと知っておくことが大切です。知らなかったとしても、「もっとラクな方法はないか？」と探そうとしてみることが大切です。

カンマ区切りのデータをセルごとに分割する

次のようなカンマ区切りのデータは、カンマごとに各セルにデータを分割しなければ、Excelで扱うことはできません。

▼ カンマ区切りのデータ

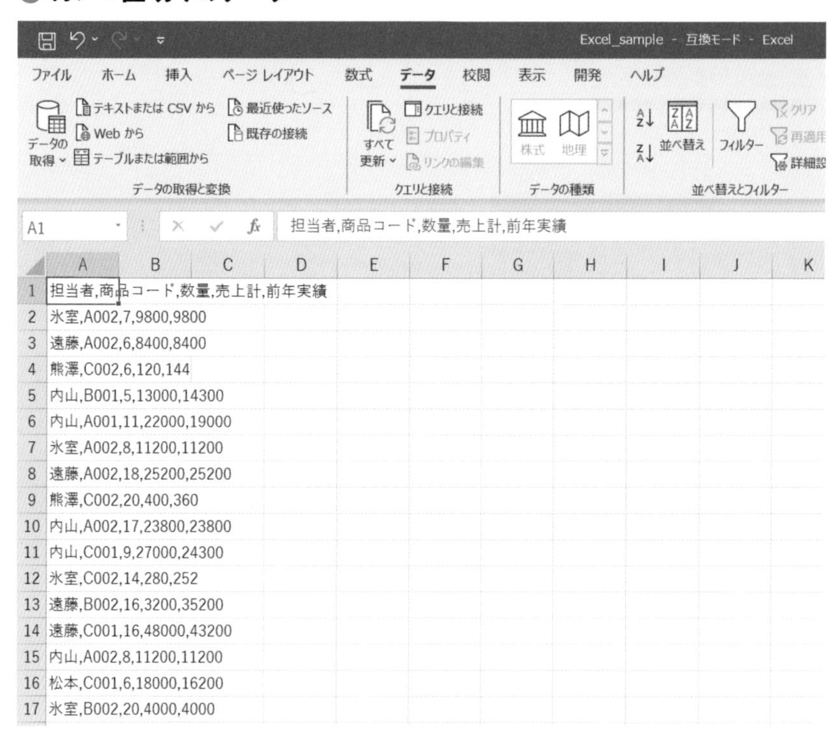

そのために知っておきたいのが、「データ区切り」という機能です。使い方は以下のとおりです。

❶ A列を列ごと選択する。

A1 | 担当者,商品コード,数量,売上計,前年実績

	A	B	C	D	E	F	G	H
1	担当者,商品コード,数量,売上計,前年実績							
2	氷室,A002,7,9800,9800							
3	遠藤,A002,6,8400,8400							
4	熊澤,C002,6,120,144							
5	内山,B001,5,13000,14300							
6	内山,A001,11,22000,19000							
7	氷室,A002,8,11200,11200							
8	遠藤,A002,18,25200,25200							
9	熊澤,C002,20,400,360							
10	内山,A002,17,23800,23800							

❷ [データ]タブ→[区切り位置](Excel 2013までは[データ区切り])をクリックすると出てくる[区切り位置指定ウィザード]画面で、そのまま[次へ]をクリックする。

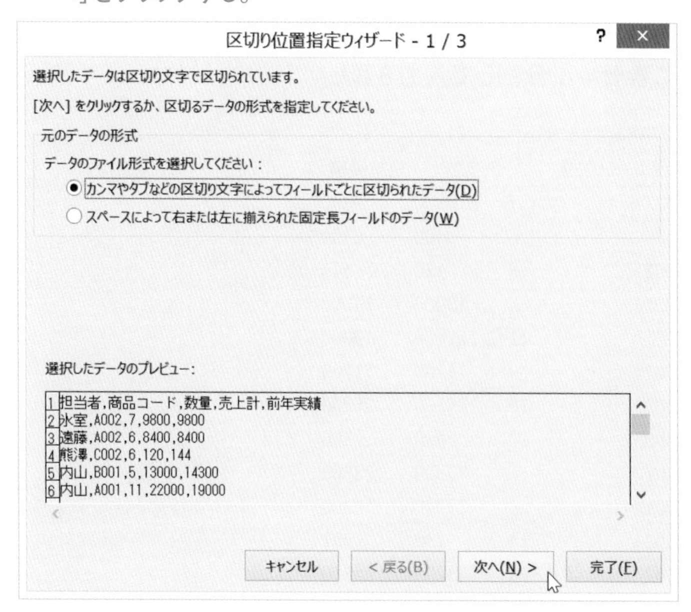

❸ [区切り文字]で[カンマ]にチェックをつけて、[完了]をクリックする。

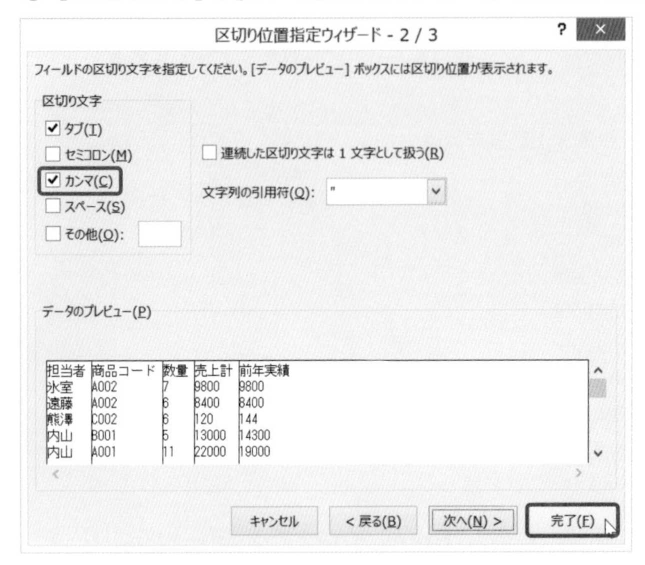

これで、カンマごとに各セルに分割して入力されます。

▼ カンマごとに各セルに分割して入力された

	A	B	C	D	E	F	G	H
1	担当者	商品コード	数量	売上計	前年実績			
2	氷室	A002	7	9800	9800			
3	遠藤	A002	6	8400	8400			
4	熊澤	C002	6	120	144			
5	内山	B001	5	13000	14300			
6	内山	A001	11	22000	19000			
7	氷室	A002	8	11200	11200			
8	遠藤	A002	18	25200	25200			
9	熊澤	C002	20	400	360			
10	内山	A002	17	23800	23800			
11	内山	C001	9	27000	24300			
12	氷室	C002	14	280	252			
13	遠藤	B002	16	3200	35200			

複数の空白セルに同じ値を一発で入力するには

「表内の空白セル全部に同じ文字を一発で入力したい」

そのような面倒な作業をラクに済ませるのに必要なのが、「指定したタイプのセルを一括選択できる」方法です。

Excelには、「ジャンプ」という機能があります。これを使って、面倒なケースを瞬殺する技をマスターしましょう。

たとえば、以下の表では、B列の担当者名がところどころ抜けています。

▼B列の担当者名がところどころ抜けている表

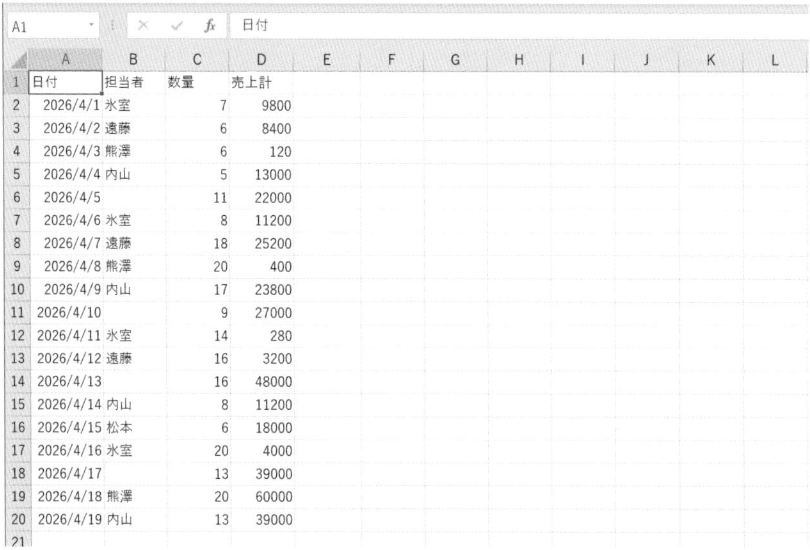

A1 | 日付

	A	B	C	D	E	F	G	H	I	J	K	L
1	日付	担当者	数量	売上計								
2	2026/4/1	氷室	7	9800								
3	2026/4/2	遠藤	6	8400								
4	2026/4/3	熊澤	6	120								
5	2026/4/4	内山	5	13000								
6	2026/4/5		11	22000								
7	2026/4/6	氷室	8	11200								
8	2026/4/7	遠藤	18	25200								
9	2026/4/8	熊澤	20	400								
10	2026/4/9	内山	17	23800								
11	2026/4/10		9	27000								
12	2026/4/11	氷室	14	280								
13	2026/4/12	遠藤	16	3200								
14	2026/4/13		16	48000								
15	2026/4/14	内山	8	11200								
16	2026/4/15	松本	6	18000								
17	2026/4/16	氷室	20	4000								
18	2026/4/17		13	39000								
19	2026/4/18	熊澤	20	60000								
20	2026/4/19	内山	13	39000								
21												

このとき、「空白セルにはその1つ上のセルと同じ値を入力する」という処理をすることになりました。空白セルを1つ1つ選択しては1つ上のセルをコピーする……というのは大変です。

そんなときに「表内の空白セルを一括選択」できて、さらにその選択した複数のセルに同じ値を「一括入力」できたら、この作業は一瞬で終わるわけです。その方法は次のとおりです。

❶ 表範囲を選択して、ショートカット Ctrl + G で[ジャンプ]を起動、続けて[セル選択]をクリックする。

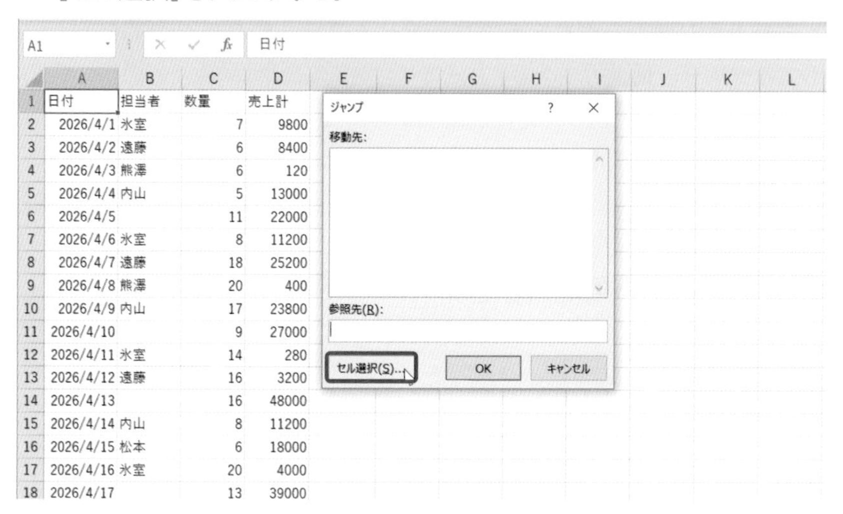

	A	B	C	D
1	日付	担当者	数量	売上計
2	2026/4/1	氷室	7	9800
3	2026/4/2	遠藤	6	8400
4	2026/4/3	熊澤	6	120
5	2026/4/4	内山	5	13000
6	2026/4/5		11	22000
7	2026/4/6	氷室	8	11200
8	2026/4/7	遠藤	18	25200
9	2026/4/8	熊澤	20	400
10	2026/4/9	内山	17	23800
11	2026/4/10		9	27000
12	2026/4/11	氷室	14	280
13	2026/4/12	遠藤	16	3200
14	2026/4/13		16	48000
15	2026/4/14	内山	8	11200
16	2026/4/15	松本	6	18000
17	2026/4/16	氷室	20	4000
18	2026/4/17		13	39000

❷ [選択オプション]にて[空白セル]を選択して、[OK]をクリックする。

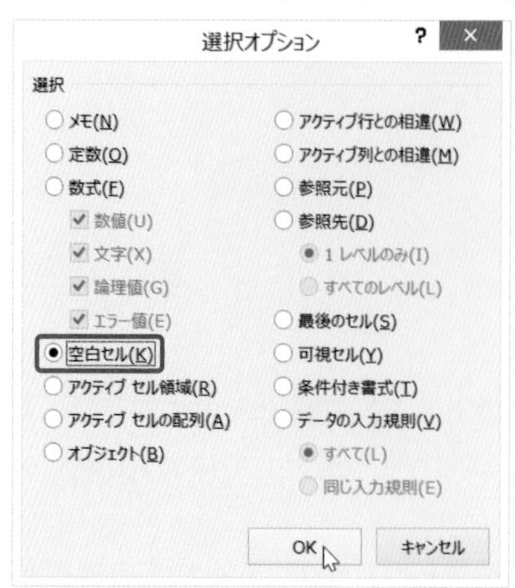

❸ 表内の空白セルがすべて選択される。このとき、B6セルのみ白く（つまりアクティブに）なっていることに注意。

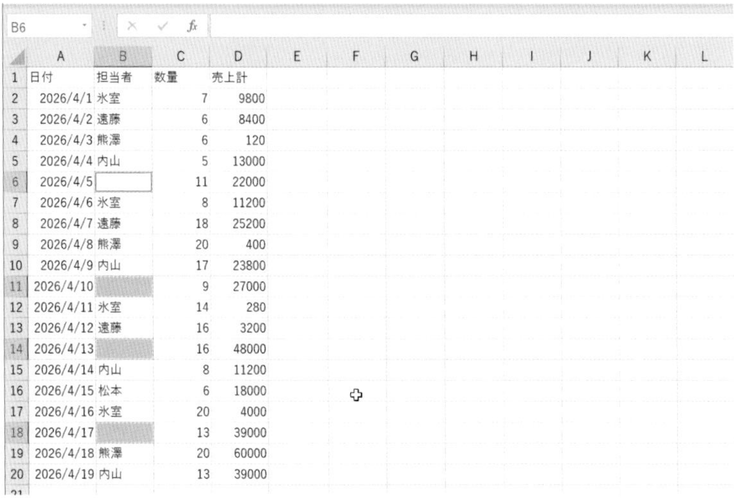

B6

	A	B	C	D
1	日付	担当者	数量	売上計
2	2026/4/1	氷室	7	9800
3	2026/4/2	遠藤	6	8400
4	2026/4/3	熊澤	6	120
5	2026/4/4	内山	5	13000
6	2026/4/5		11	22000
7	2026/4/6	氷室	8	11200
8	2026/4/7	遠藤	18	25200
9	2026/4/8	熊澤	20	400
10	2026/4/9	内山	17	23800
11	2026/4/10		9	27000
12	2026/4/11	氷室	14	280
13	2026/4/12	遠藤	16	3200
14	2026/4/13		16	48000
15	2026/4/14	内山	8	11200
16	2026/4/15	松本	6	18000
17	2026/4/16	氷室	20	4000
18	2026/4/17		13	39000
19	2026/4/18	熊澤	20	60000
20	2026/4/19	内山	13	39000

❹ そのまま キーボードから[=]（イコール）キー→[↑]キーを続けて入力する。すると、選択されたセルの中で1つだけアクティブだったB6セルに入力が反映され、「=B5」と入力される。

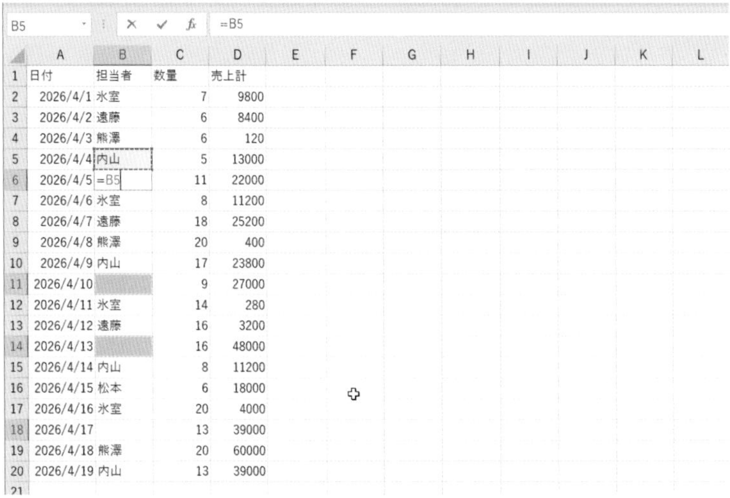

B5 =B5

	A	B	C	D
1	日付	担当者	数量	売上計
2	2026/4/1	氷室	7	9800
3	2026/4/2	遠藤	6	8400
4	2026/4/3	熊澤	6	120
5	2026/4/4	内山	5	13000
6	2026/4/5	=B5	11	22000
7	2026/4/6	氷室	8	11200
8	2026/4/7	遠藤	18	25200
9	2026/4/8	熊澤	20	400
10	2026/4/9	内山	17	23800
11	2026/4/10		9	27000
12	2026/4/11	氷室	14	280
13	2026/4/12	遠藤	16	3200
14	2026/4/13		16	48000
15	2026/4/14	内山	8	11200
16	2026/4/15	松本	6	18000
17	2026/4/16	氷室	20	4000
18	2026/4/17		13	39000
19	2026/4/18	熊澤	20	60000
20	2026/4/19	内山	13	39000

❺ 複数セル一括入力のショートカット Ctrl ＋ Enter を押すと、選択されたすべてのセルに同様の入力が反映される。

B6 =B5

	A	B	C	D
1	日付	担当者	数量	売上計
2	2026/4/1	氷室	7	9800
3	2026/4/2	遠藤	6	8400
4	2026/4/3	熊澤	6	120
5	2026/4/4	内山	5	13000
6	2026/4/5	内山	11	22000
7	2026/4/6	氷室	8	11200
8	2026/4/7	遠藤	18	25200
9	2026/4/8	熊澤	20	400
10	2026/4/9	内山	17	23800
11	2026/4/10	内山	9	27000
12	2026/4/11	氷室	14	280
13	2026/4/12	遠藤	16	3200
14	2026/4/13	遠藤	16	48000
15	2026/4/14	内山	8	11200
16	2026/4/15	松本	6	18000
17	2026/4/16	氷室	20	4000
18	2026/4/17	氷室	13	39000
19	2026/4/18	熊澤	20	60000
20	2026/4/19	内山	13	39000
21				
22				

同じパターンのデータの修正や削除は何個でも一発で～検索と置換

「同じ誤字を全部まとめて修正したい」

「同じ文字を全部まとめて削除したい」

そのようなケースで1つ1つ修正していたら、いくら時間があっても足りません。そうした作業はExcelに一瞬で終わらせてもらって、我々人間はその先の仕事に進まなければなりません。

そのためには、「検索と置換」という機能を使います。

たとえば、以下の表のB列、担当者欄にて、「氷室」という名前が、じつは「布袋」のまちがいだったとしましょう。

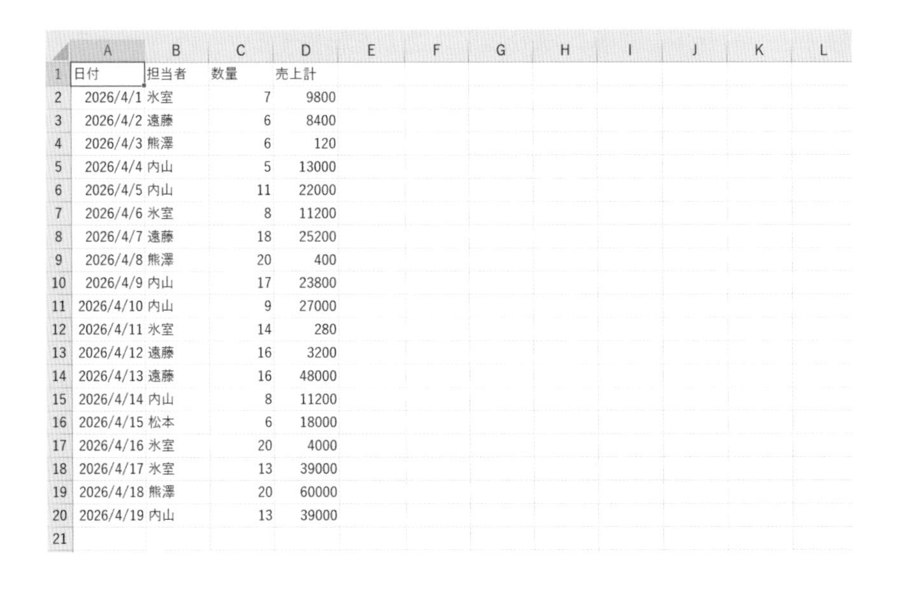

	A	B	C	D
1	日付	担当者	数量	売上計
2	2026/4/1	氷室	7	9800
3	2026/4/2	遠藤	6	8400
4	2026/4/3	熊澤	6	120
5	2026/4/4	内山	5	13000
6	2026/4/5	内山	11	22000
7	2026/4/6	氷室	8	11200
8	2026/4/7	遠藤	18	25200
9	2026/4/8	熊澤	20	400
10	2026/4/9	内山	17	23800
11	2026/4/10	内山	9	27000
12	2026/4/11	氷室	14	280
13	2026/4/12	遠藤	16	3200
14	2026/4/13	遠藤	16	48000
15	2026/4/14	内山	8	11200
16	2026/4/15	松本	6	18000
17	2026/4/16	氷室	20	4000
18	2026/4/17	氷室	13	39000
19	2026/4/18	熊澤	20	60000
20	2026/4/19	内山	13	39000
21				

このような際に、1つ1つ修正するのは面倒ですから、まとめて「氷室」という値を「布袋」という値に置き換えてしまいましょう。

❶ ショートカット Ctrl ＋ H を押して[検索と置換]を起動する。

❷ [検索する文字列]に「氷室」、[置換後の文字列]に「布袋」と入力して、[すべて置換]をクリックする。

❸ いくつのセルを置換（つまり修正）したかを報告するウィンドウが出るので、［OK］をクリックする。

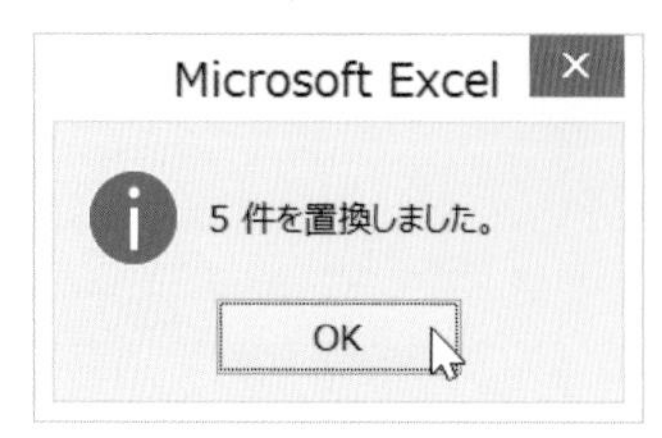

❹ ［検索と置換］ウィンドウの［閉じる］をクリックして閉じると、「氷室」と入力されていたセルが「布袋」に置き換わっている。

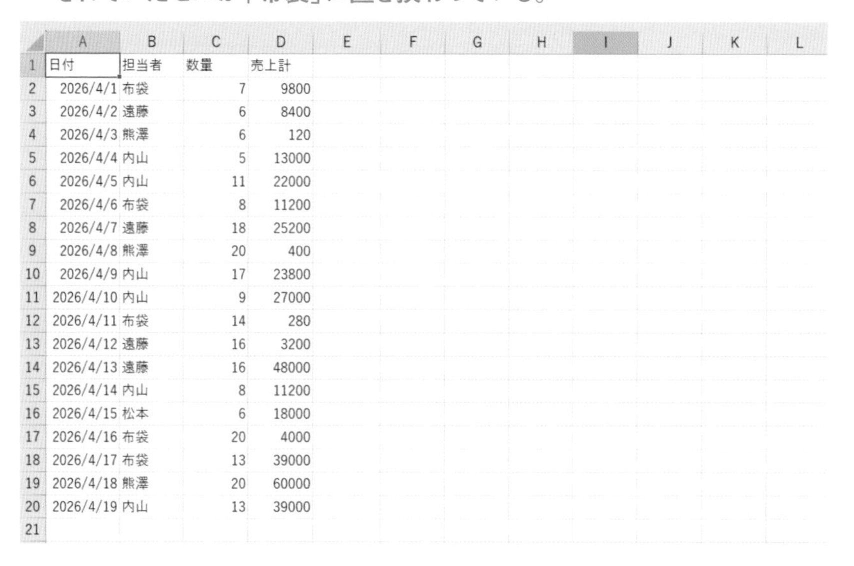

	A	B	C	D
1	日付	担当者	数量	売上計
2	2026/4/1	布袋	7	9800
3	2026/4/2	遠藤	6	8400
4	2026/4/3	熊澤	6	120
5	2026/4/4	内山	5	13000
6	2026/4/5	内山	11	22000
7	2026/4/6	布袋	8	11200
8	2026/4/7	遠藤	18	25200
9	2026/4/8	熊澤	20	400
10	2026/4/9	内山	17	23800
11	2026/4/10	内山	9	27000
12	2026/4/11	布袋	14	280
13	2026/4/12	遠藤	16	3200
14	2026/4/13	遠藤	16	48000
15	2026/4/14	内山	8	11200
16	2026/4/15	松本	6	18000
17	2026/4/16	布袋	20	4000
18	2026/4/17	布袋	13	39000
19	2026/4/18	熊澤	20	60000
20	2026/4/19	内山	13	39000
21				

同じ文字を全部まとめて削除したいときは

［検索と置換］は、［検索する文字列］に入力した文字列を［置換後の文字列］に置き換える機能ですが、［置換後の文字列］を空欄にしておくと［検索する文字列］を「空白」に置き換える……つまり削除することができます。そしてこの置換は、じつは数式を構成する文字列にも使うことができるの

です。

次の表では、D列の構成比のセルに、分母を絶対参照にした割り算の式が入っています。D3セルには以下の式が入力されています。

```
=C3/$C$12
```

▼ D3セルには=C3/$C$12と入力されている

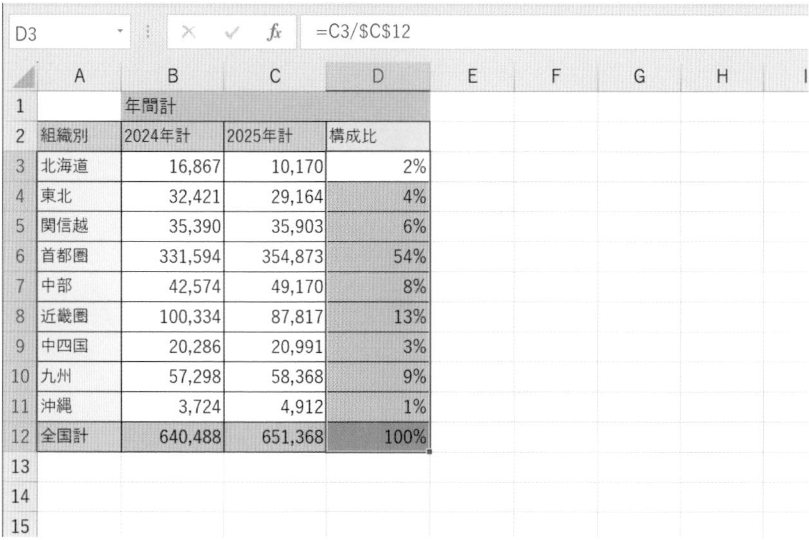

D3 =C3/$C$12

	A	B	C	D
1		年間計		
2	組織別	2024年計	2025年計	構成比
3	北海道	16,867	10,170	2%
4	東北	32,421	29,164	4%
5	関信越	35,390	35,903	6%
6	首都圏	331,594	354,873	54%
7	中部	42,574	49,170	8%
8	近畿圏	100,334	87,817	13%
9	中四国	20,286	20,991	3%
10	九州	57,298	58,368	9%
11	沖縄	3,724	4,912	1%
12	全国計	640,488	651,368	100%

D3セルに入力した式をD12セルまでコピーし、分母がD12セルからずれないように割り算しているのです。

このセル範囲D3:D12から、分母につけられた$マークを外すには、次のように操作します。

❶ 置換をおこないたい範囲（ここではD3:D12）を選択する。
❷ ショートカットCtrl+Hを押して［検索と置換］を起動する。

❸ [検索する文字列] に「$」、[置換後の文字列] は空白のまま、[すべて置換] をクリックする。

❹ 数式に含まれていた$マークがなくなっている。

D3 =C3/C12

	A	B	C	D
1		年間計		
2	組織別	2024年計	2025年計	構成比
3	北海道	16,867	10,170	2%
4	東北	32,421	29,164	4%
5	関信越	35,390	35,903	6%
6	首都圏	331,594	354,873	54%
7	中部	42,574	49,170	8%
8	近畿圏	100,334	87,817	13%
9	中四国	20,286	20,991	3%
10	九州	57,298	58,368	9%
11	沖縄	3,724	4,912	1%
12	全国計	640,488	651,368	100%

このように、[検索と置換] は、対象とする範囲を選択しておこなうとその範囲の中だけで置換をおこないますが、対象範囲を選択しないとシート全体を対象に置換をおこなってしまうので、注意してください。

より快適に操作するために知っておきたいこと

なぜか重くなったファイルを軽くするには

見た目にはさほど大量でもないデータなのに、ファイルサイズが大きくなっている場合、目に見えないゴミデータが入っている場合があります。

データ量と比べて、どう考えてもファイルの容量が異常に重くなっている場合は、ファイル内の各シートにて「最後のセル」の場所を確認することで異常を確認できます。「最後のセル」とは、そのシートで使用されている範囲の最も右下端のセルのことです。

たとえば、以下のシートであれば、データが入力されている範囲の右下端のセルであるE15セルが「最後のセル」ということになります。

最後のセルがE15セルの表

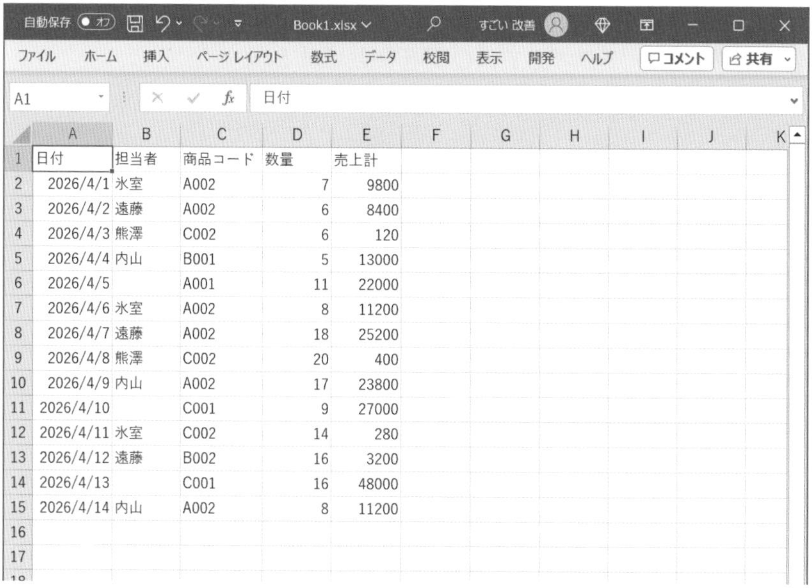

自動保存 オフ　Book1.xlsx　すごい改善

ファイル　ホーム　挿入　ページ レイアウト　数式　データ　校閲　表示　開発　ヘルプ　コメント　共有

A1　日付

	A	B	C	D	E	F	G	H	I	J	K
1	日付	担当者	商品コード	数量	売上計						
2	2026/4/1	氷室	A002	7	9800						
3	2026/4/2	遠藤	A002	6	8400						
4	2026/4/3	熊澤	C002	6	120						
5	2026/4/4	内山	B001	5	13000						
6	2026/4/5		A001	11	22000						
7	2026/4/6	氷室	A002	8	11200						
8	2026/4/7	遠藤	A002	18	25200						
9	2026/4/8	熊澤	C002	20	400						
10	2026/4/9	内山	A002	17	23800						
11	2026/4/10		C001	9	27000						
12	2026/4/11	氷室	C002	14	280						
13	2026/4/12	遠藤	B002	16	3200						
14	2026/4/13		C001	16	48000						
15	2026/4/14	内山	A002	8	11200						
16											
17											

この「最後のセル」がどのセルになっているかを確認するには、ジャンプ機能を使います。もしくはショートカット Ctrl + End でも同様の操作ができますが、ここではジャンプ機能を起動する方法を説明します。

❶ ショートカット Ctrl + G を押して[ジャンプ]を起動→[セル選択]をクリックする。

❷「最後のセル」を選択して、[OK]をクリックする。

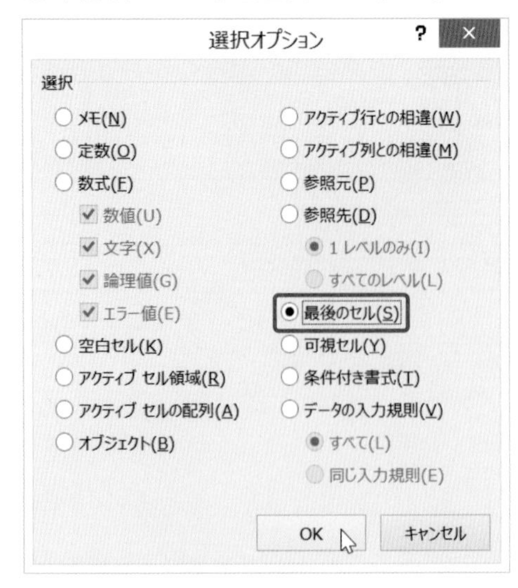

すると、たしかに見た目にもシート上で使用されている範囲の「最後のセル」であるE15セルが選択されます。

▼ 最後のセルであるE15セルが選択された

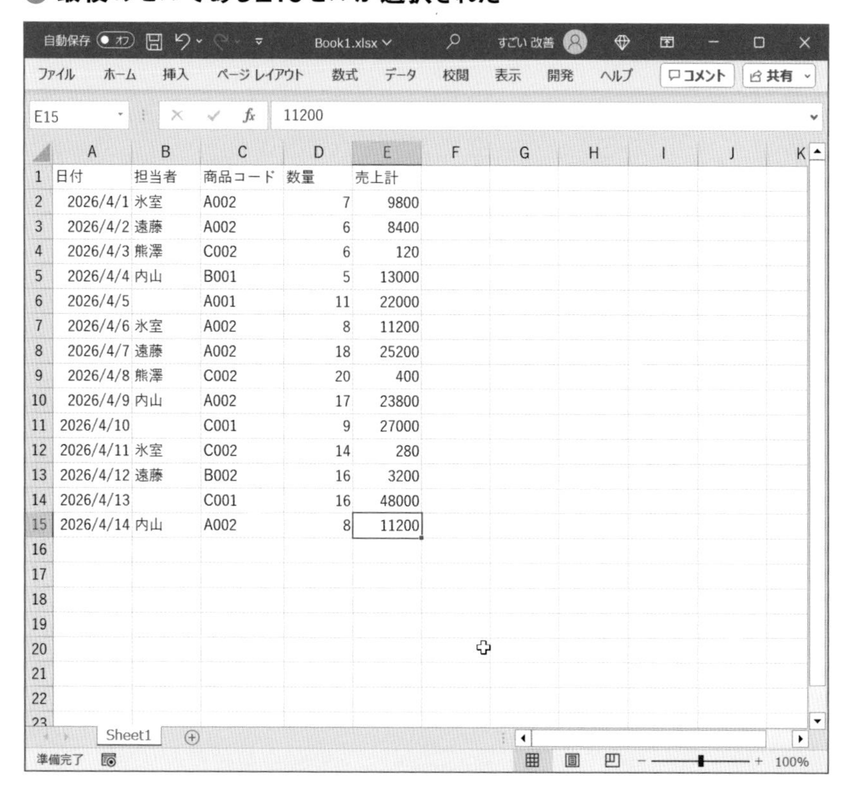

	A	B	C	D	E
1	日付	担当者	商品コード	数量	売上計
2	2026/4/1	氷室	A002	7	9800
3	2026/4/2	遠藤	A002	6	8400
4	2026/4/3	熊澤	C002	6	120
5	2026/4/4	内山	B001	5	13000
6	2026/4/5		A001	11	22000
7	2026/4/6	氷室	A002	8	11200
8	2026/4/7	遠藤	A002	18	25200
9	2026/4/8	熊澤	C002	20	400
10	2026/4/9	内山	A002	17	23800
11	2026/4/10		C001	9	27000
12	2026/4/11	氷室	C002	14	280
13	2026/4/12	遠藤	B002	16	3200
14	2026/4/13		C001	16	48000
15	2026/4/14	内山	A002	8	11200

これが正常な状態で、目に見えないゴミデータが入っていない状態です。

一方、ゴミデータが入っているときは、次のような状態になります。先ほどと同じ表があるシートにて同様の操作をした結果ですが、選択されたセルは見た目の使用範囲のはるか下の行数のセル（ここではG列65531行めのセル）になってしまっています。

▼ G列65531行めのセルが選択されている

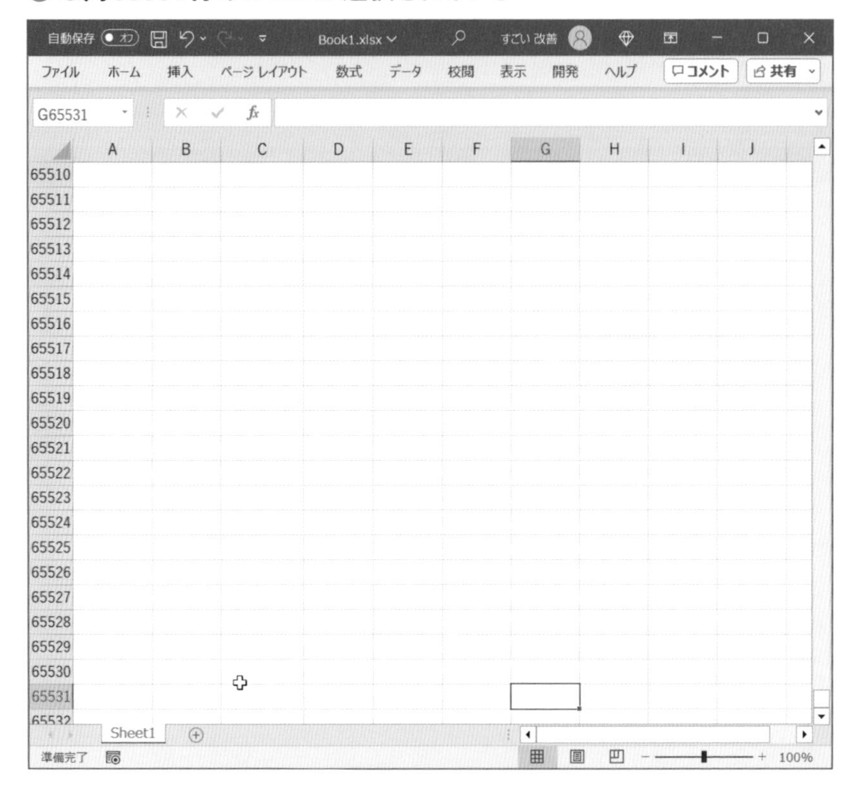

このとき、何らかの操作の結果、本来の使用範囲である15行めより下の範囲に目に見えないデータが残ってしまっていることが考えられます。このようなケースでは、それら余計なデータを削除することで、ファイル容量を軽くできます。手順は以下のとおりです。

❶「最後のセル」がある行全体を選択する。

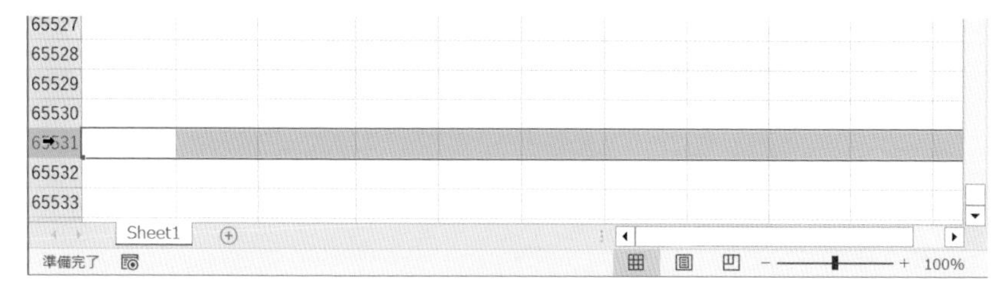

❷ Ctrl キーと Shift キーを同時に押しながら、矢印キーの上を押す。すると、データの最終行である15行めまでが行全体ごと選択状態になる。

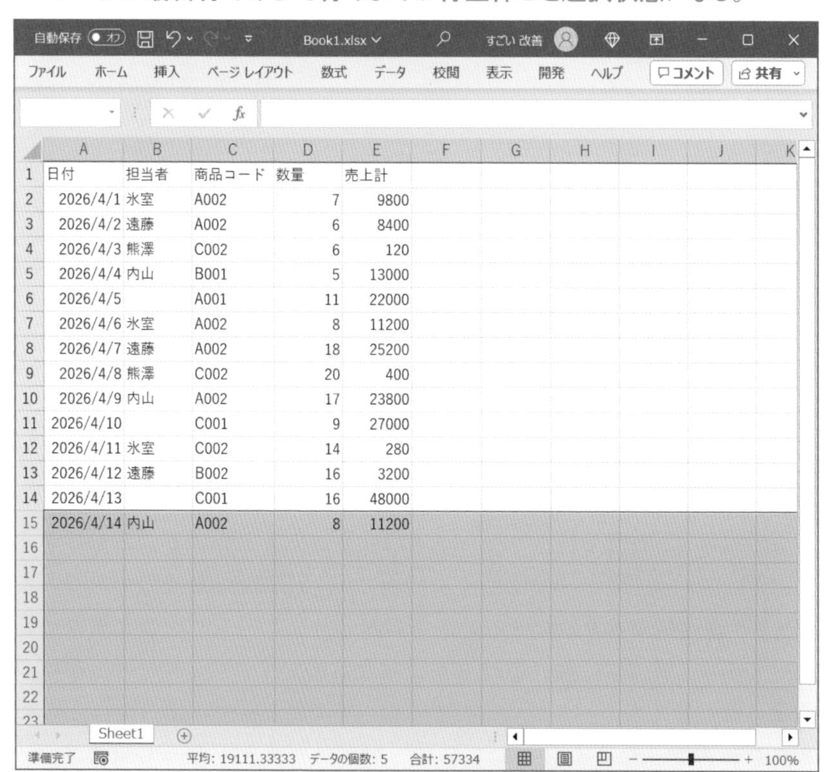

	A	B	C	D	E
1	日付	担当者	商品コード	数量	売上計
2	2026/4/1	氷室	A002	7	9800
3	2026/4/2	遠藤	A002	6	8400
4	2026/4/3	熊澤	C002	6	120
5	2026/4/4	内山	B001	5	13000
6	2026/4/5		A001	11	22000
7	2026/4/6	氷室	A002	8	11200
8	2026/4/7	遠藤	A002	18	25200
9	2026/4/8	熊澤	C002	20	400
10	2026/4/9	内山	A002	17	23800
11	2026/4/10		C001	9	27000
12	2026/4/11	氷室	C002	14	280
13	2026/4/12	遠藤	B002	16	3200
14	2026/4/13		C001	16	48000
15	2026/4/14	内山	A002	8	11200

❸ Shift キーだけ押した状態で、矢印キーの下を1回押すと、選択範囲が1行少なくなって、16行めまでの選択になる。この状態で右クリックメニューから[削除]を選択し、選択した範囲を行ごと削除する(ショートカット Ctrl ＋ - でも行削除ができます)。

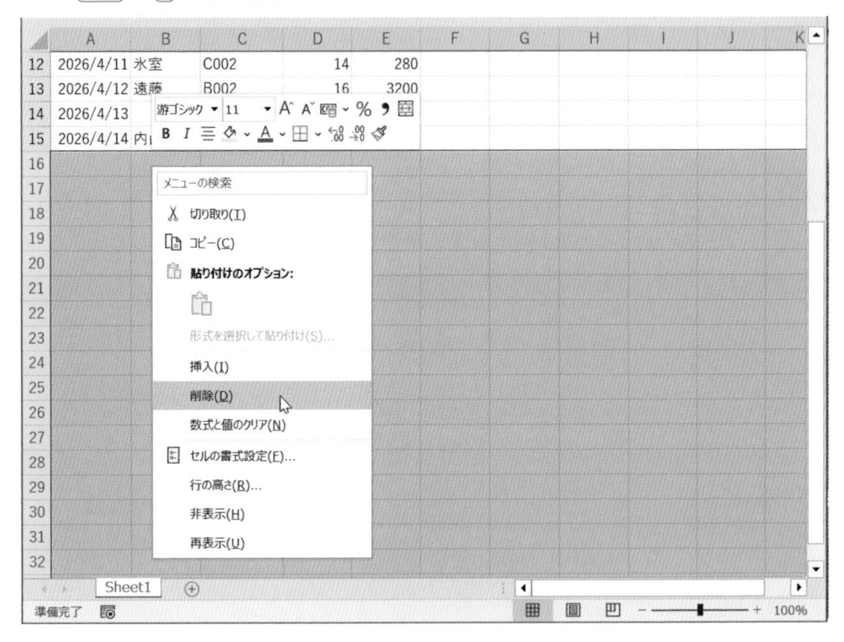

以上が終わったら、必ず［上書き保存］をおこないましょう。上書き保存をおこなうことで、ファイル容量を軽くすることができます。

この現象は、右側のスクロールバーの大きさでも確認することができます。P.271の「最後のセルがE15セルの表」と、P.273の「最後のセルであるE15セルが選択された」のウィンドウ右側のスクロールバーの大きさを見比べてみてください。後者のほうが正常な状態です。データがそんなに多くないわけですから、スクロールする幅も小さくていいわけで、ほとんどスクロールできないくらいにスクロールバーが大きくなっています。一方、前者のほうが随分と小さくなっています。これは、スクロールできる幅を大きくしているわけです。実際の使用範囲は15行めまでで、そんなに大きく下のほうにスクロールする必要がないのに、スクロールバーが小さくなっているときは、シートの下部方向に余計なデータが入っていることが考えられるのです。その際には、上記の手順でゴミデータの有無を確認してください。

大きな表をスクロールしても見出しが見えるようにしておく

縦横に大きな表を扱うときに、下方向や右方向にスクロールすると項目名のセルが見えなくなって不便なことがあります。それでは作業も効率的ではありません。

そこで、「ウィンドウ枠の固定」という機能を使って、スクロールしても項目名のセルが常に見えるようにしておきましょう。いちいちスクロールを繰り返す必要がなくなり、大切な時間をセーブし、かつストレスも減らすことができます。手順は以下のとおりです。

❶ 固定の起点となるセルを選択する。
【例】シートの3行めまでを固定して表示しておきたいときは、4行めを行ごと選択

次ページの表では、下方向にスクロールする場合は5行めまでを固定、右方向にスクロールする場合はB列までを固定しておけばいいことになります。この場合、固定の起点となるC6セルを選択します。

❷ ［表示］タブ→［ウィンドウ枠の固定］→［ウィンドウ枠の固定］をクリックする。

注意点として、ウィンドウ枠を設定する際は、「A1」セルがウィンドウ上で見えている状態で設定するようにしてください。

フォーマットを壊さないための措置
～シートの保護

いろんな関数を張り巡らして、さまざまな計算や書類作成を自動化できるように作ったExcelシート。しかし、せっかく作ったそのファイルも、まちがって式を消してしまったり、削除してはいけないセルやシートを削除してしまったら、元も子もありません。特に、社内ネットワーク上の共有フォルダなどに保存していて、複数人が入力をおこなうようなファイルでは、だれかがその仕組みを壊してしまうことが非常にありがちです。

そのような理由から、本来複数のメンバーで1つのExcelファイルを共用することはあまり好ましくありません。しかしながら、現実として、そうしたファイルを運用する必要性が出てくることは少なくありません。そのような際にはどのように運用すればいいかを考えておく必要があります。

シート全体を保護したい場合

まず、[シートの保護] 機能を使って、せっかく入力した関数を消してしまわないように守るテクニックを知っておきましょう。

シート上のすべてのセルを変更不可にするには、次のように操作します。

❶ ［校閲］タブ→［シートの保護］をクリックすると、［シートの保護］画面が立ち上がる。

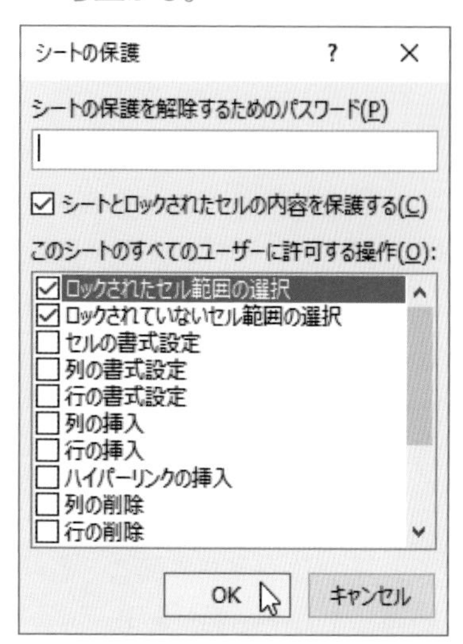

❷ 必要に応じてパスワードを入力して（省略可）、［OK］をクリックする。

このとき、［このシートのすべてのユーザーに許可する操作］というオプションで、さまざまな設定ができます。たとえば、［ロックされたセル範囲の選択］からチェックを外すと、セルの選択すらできなくなります。こうしておくと、「変更不可」という作成者側のメッセージがより強く伝わるものです。また、このオプションではオートフィルタの使用可否などさまざまな設定ができるので、ひととおり目をとおすようにしてください。

ここで大事なことを覚えておいてください。

［シートの保護］は、［セルの書式設定］→［保護］タブにおいて［ロック］を有効にしてあるセルのみ有効になります。Excelではあらかじめ、すべてのセルにて［ロック］が有効になっています。任意のセルを選択し、ショートカットCtrl+1で［セルの書式設定］を起動→［保護］タブをクリックすると、次の画面になります。

[セルの書式設定]の[保護]タブ

すでに[ロック]にチェックがついているので、そのままシートの保護をかければ、そのセルは変更不可になります。

シートの一部のセルのみ変更不可にしておきたい場合

もう1つの[表示しない]にチェックを入れてシートの保護をかけると、そのセルに入力された式は数式バーに表示されなくなります。

実務的に多いのは、「一部のセルのみ変更可」または逆に「一部のセルのみ変更不可」にしたい場合です。たとえば、次のようなラーメン屋さんの売上管理表があったとしましょう。

▼ラーメン屋さんの売上管理表

A1 | 品名

	A	B	C	D	E	F	G
1	品名	単価	数量	小計			
2	ラーメン	600		0			
3	チャーシューメン	900		0			
4	もやし	100		0			
5	味付け玉子	100		0			
6	麺大盛り	100		0			
7							
8							

A列には商品名、B列に単価、D列には単価×数量をかけ算する数式があらかじめ入力されています。そのため、この表にはC列の数量のみ入力すればいいわけです。

ここで、誤ってB列の単価やD列の計算式が入っているセルを消してしまったり内容を変更してしまうことのないように、C列にしか入力できないように設定しておくと、ミスや事故を防げます。ここでは、変更不可のセルは選択もできないようにしてみましょう。

❶ 入力可能にしておきたいセル（ここではC2:C6）を選択する。

C2

	A	B	C	D	E	F	G
1	品名	単価	数量	小計			
2	ラーメン	600		0			
3	チャーシューメン	900		0			
4	もやし	100		0			
5	味付け玉子	100		0			
6	麺大盛り	100		0			
7							
8							

❷ ショートカット Ctrl ＋ 1 を押して［セルの書式設定］を起動→［保護］タブにて［ロック］からチェックを外して、［OK］をクリックする。

❸ ［校閲］タブ→［シートの保護］をクリックする。

❹ [このシートのすべてのユーザーに許可する操作]にて[ロックされたセル範囲の選択]からチェックを外して、[OK]をクリックする。

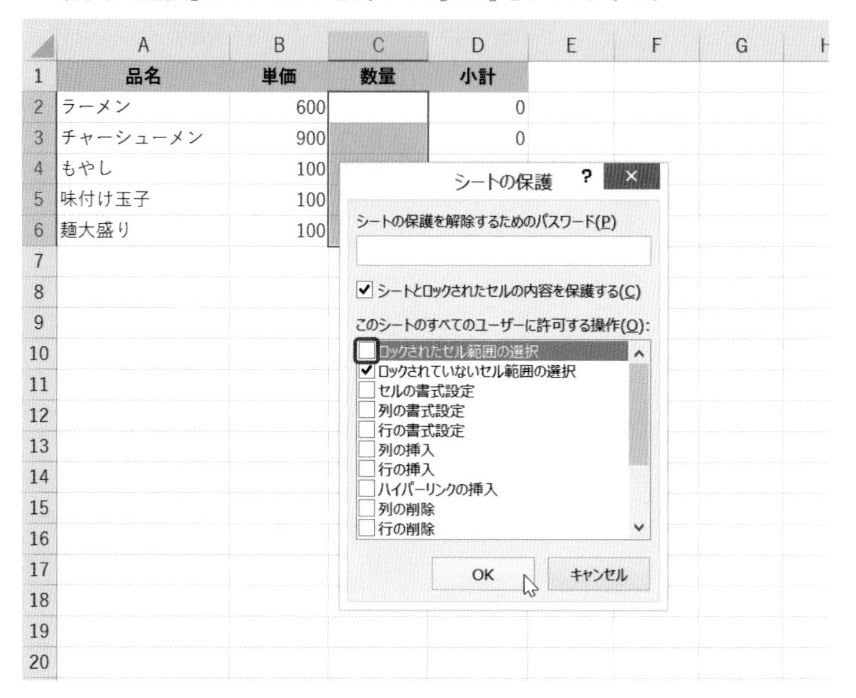

この操作で、もうこのシートではC2:C6以外のセルは、入力や変更はおろか、クリックしても選択すらできなくなります。まちがって何かを消してしまったり、違うセルに入力してしまったりするミスが起こりようがなくなるわけです。

逆に、一部のセルのみ変更不可にしたい場合は、以下の手順を踏みます。

❶ シート全体を選択→[セルの書式設定]→[保護]→[ロック]から一度チェックを外す。
❷ 変更不可にしたいセルのみ、再度[セルの書式設定]にて「ロック」をかける。
❸ シートの保護をかける。

印刷にまつわる諸問題を解決するには

複数ページある場合、見出し行だけ全ページに印刷したいときは

行数が多い名簿や顧客リストなどのExcelシートを印刷する際、普通にやってしまうと1枚めには先頭行の項目行が印刷されていますが、2枚め以降からは項目行が印刷されません。そのままだと、2枚め以降の表がわかりづらくなってしまいます。

そのようなときのために、2枚め以降にも自動的にデータ先頭の項目行を印刷するように設定しましょう。

❶ ［ページレイアウト］タブ→［印刷タイトル］をクリックして［ページ設定］ウィンドウを起動する。

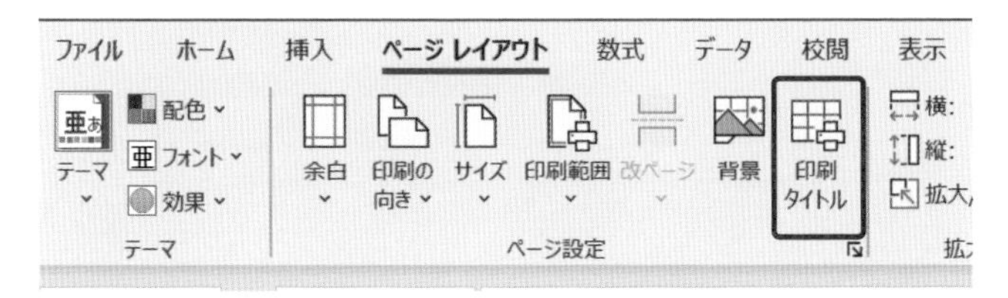

❷ ［シート］タブ→［タイトル行］ボックスの中をクリックしてから、項目行となる行の行ラベルをクリックし、［OK］をクリックする。

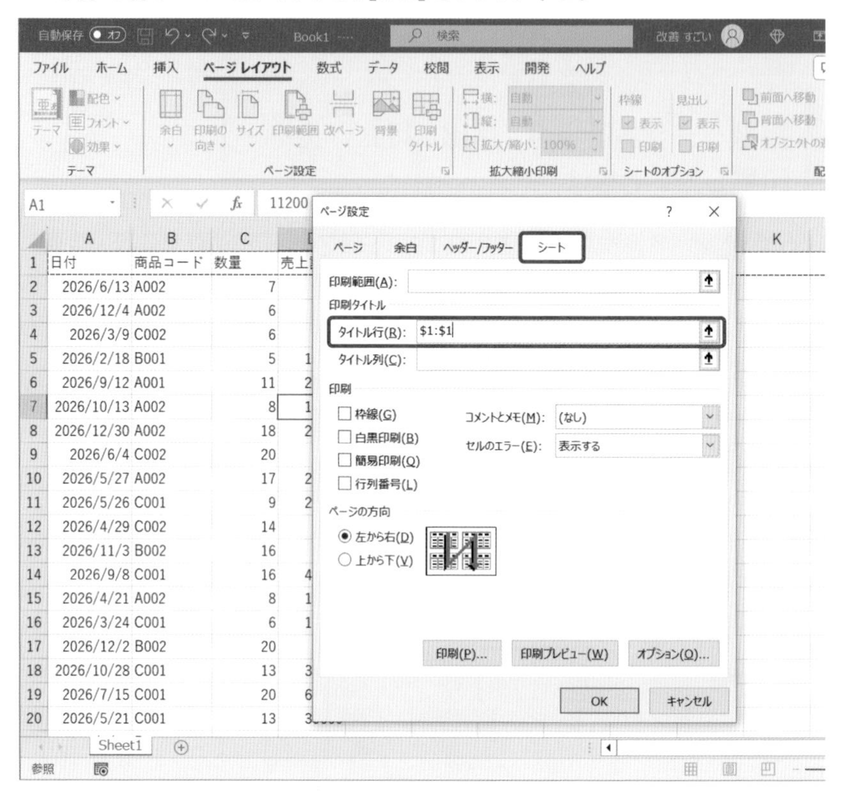

印刷結果が画面と異なる問題に対処するには

「WYSIWYG」という言葉をご存じでしょうか。これは「What You See Is What You Get（見ているものが得られるもの）」の略語で、コンピュータのディスプレイに表示されている状態と印刷結果などを一致させる技術のことをいいます。

しかし、残念ながらExcelはこの「WYSIWYG」にはなっていません。つまり、画面で見えている状態と、印刷した結果が異なることがあるのです。

一番多いのは、セルに入力した文字が切れてしまう状態です。Excelのシート上ではすべてきちんと表示されていても、いざ印刷すると切れてしまっていて困るケースがよくあります。結局、「セルの幅を十分に余裕を持って広くとる」などのアナログな方法が最短の解決策になります。

しかし何より問題なのは、印刷結果が印刷するまでわからないことです。これについては、ExcelをExcelのまま印刷するのではなく、ファイル形式をPDFに変えて印刷するという対処が有効になります。PDFであれば、画面で見た状態と印刷結果が異なることもないので、印刷前により確実に確認できるようになります。

また、[表示] タブの [ページレイアウト] をクリックした画面であれば、ほぼ確実に印刷される状態を確認することができます。

第8章

Excelを より快適にする 進化を使いこなす

Excelもバージョンアップの都度、新しい機能や関数が追加されていきます。買い切り型のOfficeソフトではなくサブスクリプション型のMicrosoft 365版のExcelを使っていれば、特にバージョンアップのための作業をおこなう必要なく、新しくリリースされた関数が使えるようになっています。

職場によっては、そうした最新の機能を使えない環境の方もまだまだ多数いらっしゃるのが現状です。しかし、使える環境であれば、ぜひ積極的に使っていただきたい関数や機能があります。たとえ自分が使わなくても、それらが使われているExcelファイルに出会った場合、知っておかないと対処できなくなってしまいます。

そうした観点から、ぜひご紹介しておきたいテーマが、「テーブルと構造化参照」、「スピル」、Excel 2021またはMicrosoft 365以降で追加された俗にいう「新関数」、そして「生成AI」です。

知らないと困る「テーブル」の基本

本書では「データベースファーストの原則」がExcelの効率化において極めて重要であると強調してきました。そのデータベース形式の表範囲は「テーブル」という形式に変換して使われることも非常に多く、実務においてテーブル化されたデータに出会った際にその挙動を知らないと困ってしまうことになります。

特にテーブル内のセルを参照する式を入力する作業において、通常の範囲を参照する式なら「=A1」などのセル参照で式が作られるのが、テーブルでは「構造化参照」という特殊な形式で式が作られます。そうした式も問題なく読めるように、基本を押さえておきましょう。

表の範囲をテーブルに変換するには

まずは、実際に通常のデータベース形式の表範囲をテーブルに変換する操作を見てみましょう。

❶ テーブルにしたいデータ内のセルを選択した状態でショートカット Ctrl ＋ T を押します。

すると、「テーブルの作成」という画面が出てきて、自動的にデータ範囲全体が対象範囲として認識されます。

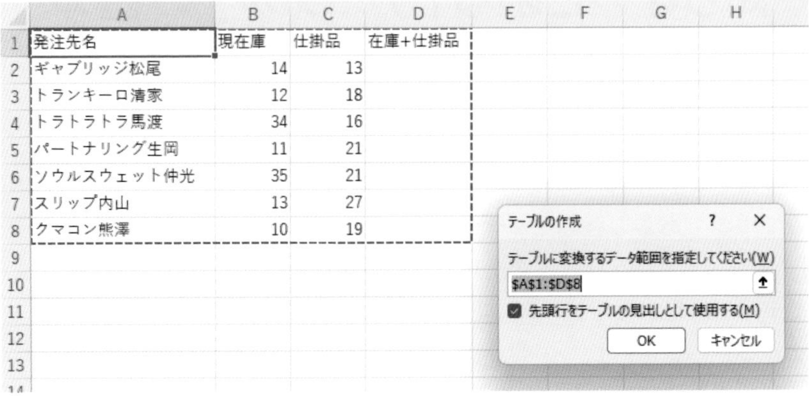

	A	B	C	D	E	F	G	H
1	発注先名	現在庫	仕掛品	在庫+仕掛品				
2	ギャブリッジ松尾	14	13					
3	トランキーロ清家	12	18					
4	トラトラトラ馬渡	34	16					
5	パートナリング生岡	11	21					
6	ソウルスウェット仲光	35	21					
7	スリップ内山	13	27					
8	クマコン熊澤	10	19					
9								
10								
11								
12								
13								

テーブルの作成 ? ×
テーブルに変換するデータ範囲を指定してください(W)
$A$1:$D$8
先頭行をテーブルの見出しとして使用する(M)
OK キャンセル

❷「先頭行をテーブルの見出しとして使用する」のチェックはそのままにして、[OK]をクリックすると、データ範囲がテーブルに変換されます。

	A	B	C	D	E
1	発注先名	現在庫	仕掛品	在庫+仕掛品	
2	ギャブリッジ松尾	14	13		
3	トランキーロ清家	12	18		
4	トラトラトラ馬渡	34	16		
5	パートナリング生岡	11	21		
6	ソウルスウェット仲光	35	21		
7	スリップ内山	13	27		
8	クマコン熊澤	10	19		
9					

すると、見出し行にフィルターのボタンが設置され、縞模様に塗りつぶすなどの書式設定がおこなわれます。この見た目については、テーブル内のセルを選択中のみリボンに出てくる［テーブルデザイン］タブに入っている［テーブルのオプション］や［テーブルスタイル］で自由に変更できます（画像の右側赤枠部分）。

上の画像の左側の赤枠部分に「テーブル名」という項目がありますが、テーブルには自分で名前を付けることができます。この画像では「テーブル1」とテーブル名が入力されていますが、変更したい場合はここを書き換えます。ここでは、このテーブル名を「発注先別総在庫」という名前に変えてみます。

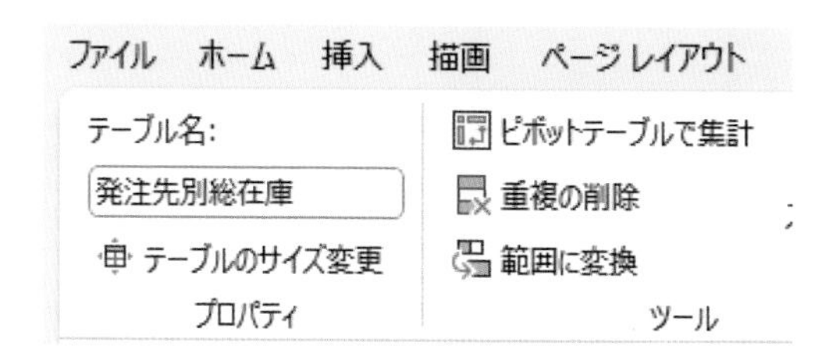

このテーブル名も、このあとの解説を理解する大事なポイントになります。

テーブルのメリット①式の自動展開

テーブルの大きな特長の1つが「式の自動展開」です。

たとえば、先ほどの例で、D列に「原在庫」と「仕掛品」の数字の合計を出したいとします。通常の範囲であれば、次のいずれかの方法になります。

・D2セルに「=B2+C2」と入力して、下方向にコピー

・範囲B2:D8を選択した状態で「=B2+C2」を入力→Ctrl + Enterを押す

ところが、テーブルにしておくと、「ある列の1つのセルに入力した式が、自動的に同じ列のほかの全セルにも反映される」という機能が発動します。

先ほどの表で、D2セルにB2セルとC2セルを足し算する式を入力してみましょう。イコールを入力したあと、B2セルをクリック→+記号を入力→D2セルをクリック、と操作していくと……

	A	B	C	D	E
1	発注先名	現在庫	仕掛品	在庫+仕掛品	
2	ギャブリッジ松尾	14	13	=[@現在庫]+[@仕掛品]	
3	トランキーロ清家	12	18		
4	トラトラトラ馬渡	34	16		
5	パートナリング生岡	11	21		
6	ソウルスウェット仲光	35	21		
7	スリップ内山	13	27		
8	クマコン熊澤	10	19		
9					

=B2+C2という式になると思いきや……@（アットマーク）などが書かれた、よくわからない式が出てきました。

この説明はあとにして、まずはEnterキーを押してみます。すると、次のように、テーブル内のD列すべてのセルに同じ式が展開されます。つまり、式を入れて下までコピー……という作業がテーブルでは必要なくなるわけです。これはとても便利です。

	A	B	C	D	E
1	発注先名	現在庫	仕掛品	在庫+仕掛品	
2	ギャブリッジ松尾	14	13	27	
3	トランキーロ清家	12	18	30	
4	トラトラトラ馬渡	34	16	50	
5	パートナリング生岡	11	21	32	
6	ソウルスウェット仲光	35	21	56	
7	スリップ内山	13	27	40	
8	クマコン熊澤	10	19	29	
9					

D3 =[@現在庫]+[@仕掛品]

テーブルのメリット②範囲の自動拡張

そして、2つめの大きな特長が「範囲の自動拡張」です。

たとえば、新規の発注先ができたので、その名称をA列に追加したとしましょう。次の図は、A9セルに新規の発注先名を入力した状態です。

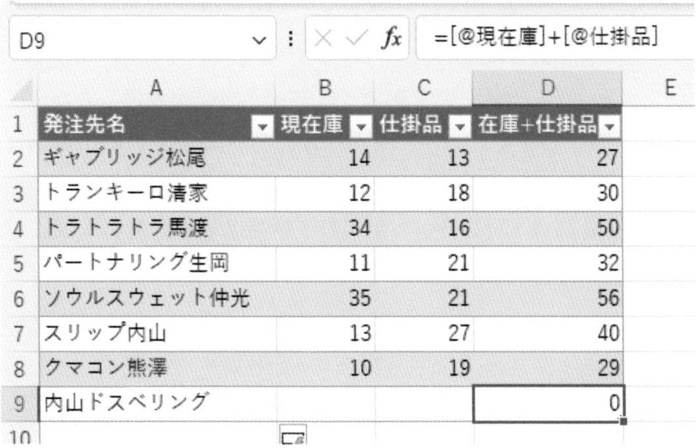

D9 =[@現在庫]+[@仕掛品]

	A	B	C	D	E
1	発注先名	現在庫	仕掛品	在庫+仕掛品	
2	ギャブリッジ松尾	14	13	27	
3	トランキーロ清家	12	18	30	
4	トラトラトラ馬渡	34	16	50	
5	パートナリング生岡	11	21	32	
6	ソウルスウェット仲光	35	21	56	
7	スリップ内山	13	27	40	
8	クマコン熊澤	10	19	29	
9	内山ドスベリング			0	
10					

すると、このように自動でテーブルの範囲が9行めまで拡張され、さら

にD列の式も9行めまで追加されています。つまり、テーブルの最下端行の次の行のセルに何か入力されると、このようにテーブルの範囲とすでに入っている式が自動拡張されるのです。この自動拡張の機能により、ピボットテーブルやグラフが参照しているデータに新しいデータが追加された際にも、その参照範囲を自動で更新することができるようになります(P.363を参照)。

テーブルで使われるセルの「構造化参照」とは

そして、上図のD列では、どのセルを選択しても、次の式が数式バーに表示されます。

=[@現在庫]+[@仕掛品]

B2やC2などのセル参照ではなく、[@列名]という形式になっています。この「列名」には、各列の見出し行に入力されていた項目名が使われています。データ範囲をテーブルに変換する際に、[先頭行をテーブルの見出しとして使用する]にチェックをつけておくと、その見出し行のセルの値が各列の「列名」として使えるようになります。その列名を使って、単一のセルの指定ではなく列単位で指定する形式、これが「構造化参照」というもので、角括弧([])の中に@(アットマーク)と列名が入力された形で各セルを参照することになっています。

肝心の@ですが、これは「同じ行の」と訳して解釈します。たとえば、[@現在庫]の意味はこうなります。

「この式が入力されているセルと同じ行にある"現在庫"列のセル」

@が「この式が入力されているセルと同じ行にある」という意味になっていることで、どの行のセルも同じ式になっているわけです。

この@がなく、たとえば[在庫+仕掛品]のように角括弧の中に列名のみが書かれている場合は、「テーブル内の、その現在庫列のセルすべて」という参照方法になります。たとえば、F2セルに「在庫+仕掛品」列の合計を出しておきたいとします。F2セルに数値の合計をおこなうSUM関数を

```
=SUM(
```

まで入力したあとに、D2セルからD9セルまで……つまり「在庫+仕掛品」列のデータ部分すべてのセルを選択して Enter を押すと、式は次のような形になります。

F2 =SUM(発注先別総在庫[在庫+仕掛品])

	A	B	C	D	E	F
1	発注先名	現在庫	仕掛品	在庫+仕掛品		在庫+仕掛品合計
2	ギャブリッジ松尾	14	13	27		299
3	トランキーロ清家	12	18	30		
4	トラトラトラ馬渡	34	16	50		
5	パートナリング生岡	11	21	32		
6	ソウルスウェット仲光	35	21	56		
7	スリップ内山	13	27	40		
8	クマコン熊澤	10	19	29		
9	ドスベリング内山	12	23	35		

```
=SUM(発注先別総在庫[在庫+仕掛品])
```

このSUM関数の括弧の中の次の部分を解読してみましょう。

```
発注先別総在庫[在庫+仕掛品]
```

これはシンプルに

```
テーブル名[列名]
```

という形式でテーブル名と列名をつなげて書いてあるだけで、読み方としてはそのまま

「発注先別総在庫と名前をつけたテーブルの、『在庫+仕掛品』列のデータ部分すべてのセル」

……つまり、上の図ではD2:D9ということになります。

テーブルではこのような参照方法が使えるため、本書で推奨した「列全体参照」は必要なくなります。

テーブルを通常のセル範囲に戻すには

テーブルになっているデータ範囲を通常のセル範囲に変換するには、次のようにします。

❶ テーブル内のセルを選択中にリボンに出てくる[テーブルデザイン]から[範囲に変換]をクリックします。

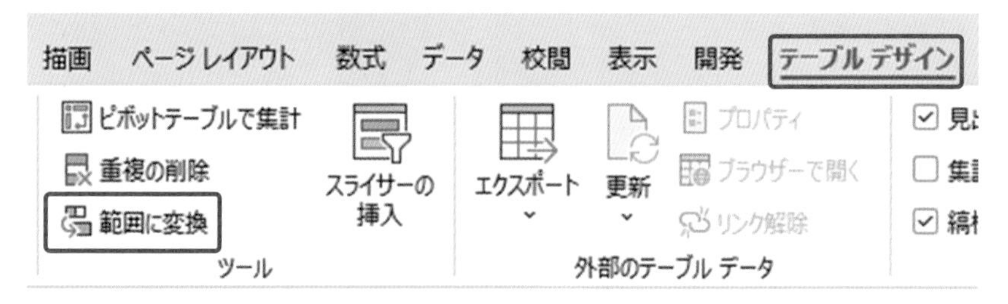

❷「テーブルを標準の範囲に変換しますか?」という確認ダイアログで[はい]をクリックすると、通常の範囲に戻せます。

ただし、テーブルにする段階で設定された縞模様の書式設定はそのまま残ってしまいます。その書式をすべて元に戻したい場合は、「範囲に変換」をおこなう前に、[テーブルデザイン]タブの[テーブルスタイル]にて、

下図の赤枠部分の［書式なし］を選択します。

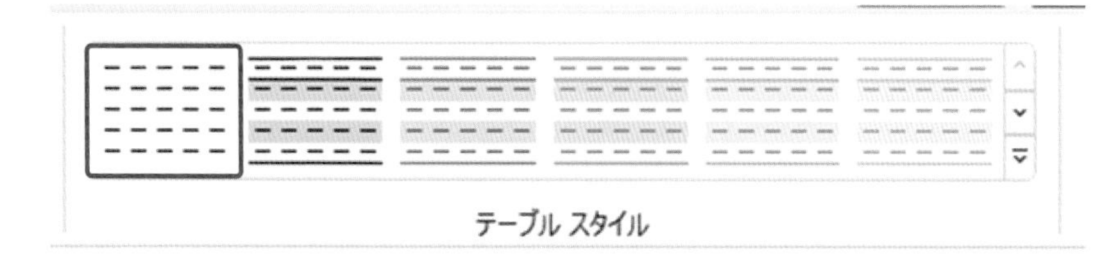

これで、色などの書式設定をすべてなくすことができます。

従来は難しかった設定がテーブルでかんたんになる

本書でも紹介している「リスト入力の参照範囲自動拡張」（P.235を参照）や「グラフの参照範囲自動拡張」（P.363を参照）といったテクニックでは、OFFSET関数を駆使したなかなか複雑な関数式を活用した方法を紹介しました。じつは、それらの参照先をこのようにテーブル化してしまえば、もっとかんたんにすませることが可能です。テーブル化した範囲に「名前の定義」にて名前をつけて、その名前を参照先に使うことで、同様の自動拡張状態を実現することができます。

ただ本書では、読者の皆様のスキル底上げのためにも、若干複雑な処理であるOFFSET関数による設定方法を紹介しました。ぜひ合わせて対応できるようにしてみてください。

数式が自動展開される「スピル」の基本

Excel 2019以降における大きな変化の1つが「スピル」機能です。このスピルについても挙動を知っておかないとそれが使われたシートに出会った時にとても困ってしまうので、基本を押さえておきましょう。

まずは「式がスピルする」とはどんな挙動なのか、イメージをつかみましょう。スピル（spill）は「こぼれる」という意味の単語ですが、Excelの機能としてのスピルとは

「ある性質を持った式を1つのセルに入力すると、その式がほかのセルにも自動で展開される」

という機能を指します。

「ある性質」とは、「式の結果として配列を返す性質」です。では「配列」とは何か。ここでは「セルの範囲」になります。Microsoft 365以降のExcelでは、このスピルの挙動を理解することが不可欠になります。

まずは配列数式を理解する

従来から、Excelには配列数式というものがありました。これもやはり「配列を返す」性質を持った式です。その配列数式から具体例で見てみましょう。スピルが使えないExcel 2016以前のバージョンで必要になる大切な基本です。

たとえば、横に並んでいるセル範囲を縦に並べなおす作業を関数でおこないたいとしましょう。次の図は、範囲B2:D2に入力されたA、B、Cの値を、範囲F2:F4に縦に並べようとしている様子です。

❶ あらかじめ範囲F2:F4を選択しておく。

❷ この状態で、F2セルに以下の式を入力する。

```
=TRANSPOSE(B2:D2)
```

TRANSPOSE関数は、セル範囲の縦と横を入れ替えて並べることができる関数です。

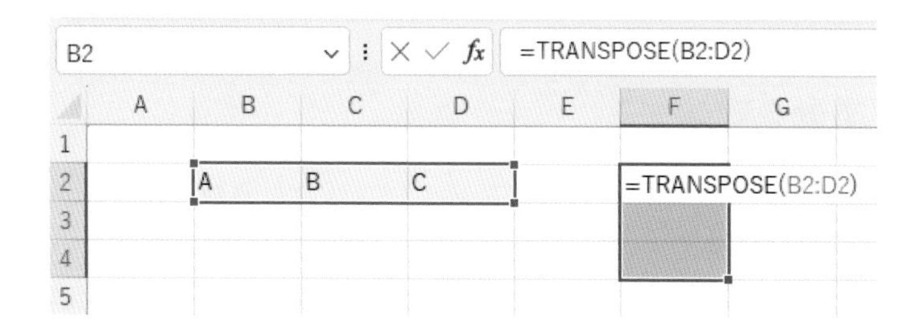

❸ 入力確定時に、Ctrlと Shiftを押しながらEnterを押す。すると、次のように入力した式が大括弧{}で囲まれた状態になり、F2:F4に縦に並べられた「配列が返された」という状態になる。

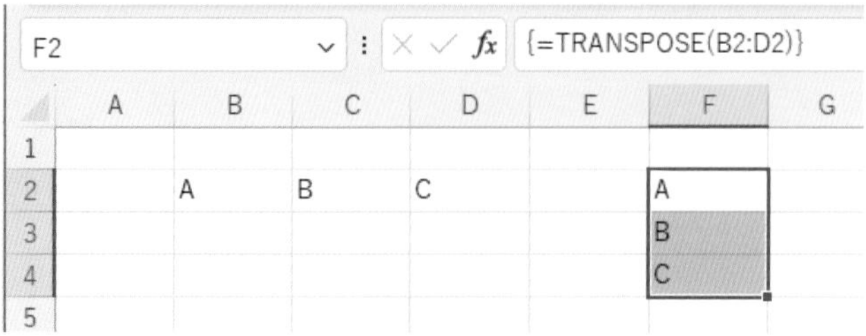

F2　{=TRANSPOSE(B2:D2)}

	A	B	C	D	E	F	G
1							
2		A	B	C		A	
3						B	
4						C	
5							

配列数式とは、このように、複数のセルにわたって結果を出すことが可能な式のことなのです。そして、このように複数のセルにわたって出力された結果を「配列」と呼びます。

注意点としては、この大括弧をキーボードから入力して同じ内容の式にしても、このような配列数式としては機能しないことです。式の確定時に、必ず Ctrl と Shift を押しながら Enter を押す……という操作が必要になります。配列数式は、必ずこの3つのキーで式入力を確定することから、各キーの頭文字をとって「CSE関数」などと言われることもあります。

スピルの挙動を理解する

ところが、スピルが使えるバージョンでのTRANSPOSE関数は、入力がかんたんになりました。あらかじめ関数の結果として配列を出したいセル範囲を選択していく必要はなく、配列の先頭になるセル1つだけを選択して、次のようにTRANSPOSE関数を入力します。

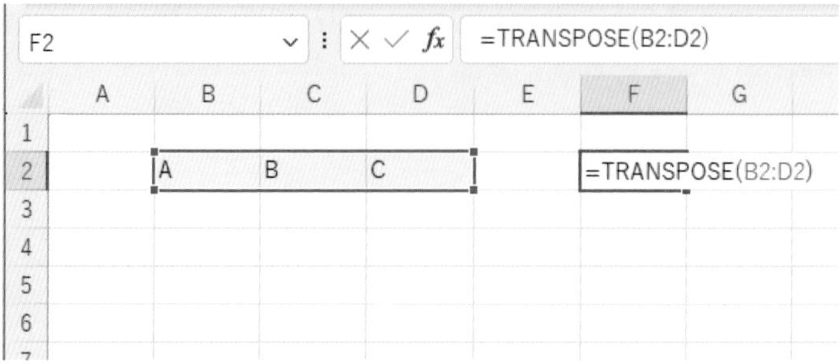

F2　=TRANSPOSE(B2:D2)

	A	B	C	D	E	F	G
1							
2		A	B	C		=TRANSPOSE(B2:D2)	
3							
4							
5							
6							

これでEnterを押すだけで、下の図のように縦に並べ替えられた状態で配列が返される結果になります。

F2 =TRANSPOSE(B2:D2)

	A	B	C	D	E	F	G
1							
2		A	B	C		A	
3						B	
4						C	
5							

単一のセルを選択して式を入力したのに、Enterで確定したら、ほかのセルにも値が広がっていった……この挙動が「スピル」です。スピルされた範囲は、青い枠線で囲まれます。

実際に式を入れたセル（上記の例でいえばF2セル）を、ここでは「入力セル」と呼びます。そして、スピルによって自動で式が展開されたF3セルやF4セルは、一般的に「ゴースト」と呼ばれます。このゴーストについて、特に覚えておいていただきたい挙動が次の6つです。

・選択すると数式バーに出てくる式の表示が少し薄くなってゴーストっぽい
・値を消去できない
・セルの削除や挿入もできない
・コピーはできるが貼り付ける際は「値貼り付け」のみ
・何か入力してしまうと、入力セルに「#スピル!」というエラー値が出て、ほかのゴーストは消えてしまう
・並べ替えができない

そして、このスピルを活用した便利な関数が登場しています。次節でご紹介します。

スピルを活用した強力な関数を使いこなす

Excel 2021 ／ Microsoft 365以降のバージョンでは、第4章で紹介したXLOOKUP関数以外にも、Excelでのデータ処理を劇的にラクにしてくれるありがたい関数が登場しています。本書では、特に実務においてよく使われている次の3つの関数をご紹介します。

・UNIQUE関数 → 重複を削除してくれる
・SORT関数 → 並べ替えた結果を出してくれる
・FILTER関数 → 指定した条件に一致した値だけをリストアップしてくれる

式を複雑にしない段取り

たとえば、次のようなデータから、取引先名の重複をなくして受注金額を集計し、さらにその金額の大きい順に並べ替えたい作業が定期的に発生するとします。

	A	B
1	取引先名	受注金額
2	ギャブリッジ松尾	364000
3	トランキーロ清家	326000
4	トラトラトラ馬渡	250000
5	パートナリング生岡	154000
6	ソウルスウェット仲光	264000
7	スリップ内山	165000
8	クマコン熊澤	148000
9	ギャブリッジ松尾	137000
10	トランキーロ清家	161000
11	トラトラトラ馬渡	325000
12	パートナリング生岡	148000

成果物としては、このような形になります。表の左端には、順位の数字も入れたいとします。

G	H	I
No	取引先名	受注金額
1	トラトラトラ馬渡	575000
2	ソウルスウェット仲光	528000
3	ギャブリッジ松尾	501000
4	トランキーロ清家	487000
5	クマコン熊澤	309000
6	スリップ内山	303000
7	パートナリング生岡	302000

こんな時は、「所定の場所に最初のデータをコピペしたら、あとは自動で成果物の表ができるようにする」という仕組みを作ると、毎回の作業がとてもラクになります。その手順を体験していきましょう。

まず、次のようにシートのA:B列に元データがある状態からスタートします。

A1 fx 取引先名

	A	B	C	D	E	F	G	H	I
1	取引先名	受注金額		取引先名	受注金額		No	取引先名	受注金額
2	ギャブリッジ松尾	364000							
3	トランキーロ清家	326000							
4	トラトラトラ馬渡	250000							
5	パートナリング生岡	154000							
6	ソウルスウェット仲光	264000							
7	スリップ内山	165000							
8	クマコン熊澤	148000							
9	ギャブリッジ松尾	137000							
10	トランキーロ清家	161000							
11	トラトラトラ馬渡	325000							
12	パートナリング生岡	148000							
13	ソウルスウェット仲光	264000							
14	スリップ内山	138000							
15	クマコン熊澤	161000							

すでにD:E列、そしてG:I列にも、項目名だけ用意されています。お伝えしたいのは、以下の2段階で成果物を作ると式が複雑になりすぎずに済むのでおすすめだということです。

❶ いったんD:E列で取引先名の重複をなくした状態（一意化／ユニーク化といいます）で、取引先ごとの受注金額を合算する。
❷ G:I列でそのデータを受注金額の大きい順（降順）に並べ替えて、さらにG列に順位の数字も入れる。

いわばD:E列は、成果物であるG:I列に至るまでの「中間処理データ」ということになります。

なお、本来このA:B列、D:E列、G:I列に入るデータはそれぞれ別のシートを用意することが多いのですが、ここでは説明をわかりやすくするため、1枚のシートに収めています。

データから重複をなくす　～UNIQUE関数

ではまず、このシートのD列に、A列にある取引先名を一意化して出力してみましょう。このような時に威力を発揮するのが、UNIQUE関数です。

UNIQUE関数の基本

D2セルに次の式を入力して Enter を押します。

```
=UNIQUE(A2:A15)
```

これは、括弧内で指定したセル範囲の値を一意化した配列として、入力セルから下方向に向けて表示する関数です。

この関数の結果が、式を入力したD2セルだけではなく、その下のほうのセルまで次のように展開されます。

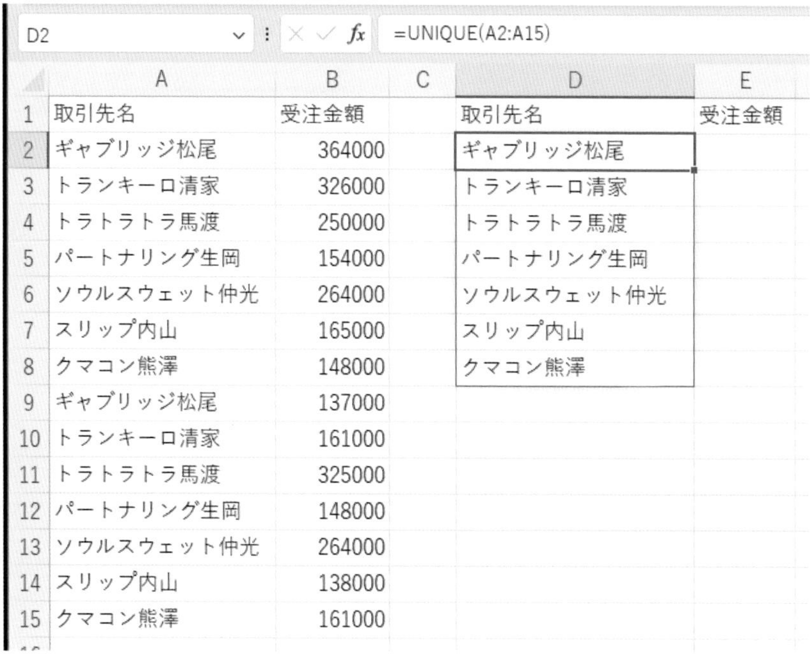

D2 =UNIQUE(A2:A15)

	A	B	C	D	E
1	取引先名	受注金額		取引先名	受注金額
2	ギャブリッジ松尾	364000		ギャブリッジ松尾	
3	トランキーロ清家	326000		トランキーロ清家	
4	トラトラトラ馬渡	250000		トラトラトラ馬渡	
5	パートナリング生岡	154000		パートナリング生岡	
6	ソウルスウェット仲光	264000		ソウルスウェット仲光	
7	スリップ内山	165000		スリップ内山	
8	クマコン熊澤	148000		クマコン熊澤	
9	ギャブリッジ松尾	137000			
10	トランキーロ清家	161000			
11	トラトラトラ馬渡	325000			
12	パートナリング生岡	148000			
13	ソウルスウェット仲光	264000			
14	スリップ内山	138000			
15	クマコン熊澤	161000			

こんなにかんたんに、データの一意化が可能になるのです。そして、この「展開される」という挙動が「スピル」です。

テーブルを利用して目的の範囲だけを指定する

ただし、これではA列のデータ行数の変動に自動対応できません。毎回A:B列に新たにデータを貼り付けるだけで、あとの作業は全部自動で済ませたいわけですが、このUNIQUE関数の引数を毎回修正するようでは面倒です。

そこで、テーブルの出番です。次の図は、A:B列のデータ範囲をテーブル化して、テーブル名を「元データ」とした状態で、D2セルに次の式を入力してEnterを押した状態です。

```
=UNIQUE(元データ[取引先名])
```

D2 =UNIQUE(元データ[取引先名])

	A	B	C	D	E
1	取引先名	受注金額		取引先名	受注金額
2	ギャブリッジ松尾	364000		ギャブリッジ松尾	
3	トランキーロ清家	326000		トランキーロ清家	
4	トラトラトラ馬渡	250000		トラトラトラ馬渡	
5	パートナリング生岡	154000		パートナリング生岡	
6	ソウルスウェット仲光	264000		ソウルスウェット仲光	
7	スリップ内山	165000		スリップ内山	
8	クマコン熊澤	148000		クマコン熊澤	
9	ギャブリッジ松尾	137000			
10	トランキーロ清家	161000			
11	トラトラトラ馬渡	325000			
12	パートナリング生岡	148000			
13	ソウルスウェット仲光	264000			

テーブルの構造化参照のおかげで、「取引先名」列のデータ部分だけをかんたんに指定することができています。

スピルにより自動で数値が出るようにする

次に、E列にて取引先ごとに受注金額合計を出すにはどうするか。使うのは、SUMIF関数です。ここで、どのようにしてD2セルからD8セルまでスピルにより自動で式が展開されるようにするかを説明します。

「それならここでもテーブルを使えばいい……」と思ってしまうのですが、じつは「テーブルとスピルは共存できない」というExcelの性質があるため、D:E列をテーブルにすることはできないのです。

この課題を解決するのが、次のような式の書き方です。

```
=SUMIF(元データ[取引先名],D2#,元データ[受注金額])
```

E2セルにこのようにSUMIF関数を入力して、Enterを押すだけで、スピルが発生し、次の図のようにD列の最下端行まで集計結果が展開されます。

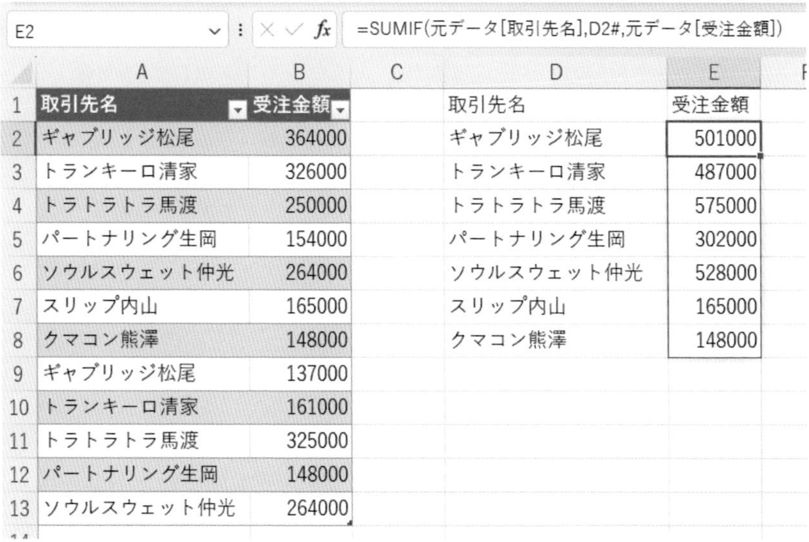

E2 =SUMIF(元データ[取引先名],D2#,元データ[受注金額])

	A	B	C	D	E
1	取引先名	受注金額		取引先名	受注金額
2	ギャブリッジ松尾	364000		ギャブリッジ松尾	501000
3	トランキーロ清家	326000		トランキーロ清家	487000
4	トラトラトラ馬渡	250000		トラトラトラ馬渡	575000
5	パートナリング生岡	154000		パートナリング生岡	302000
6	ソウルスウェット仲光	264000		ソウルスウェット仲光	528000
7	スリップ内山	165000		スリップ内山	165000
8	クマコン熊澤	148000		クマコン熊澤	148000
9	ギャブリッジ松尾	137000			
10	トランキーロ清家	161000			
11	トラトラトラ馬渡	325000			
12	パートナリング生岡	148000			
13	ソウルスウェット仲光	264000			

第二引数の末尾に、「#」(ハッシュ) 記号がついていますね。これは、「スピルされたセル範囲を参照する時だけ」に許された、とても強力な書き方です。まずはその挙動を具体的に見てみましょう。

次の図は、=D2#という式がどのような結果になるかを示したものです。H2に=D2#と入力して Enter を押すと、D2セルからスピルした範囲がH列にもスピルで展開されているのがわかりますね。

=D2#

C	D	E	F	G	H
	取引先名	受注金額		No	取引先名
	ギャプリッジ松尾	501000			ギャプリッジ松尾
	トランキーロ清家	487000			トランキーロ清家
	トラトラトラ馬渡	575000			トラトラトラ馬渡
	パートナリング生岡	302000			パートナリング生岡
	ソウルスウェット仲光	528000			ソウルスウェット仲光
	スリップ内山	165000			スリップ内山
	クマコン熊澤	148000			クマコン熊澤

この図からわかるように、この「#」を付けたセル参照は次の2つの能力を持っています。

・#の手前で指定したセルからスピルされている範囲を指定する
・同時に、#を使ったセル参照を入力したセルからも同じ値をスピルする

では、先ほどの式の解読に戻ってみましょう。

```
=SUMIF(元データ[取引先名],D2#,元データ[受注金額])
```

第一引数と第三引数はテーブルの構造化参照で、それぞれ条件列と集計列を指定しています。そして、第二引数のD2につけられた「#」の力によって、この式はD2からスピルされた範囲（D2:D8）を指定すると同時に、この式を入力したE2セルからもこのSUMIF関数を下方向に引き連れていくかのようにスピルさせる力を持っているのです。

その結果、E2セルからE8セルまでの各セルに入っている式はすべて

```
=SUMIF(元データ[取引先名],D2#,元データ[受注金額])
```

という見た目は同じ式ですが、この第二引数の「D2#」は、範囲E2:E8の各

セルにおいて、同じ行にあるD列のセルを参照しています。第二引数は、式の見た目ではどれもD2#であっても、たとえばE3セルではD3セルを、E5セルではD5セルを参照しています。

このように、スピルで展開される式はどのセルでも同じ形になるため、実際にどのセルを参照しているのかが慣れるまではわかりにくいので注意してください。

指定した範囲のデータを並べ替える　～SORT関数

これまでの手順でD:E列に作られた範囲を受注金額の大きい順（降順）に並べ替えた結果を、H:I列に出したいとします。このような時に便利なのが、SORT関数です。

SORT関数の基本

次の図を見てみましょう。

=SORT(D2:E8,2,-1)

D	E	F	G	H	I
取引先名	受注金額		No	取引先名	受注金額
ギャブリッジ松尾	501000			トラトラトラ馬渡	575000
トランキーロ清家	487000			ソウルスウェット仲光	528000
トラトラトラ馬渡	575000			ギャブリッジ松尾	501000
パートナリング生岡	302000			トランキーロ清家	487000
ソウルスウェット仲光	528000			パートナリング生岡	302000
スリップ内山	165000			スリップ内山	165000
クマコン熊澤	148000			クマコン熊澤	148000

H2セルには、以下の式が入っています。

```
=SORT(D2:E8,2,-1)
```

このように、SORT関数は3つの引数があり、それぞれ次の役割を持っています。

・第一引数：並べ替えの対象範囲
・第二引数：第一引数で指定した範囲の中で左から何列めを基準にするか
・第三引数：並べ替えの順序（昇順か降順か、昇順の場合は1、降順の場合は-1）

上記の式は、次の指示をおこなっていることになります。

「D2:E8の範囲を並べ替えます。基準となるのはその2列め（つまりE列）で、順序は降順です」

その結果が、H:I列にスピルされているのが先ほどの図です。

データが何行になろうとその行数分を指定できるようにする

しかし、やはりこの第一引数の指定では、D:E列の行数の変化に対応できません。

「どうやって、D:E列の2行めから最終行までの範囲を自動で指定するか？」

それが課題になります。
そこで思い出すのが、先ほど説明した「#」を使ったスピル範囲の指定方法です。次のような式にすることで、D:E列のデータが何行になろうと、その行数分を指定できるようになります。

```
=SORT(D2#:E2#,2,-1)
```

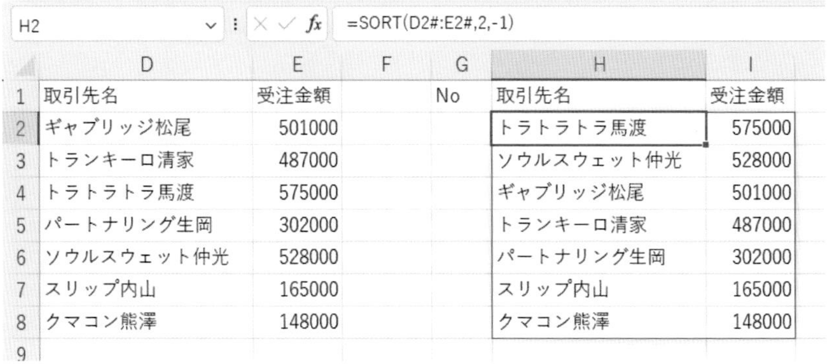

H2 =SORT(D2#:E2#,2,-1)

	D	E	F	G	H	I
1	取引先名	受注金額		No	取引先名	受注金額
2	ギャプリッジ松尾	501000			トラトラトラ馬渡	575000
3	トランキーロ清家	487000			ソウルスウェット仲光	528000
4	トラトラトラ馬渡	575000			ギャプリッジ松尾	501000
5	パートナリング生岡	302000			トランキーロ清家	487000
6	ソウルスウェット仲光	528000			パートナリング生岡	302000
7	スリップ内山	165000			スリップ内山	165000
8	クマコン熊澤	148000			クマコン熊澤	148000
9						

第一引数の範囲指定で、「D2#:E2#」という書き方をしています。通常の範囲指定でも「D2:E8」のように範囲の始点と終点をコロン（:）でつないで表記しますが、それと同じように、「#」で指定した範囲どうしもこのようにコロンでつないで一連の範囲として指定することができます。

このD2#:E2#という書き方で、上の図の場合は範囲D2:E8を指定できています。

並べ替えた結果に順位を表示する

さらに、G列に順位を表示させましょう。G2セルに次の式を入力します。

```
=RANK(INDEX(H2#,0,2),INDEX(H2#,0,2))
```

結果が次の図です。順位がきちんと振られていますね。

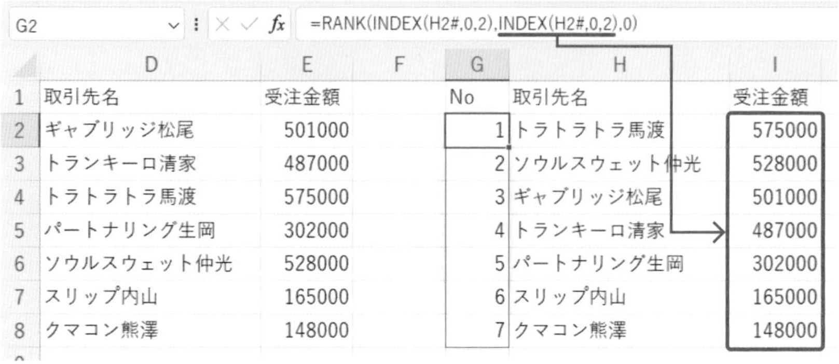

G2 =RANK(INDEX(H2#,0,2),INDEX(H2#,0,2),0)

	D	E	F	G	H	I
1	取引先名	受注金額		No	取引先名	受注金額
2	ギャブリッジ松尾	501000		1	トラトラトラ馬渡	575000
3	トランキーロ清家	487000		2	ソウルスウェット仲光	528000
4	トラトラトラ馬渡	575000		3	ギャブリッジ松尾	501000
5	パートナリング生岡	302000		4	トランキーロ清家	487000
6	ソウルスウェット仲光	528000		5	パートナリング生岡	302000
7	スリップ内山	165000		6	スリップ内山	165000
8	クマコン熊澤	148000		7	クマコン熊澤	148000

RANK関数は、次の書式で、「第一引数に指定した数値が、第二引数に指定した範囲で第何位か」を出してくれます。

【書式】

```
=RANK(数値,範囲)
```

第一引数と第二引数には、INDEX関数が使われています(INDEX関数の詳細はP.135を参照)。INDEX関数は「第一引数に指定した範囲の中で、第二引数で指定した行位置、第三引数で指定した列位置のセルを指定する」という関数ですが、このように第二引数の行位置を0にすると、「第一引数で指定した範囲の中で、第三引数で指定した列全体」を指定できるようになります。つまり、まず第二引数のINDEX(H2#,0,2)の部分は、上図の場合、「H2#……つまり、範囲H2:I8における2列め全体=I2:I8を指定している」という意味になります。

そして、第一引数のほうにもまったく同じ形のINDEX関数が入っています。これは、「#」によるスピルの力で、このG2セルに入力されたRANK関数を8行めまでスピルさせ、かつ各セルでは同じ行にあるH列のセルを参照する役割を果たしています。

条件にあてはまるデータを抽出する　～FILTER関数

最後に、このG:Iの表から「上位3位だけを表示したい」と考えたとしましょう。K2セルに、次の式を入力します。

```
=FILTER(G2#:H2#,G2#<=3)
```

結果が次の図です。

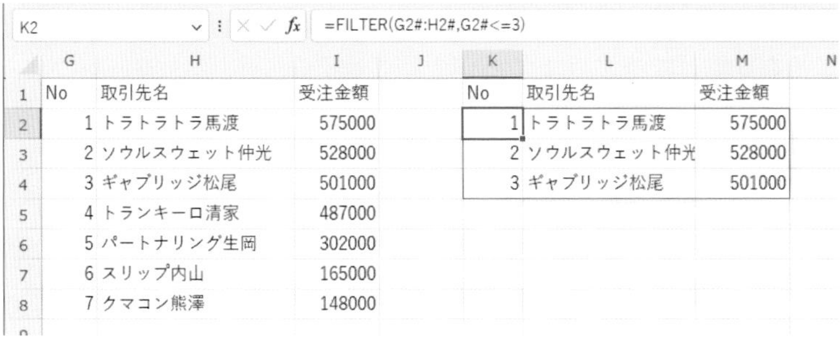

K2　=FILTER(G2#:H2#,G2#<=3)

	G	H	I	J	K	L	M	N
1	No	取引先名	受注金額		No	取引先名	受注金額	
2	1	トラトラトラ馬渡	575000		1	トラトラトラ馬渡	575000	
3	2	ソウルスウェット仲光	528000		2	ソウルスウェット仲光	528000	
4	3	ギャブリッジ松尾	501000		3	ギャブリッジ松尾	501000	
5	4	トランキーロ清家	487000					
6	5	パートナリング生岡	302000					
7	6	スリップ内山	165000					
8	7	クマコン熊澤	148000					

FILTER関数は、その名前からもわかるとおり、指定した条件に一致するデータだけをスピルで表示してくれるものです。引数には次のことを指定します。

・第一引数：対象範囲
・第二引数：抽出する条件

これで、所定の場所にデータを貼るだけで最終成果物として意図した表ができるようになりました。

以上のようなスピルを活用した新関数の登場により、従来は関数だけでやろうとすると非常に難しかったこのような表作成の自動化が非常にかんたんにできるようになりました。

Excelにおいて生成AIはどう活用できるか

「ChatGPT」などの生成AIの登場により、Excelにおいても生成AIをどう活用するかという点に大きく注目が集まるようになってきました。Microsoftからも、生成AIサービス「Microsoft 365 Copilot」「Copilot Pro」が提供されています。これは、Word、Excel、PowerPointなどで、生成AIによる作業支援機能が利用できるようになるというものです。また、AIを駆使した関数が使えるようになるアドイン（Excelに機能を追加できるツールのこと）なども登場してきています。

Copilotは有償であることもあり、一般的に広く使われるのはしばらく先であるという予測から、本書では取り上げません。本書では、執筆時点において一般的な利用が広がってきているChatGPTに絞って、Excel業務にてどのように活用できるかの事例をご紹介します。

結論から申し上げると、Excelにおける生成AI活用が威力を発揮するのは次の2つです。

・データ整形
・分析のたたき台を作る

Excelの関数などについて「わからないことが出てきた際に生成AIに質問してみる」という使い方もよくされてはいますが、これは従来どおりのネット検索でも可能なことです。Excelに限らず生成AIの活用については、そのような情報収集よりも、「面倒な雑用を頼めるアシスタント」としてさまざまな作業を任せる使い方が成果をあげています。Excelの関数や機能を自分で駆使するだけでは不可能な作業までも可能になるのが、生成AI活用の真骨頂です。

ピリオドとカンマを打ちまちがえたデータを整形する

「このメールアドレス、ピリオドとカンマを打ちまちがえてるじゃん……」

次のように、カンマ区切りで作られたテキストファイルをExcelのシートに取り込みたい場合、どうすればいいでしょうか。

ファイル　編集　表示

```
コード,氏名,メールアドレス,生年月日
001,吉田神拳,yoshida.shinken@sugoikaizen,com,1975/11/12
002,布袋寅泰,hotei.tomoyasu@sugoikaizen.com,1962/2/1
```

目的は、カンマごとに区切られた値を各セルに入力することです。

まず、このデータの全行をコピーしてExcelシートのA1セルにペーストすると、次のような状態になります。

	A	B	C	D	E	F
1	コード,氏名,メールアドレス,生年月日					
2	001,吉田神拳,yoshida.shinken@sugoikaizen,com,1975/11/12					
3	002,布袋寅泰,hotei.tomoyasu@sugoikaizen.com,1962/2/1					
4						

これを各セルに分割するには、「データ区切り」機能を使います（P.260を参照）。

すると、次のように2行めのデータが1列分ずれた結果になってしまいました。これはどういうことでしょうか。

	A	B	C	D	E
1	コード	氏名	メールアドレス	生年月日	
2	1	吉田神拳	yoshida.shinken@sugoikaizen	com	1975/11/12
3	2	布袋寅泰	hotei.tomoyasu@sugoikaizen.com	1962/2/1	
4					

最初のテキストファイルのデータをよく見てみると、2行めのメールアドレスにて本来ピリオドを入力すべきところにカンマが入力されてしまっています。これが原因で、正しく各セルに分割できない……という問題が起きているのです。数が少なければその誤入力を修正すればいい話ですが、件数が多いとすべて修正していくのは大変です。

ところが、ChatGPTに頼めば、このようなデータもきちんと処理してもらうことが可能です。

❶ ChatGPTに対象のテキストファイルをアップロードする

まず、Webブラウザにて、ChatGPTのサイトにアクセスします。

https://chat.openai.com/auth/login

開いた以下の画面上にファイルをドラッグ&ドロップするか、プロンプト（ChatGPTへ依頼や指示をする文章）入力欄のクリップマークをクリックして、アップロードするファイルを指定します。

How can I help you today?

旅行を計画する
アイスランドでの写真撮影の探検のために
オプション取引を説明する
もし私が株の売買に詳しい場合
選ぶのを手伝ってください
ガーデニングが好きな母への誕生日プレゼント
スプレッドシートの数式を書く
日付を曜日に変換する
sample.txt
ドキュメント
Message ChatGPT...

❷ プロンプト入力欄に次のように入力して、[送信]ボタンをクリックします。

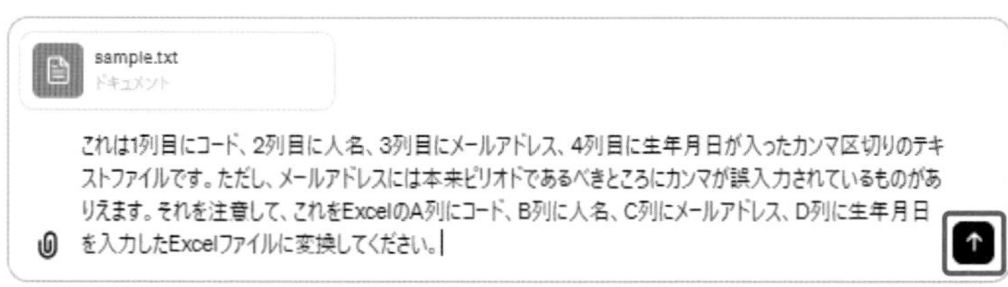

sample.txt
ドキュメント
これは1列目にコード、2列目に人名、3列目にメールアドレス、4列目に生年月日が入ったカンマ区切りのテキストファイルです。ただし、メールアドレスには本来ピリオドであるべきところにカンマが誤入力されているものがありえます。それを注意して、これをExcelのA列にコード、B列に人名、C列にメールアドレス、D列に生年月日を入力したExcelファイルに変換してください。
ChatGPT can make mistakes. Consider checking important information.

❸ 処理が完了すると、ダウンロード用のリンクが提供されます。

You

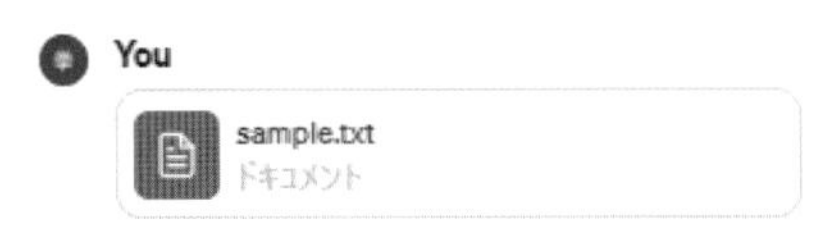

これは1列目にコード、2列目に人名、3列目にメールアドレス、4列目に生年月日が入ったカンマ区切りのテキストファイルです。ただし、メールアドレスには本来ピリオドであるべきところにコンマが誤入力されているものがありえます。それを注意して、これをExcelのA列にコード、B列に人名、C列にメールアドレス、D列に生年月日を入力したExcelファイルに変換してください。

ChatGPT

Error analyzing

The process to convert the text file encountered an issue due to an unexpected format in the data. It seems like some lines may contain more columns than anticipated. I will adjust the approach to handle this inconsistency and then proceed with converting the data into the desired Excel format. Let's try again. [>-]

The data from the text file has been successfully converted and corrected into an Excel format. You can download the Excel file using the following link: Download Excel File. [>-]

ダウンロードされたExcelを開くと、次のようにきちんと処理された状態になっています。

	A	B	C	D
1	Code	Name	Email	Birthdate
2	001	吉田神拳	yoshida.shinken@sugoikaizen.com	1975/11/12
3	002	布袋寅泰	hotei.tomoyasu@sugoikaizen.com	1962/2/1
4				
5				

住所を分割する

もう1つのケースとして、住所や人名データを分割する作業で活用された事例を紹介します。住所から都道府県だけ取り出すなら、本書で紹介した関数処理でも十分可能です（P.174を参照）。しかし、都道府県、市区名、町名、地番、建物名……などに分割するとなると、難しい作業になります。

今回はExcelファイルをアップロードするのではなく、次のようにChatGPTのプロンプト欄に住所を入力し、それを分割したデータが入力されたExcelをファイルを作ってもらう方法を紹介します。

ChatGPTのプロンプト欄に次のように入力して、[送信] ボタンをクリックします。

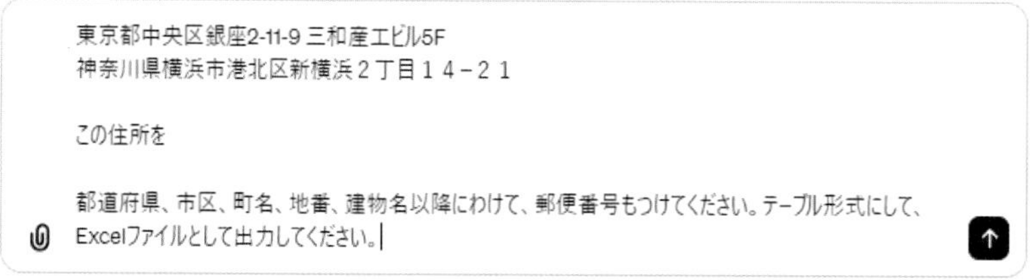

東京都中央区銀座2-11-9 三和産エビル5F
神奈川県横浜市港北区新横浜２丁目１４−２１

この住所を

都道府県、市区、町名、地番、建物名以降にわけて、郵便番号もつけてください。テーブル形式にして、
Excelファイルとして出力してください。

プロンプトの書き方にはさまざまなノウハウがあると言われていますが、まずはあまり考えすぎずに、素直な言葉で依頼内容を書いてみましょう。ここでは、分割してほしい住所のテキストを貼り付けたうえで、実行してほしい依頼内容を具体的に書いています。意図どおりの結果が出力されない場合は、何度かプロンプトを書き直す試行錯誤を繰り返すことで精度が高まっていきます。

住所を分割するだけではなく、郵便番号もつけてほしいという依頼もしています。生成AIはインターネット上から情報を収集して回答を出すため、このような処理も可能です。

また、「どのような形でデータがほしいか」も明記しています。「テーブル形式で」と指定しないと、分割した各要素を縦に並べて表示される結果になることもあります。

さらに、「Excelファイルとしてダウンロードできるようにしてほしい」という依頼をすることで、そのまま使えるExcelデータとして処理されたデータを入手できます。

今回は、次のようなExcelファイルをダウンロードさせてくれました。

	A	B	C	D	E	F
1	都道府県	市区	町名	地番	建物名以降	郵便番号
2	東京都	中央区	銀座	2-11-9	三和産エビル5F	104-0061
3	神奈川県	横浜市港北区	新横浜	2丁目14-21		222-0033
4						
5						

人名を苗字と名前に分ける

人名を苗字と名前に分けるのも、苗字と名前の間に半角スペースなどの区切りがあれば関数でも難なく処理できますが（P.177を参照）、くっついてしまっている場合はもう不可能です。しかし、そうした処理も、ChatGPTであれば対応できる可能性があります。

今回は、次のような内容のExcelファイルをアップロードしました。

	A	B	C
1	氏名	苗字	名前
2	乾康弘		
3	吉田拳		
4	伊集院豪		
5	勅使河原聡美		
6			

次に、プロンプトを考えます。ここでは、有名なプロンプト作成方法である「深津式プロンプト」の活用例をご紹介します。深津式プロンプトは、ChatGPTの回答精度を上げる効果が大きいという評価が高い書き方で、以下のように、「命令書」「制約条件」「入力文」「出力文」の4つのパートを用意するのが特徴です。

#命令書：

あなたは、優秀な校閲者です。

こちらのExcelファイルはA列に日本人の人名が入力されています。

この人名を苗字と名前に分割してください。

この人名から、推測される苗字をB列に、推測される名前をC列に抽出したExcelファイルをダウンロードできるようにしてください。

この人名には区切り文字がないため、完璧に正しい推測は難しいと思いますので、推測可能な範囲で構いません。

#制約条件：

回答は日本語で出力してください。

いくつか苗字の例を提示します。

・吉田拳の苗字は「吉田」です。

・王貞治の苗字は「王」です。

・大仁田順の苗字は「大仁田」です。

・勅使河原権蔵の苗字は「勅使河原」です。

・星衛の苗字は「星」です。

#入力文：

添付のExcelファイルのA列２行め以降の各行にあるセルの値が処理対象になります。

#出力文：

処理を完了した状態のExcelファイルをダウンロードできるようにしてください。

このタスクにおいて、最高の結果を出すために、追加の情報が必要な場合は、逆質問をしてください。

紙面の都合でここでは詳細の解説は割愛しますが、ぜひ検索して活用してみてください。

結果として作成されたExcelファイルの内容は以下です。

	A	B	C
1	氏名	苗字	名前
2	乾康弘	乾	康弘
3	吉田拳	吉田	拳
4	伊集院豪	伊集院	豪
5	勅使河原聡美	勅使河原	聡美
6			

データ分析ではたたき台づくりに活用する

データ分析や資料作成においては、とりあえず「ちょっとこのデータ、適当に分析してみて」と依頼をかけて、たたき台を作るのに向いています。かんたんな帳票やグラフの作成をしてもらうことも可能ですし、データから読み取れる概況などについても平易なコメントで説明してくれます。これはいろいろ試してみると、おもしろい発見につながる事例が多々出ています。

また、次のような使い方で実際に成果を挙げている企業があります。

- **採用活動において、多数の応募者から自社とマッチング度の高い候補者を優先して面接スケジュールを組みたい**
- **多数の見込み客リストから、優先して商談する相手を選定してほしい**

「本当にAIなんかにそんな判断を任せていいのか……」というご意見もあると思いますが、では人間なら完璧な答えが出せるかというと、それも答えはNOでしょう。

このような作業では、人間がやった場合の結果と生成AIがやった場合の結果がほぼ変わらない精度になってきており、「ならば、そこに人間の時間を割く必要もない……」という判断で活用されています。

生成AIを利用するうえでの注意点

ここまでChatGPTの活用例を紹介してきましたが、ChatGPTは万能ではありません。注意していただきたいのは次の3点です。

① 処理精度は100%完璧ではない
② 毎回同じ精度で処理されるとは限らない（波がある）
③ 混雑時などは処理が進まないこともある

ChatGPTが出してくる回答文は毎回異なり、同じ文章が毎回出てくるわけではありません。また、データの処理も毎回確実に同じ結果を出してくれるとは限りません。昨日は完璧にできたことが今日はできない……といった波があることもあります。

作りたい表の形や項目が具体的に決まっているなら、自分の作りたいとおりに自分の手で作る、またはマクロを用意するほうが、最終的に速くかつ正確です。たとえば、本書の第10章でご紹介しているような資料作成などは、AIにそのままやってもらうほうが大変です。

しかしそれでも、たとえばデータ処理を10000件おこなう必要がある際に、すべて人力でやるよりは、いったん生成AIにやってもらったあとに人間が精査していくほうが、工数がはるかに少なくなる可能性があります。この点を念頭において、生成AIをExcelの補助的な作業で使いこなしていくことを推奨します。

「生成AIを使えば、もう人間がExcelを使う必要などなくなる」

そのような期待の声をよく目にします。しかし、前述のとおり、ルーティンワークとしてのデータ作成などを正確におこなっていくのには、生成AIの活用は現時点では向いていません。

「主体的に仮説を持った人間に必要な資料は、意図どおりの資料になるように人間が作ったほうが、結局は速い」

それが認識しておくべき大事な基本になります。

過度な期待はせずに、本章で紹介したような活用法をお試しいただくのが、当面は正解です。

第9章

グラフを使いこなす

5大グラフの使い方を理解する

Excelは数字を表にして整理するものですが、数字の表ではわかりにくい内容、伝わりづらい状況があります。そんなときに、ビジュアルで直感的に理解してもらうために作るのがグラフです。

一般的にビジネス資料で使われるグラフは、棒グラフ、折れ線グラフ、円グラフ、散布図、バブルチャートの「5大グラフ」で、それぞれ得意とする表現があります。ここで各グラフの基本をかんたんに押さえておきましょう。

棒グラフと折れ線グラフ　～比較と推移

たとえば、「会社の売上が右肩上がりに伸びている」という状況を説明したいとします。これは売上の推移の表現でもあり、一方では期間ごとの大小比較でもあるといえます。このようなケースで変化をわかりやすく表現するのが、棒グラフと折れ線グラフです。次の2つのグラフは、どちらも売上が右肩上がりで上昇していることがよくわかります。矢印や数字の記入を加えることで、メッセージをより強調することができます。

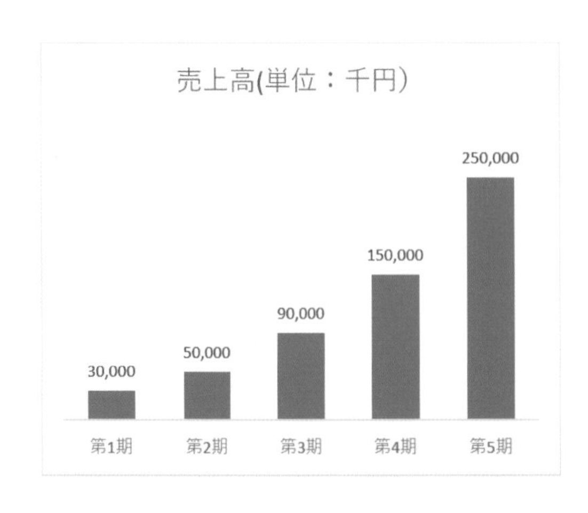

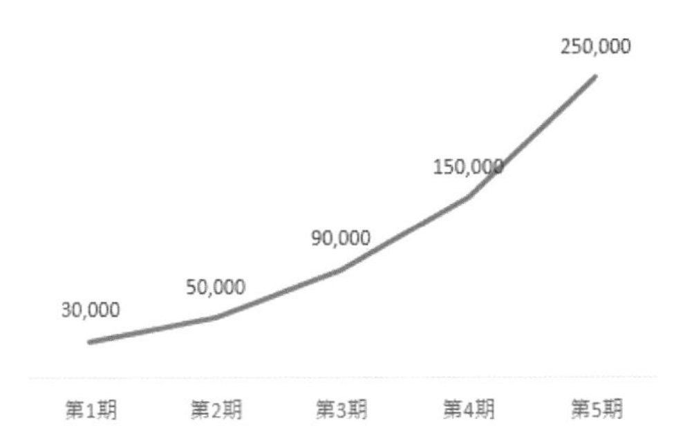

どちらも同じ内容を表現できますが、このように1つの対象の要素の推移を表現する場合は、どちらかといえば棒グラフがよく使われます。折れ線グラフは点で数字の変化を表現するのみである一方、棒グラフは数字を積み重ねた結果としての「量」や「大きさ」のイメージも表現することが可能になり、プレゼンテーションでの視覚的なインパクトを与えることができるのがその理由です。

一方、たとえば「A社とB社の売上推移を比較して見たい」など、複数の対象の要素の推移を表現したい場合は、折れ線グラフのほうがわかりやすくなります。

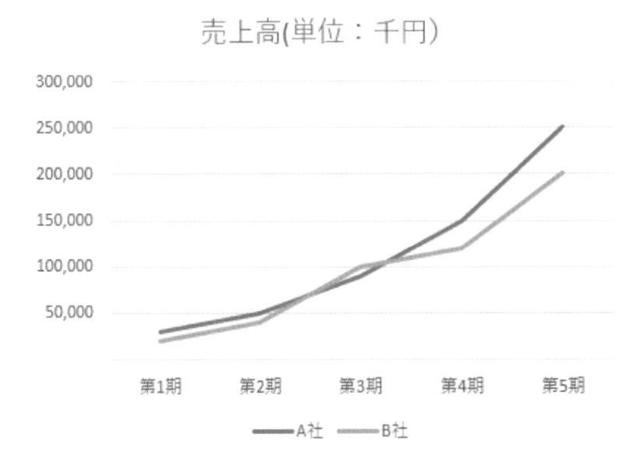

なお、棒グラフは大きく分けて縦棒グラフ、横棒グラフの2種類があり、それぞれに積み上げ棒グラフ、100%積み上げ棒グラフという種類があります。

縦棒グラフと横棒グラフの使い分けについてはほとんど好みの問題ですが、項目の文字数が長い場合などには横棒グラフのほうがスマートになります。

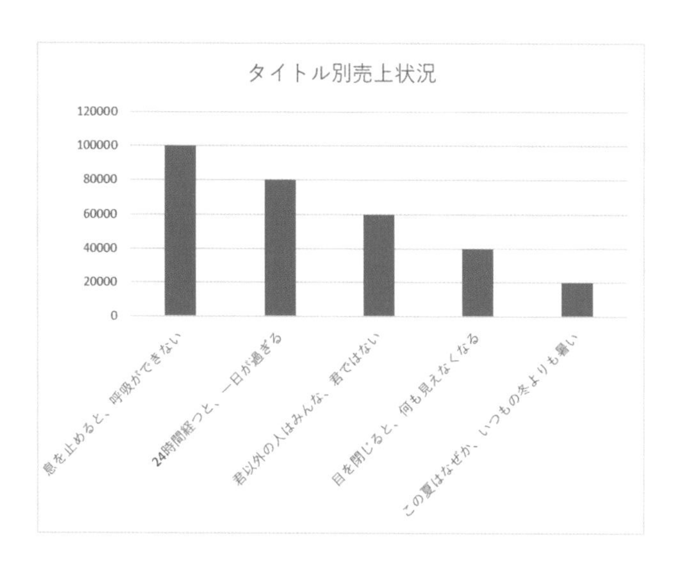

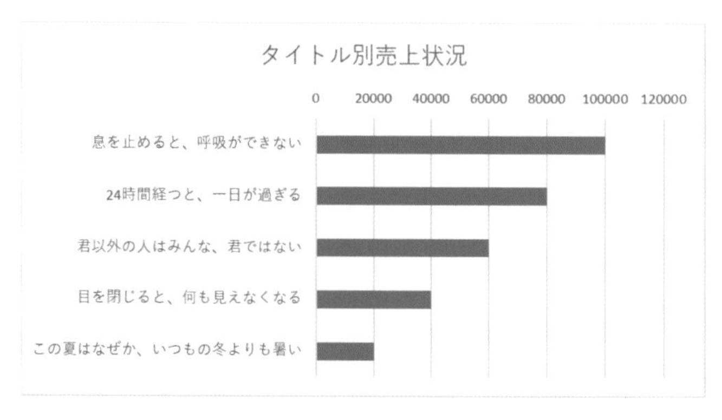

積み上げ棒グラフは、数字の内訳を表現するのに適しています。

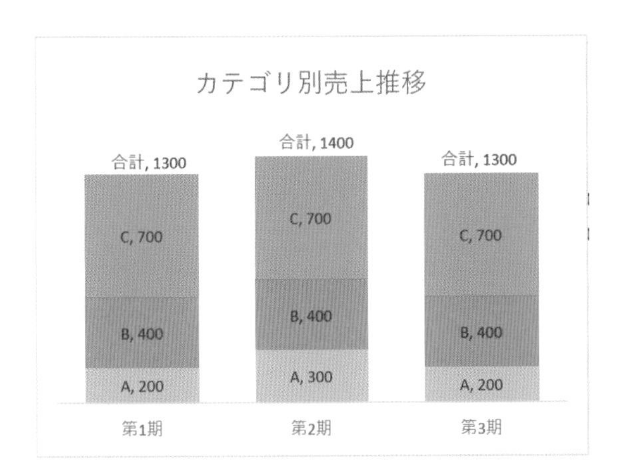

また、100%積み上げ棒グラフは「構成比の比較」に使われます(P.332を参照)。

円グラフ　～内訳構成比

数字の「内訳」や「構成比」を表すのに多用されるのが円グラフです。

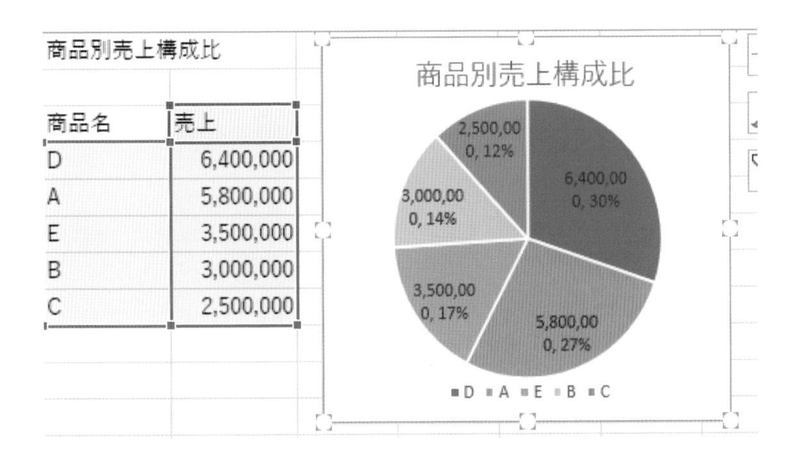

商品別売上構成比

商品名	売上
D	6,400,000
A	5,800,000
E	3,500,000
B	3,000,000
C	2,500,000

円グラフは、構成比が大きいものから順に時計回りに配置するのが基本です。元データも、上図のように降順に並べ替えてあります。

構成比の「推移」や「比較」を表現する際は、円グラフよりも、棒グラフの一種である「100%積み上げ棒グラフ」のほうが表現しやすくなります。

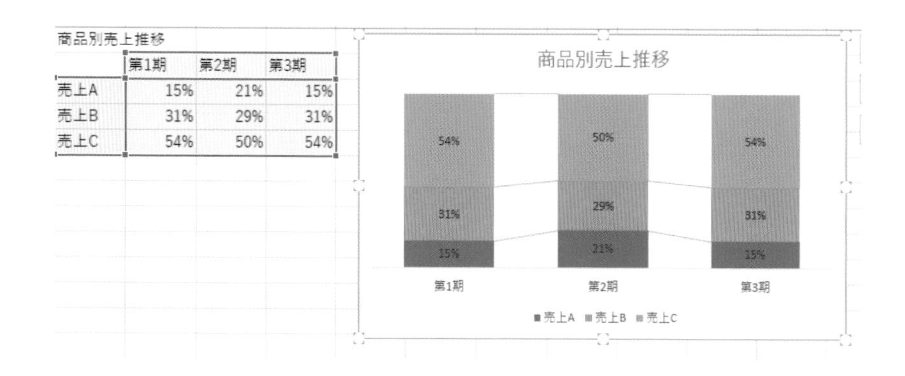

商品別売上推移

	第1期	第2期	第3期
売上A	15%	21%	15%
売上B	31%	29%	31%
売上C	54%	50%	54%

散布図　～2つの数字の相関

「アポイントの獲得数と売上は比例するのか」
「気温が高い日はビールがたくさん売れるのか」
「サイトへのアクセス数と売上は関係あるのか」

そんな「2つの数字の相関関係」を調べるのに使われるのが「散布図」です。グラフ上に散りばめられた点がどのような状態になっているかを観察し、次の基準で2つの数字に相関関係がある・ないと推測します。

正の相関がある

「横軸の数字が大きいものは、縦軸の数字も大きくなる」という傾向を表しています。

たとえば、「夏の平均気温が高いほうがビールの売れ行きも上がる」といったような関係が正の相関にあてはまります。

負の相関がある

「横軸の数字が大きいほど、縦軸の数字が小さくなっていく」という反比例的な傾向を表しています。

たとえば、「社内での会議に要する総時間が長ければ長いほど、売上は小さくなっていく」といったような関係が負の相関にあてはまります。

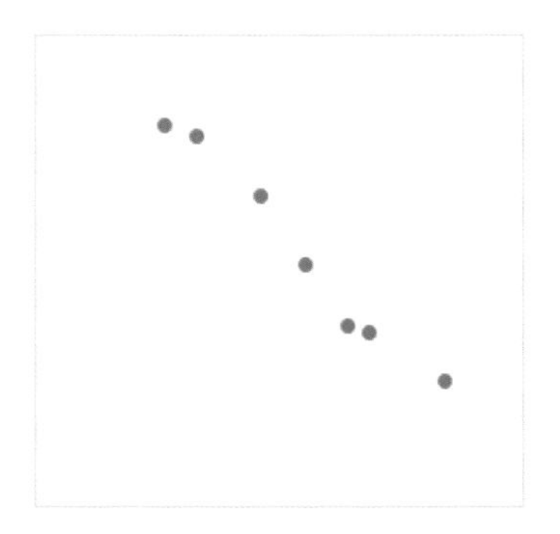

相関はない

2つの数字の間にまったく相関関係がない状態です。

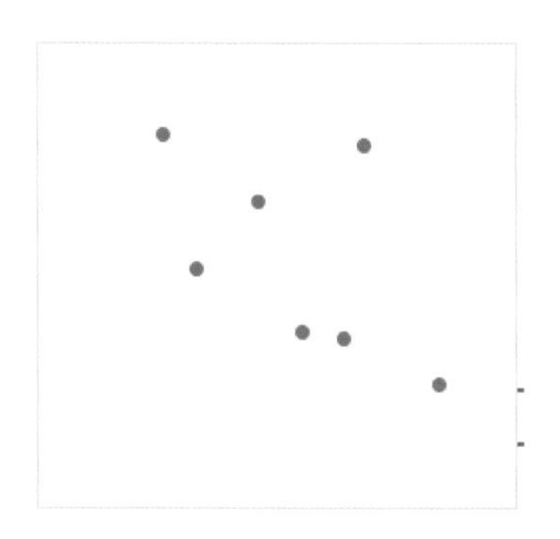

ここで「推測」という表現を使ったのは、たとえ相関関係がある状態の散布図になっても、それは単なる偶然だったり、じつは無関係だったりということもあるからです。グラフを見る際は、常に少し懐疑的な姿勢が必要です。

バブルチャート　～3つの数字の関連

散布図はグラフ上に点を散りばめただけでしたが、その各点にさらに「大きさ」を持たせることによって「3つの数字の関連」を表せるのがバブルチャートです。

次のバブルチャートは、各営業マンの「アポイント獲得数」「売上成績」「平均受注単価」の3つを表したバブルチャートの事例です。このバブルチャートからは、「アポイント獲得数が少なくても売上成績が高い社員は平均受注単価が大きい」という情報が読み取れます。

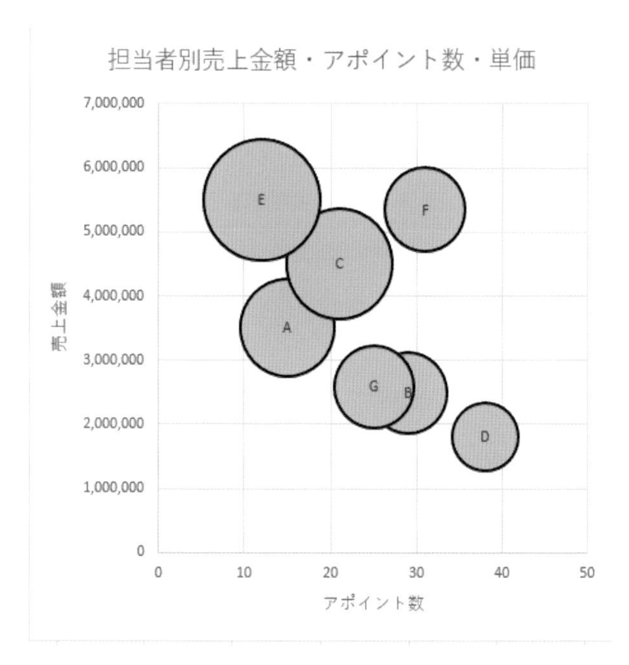
担当者別売上金額・アポイント数・単価
7,000,000
6,000,000
5,000,000
4,000,000
3,000,000
2,000,000
1,000,000
0
売上金額
E
F
C
A
G
B
D
0
10
20
30
40
50
アポイント数

グラフづくりに最低限必要な知識

Excelでは極めて直感的にグラフを作成できるので、大まかなメニューさえ押さえておけば、細かい操作法をあらかじめ覚える必要はありません。本当に最低限必要な知識だけ押さえておきましょう。

バージョンによってタブ画面が異なることに注意

本章では、Excelに関する操作の解説をOffice 365の画面、名称を使っておこないます。特に、作成されたグラフをクリックするとタブに現れるグラフに関するメニューは、Excel 2013以降の各バージョンでは次のように異なるのでご留意ください。

Excel 2013、Excel 2016

「グラフツール」の下に「デザイン」「書式」の2つが表示。

グラフ ツール
デザイン　書式

Excel 2010までの「レイアウト」タブでおこなわれていたグラフ要素に関する操作は、「デザイン」タブの「グラフ要素の追加」にて可能です。

さらに、グラフをクリックすると、グラフ右上に次の3つのボタンが表示されるようになりました。

・グラフ要素
・グラフスタイル
・グラフフィルター

Excel 2019、Office 365以降

「グラフツール」という表示はなくなり、「グラフのデザイン」と「書式」の2つが表示。

グラフのデザイン　書式

本章に出てくる「グラフのデザイン」タブは、Excel 2016以前では「デザイン」タブに該当します。

データソースを用意する

グラフを作成するには、まずシート上にグラフの材料となる表、「データソース」を用意します。

たとえば、次の図は、ある会社の第1期から第5期までの売上表と、それをデータソースとして作ったグラフです。

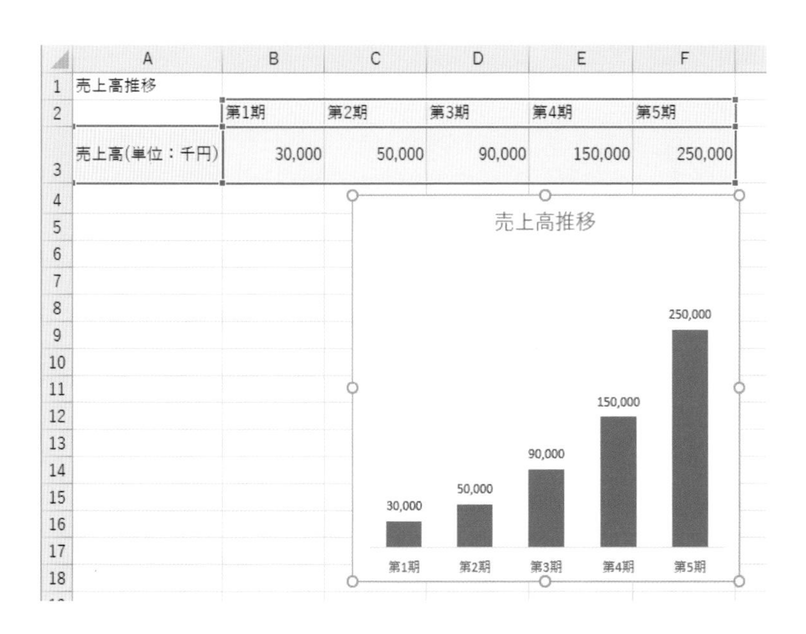

	A	B	C	D	E	F
1	売上高推移					
2		第1期	第2期	第3期	第4期	第5期
3	売上高(単位：千円)	30,000	50,000	90,000	150,000	250,000

データソースA2:F3は、次の「軸ラベル」「系列名」「系列値」の3つのパートからから成り立っており、それぞれ次の範囲に該当します。

・軸ラベル　→　B2:F2
・系列名　→　A3
・系列値　→　B3:F3

それぞれが、グラフのどこに、どのように反映されるかを、このあと見ていきます。

グラフ作成の具体的な手順は、次の2ステップです。

❶ データソースである範囲（ここではA2:F3）を選択する。

❷「挿入」タブの「グラフ」から作りたいグラフ種類のアイコンをクリックしていく。

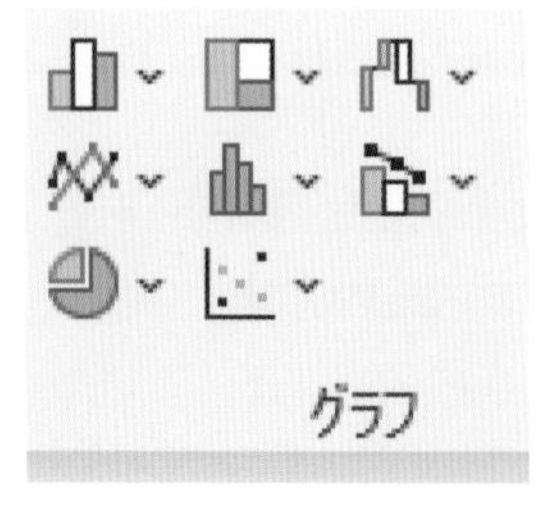

上記のグラフの場合、「縦棒グラフ」をクリック→「2-D縦棒」から「集合縦棒」をクリックするだけで作れます。

2-D 縦棒

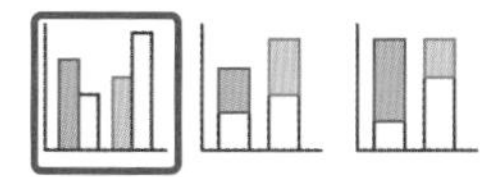

3-D 縦棒

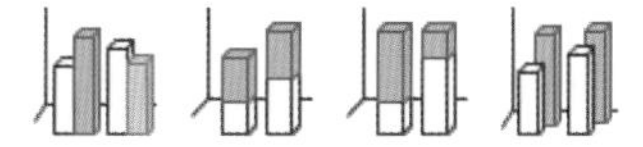

2-D 横棒

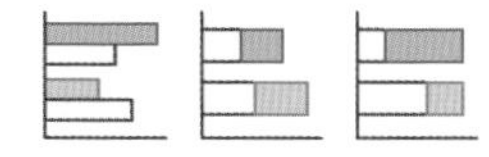

3-D 横棒

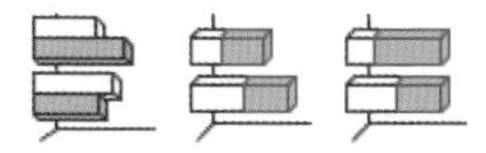

その他の縦棒グラフ(M)...

COLUMN

標準グラフの設定を変える

データソースの範囲を選択した状態でショートカット Alt + F1 を押すだけでもグラフができます。この Alt + F1 は「標準グラフ」に設定されているグラフを作るショートカットで、初期設定では縦棒グラフに設定されています。この「標準グラフ」を変更するには、次のようにします。

［挿入］タブの［グラフ］グループにある［おすすめグラフ］をクリック
→［すべてのグラフ］タブをクリック
→左側に並んでいるグラフの種類をクリックし、右側に出る細分化された各種グラフのいずれかを右クリック
→［標準グラフに設定］という吹き出しをクリック

「系列名」「系列値」「軸ラベル」を理解すると グラフづくりがスムーズになる

次に、グラフ上に表示される各系列が何を意味するかを説明する「凡例」を出してみましょう。このようなグラフ要素の有無は、[グラフ要素] ボタンで設定します。

グラフをクリックすると、グラフの右上に十字のマーク [グラフ要素] ボタンが出ます (Excel 2013以降のみ)。この [グラフ要素] ボタンをクリックすると出てくる各種のグラフ要素……たとえば「グラフタイトル」や「軸ラベル」などの有無は、ここで設定できます。

各項目にカーソルを合わせると、右側に右向きの三角形が出てきます。そこにカーソルを合わせると、さらに詳細な選択肢が出てきます。

COLUMN

リボンの [グラフ要素の追加] には [グラフ要素] ボタンにはないメニューも

グラフ要素に関するこのような設定は、グラフをクリックするとリボンに出てくる [グラフのデザイン] タブ→ [グラフ要素の追加] をクリックして出てくる各メニューでも同様の操作ができます。この [グラフ要素の追加] には、「線」など、[グラフ要素] ボタンにはないメニューも含まれています。

今回は［凡例］にカーソルを合わせ、さらに位置として［上］を選ぶと、次のように「売上高（単位：千円）」という表示の凡例が出てきます。

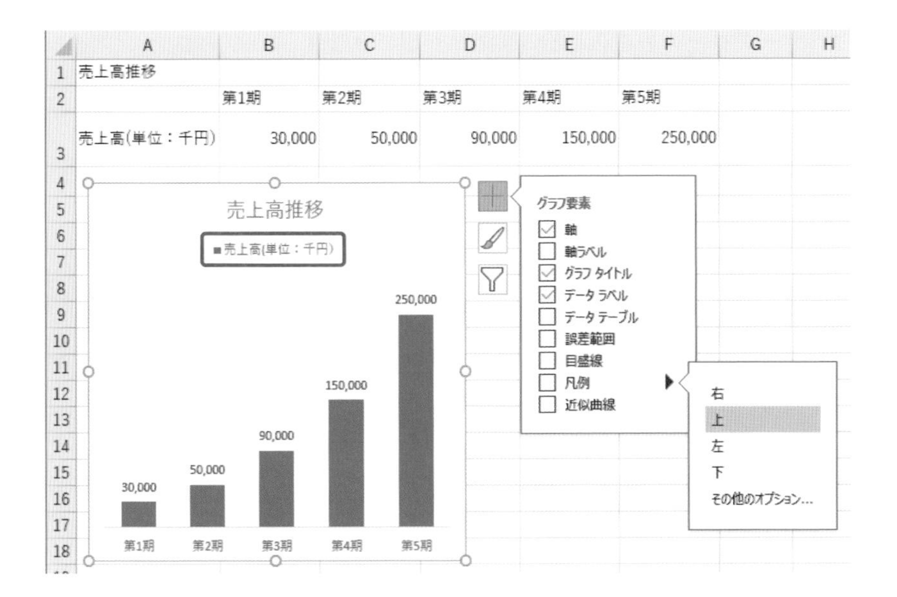

この凡例に出てくる項目のことを「系列名」と呼び、その名称にはデータソースのA3セル、「系列名」の値が使われています。

そして、グラフの横軸目盛りに出てくる「第1期」「第2期」などの部分を「横（項目）軸」と呼び、データソースのB2:F2、つまり「軸ラベル」の範囲の値が使われています。そして、B3:F3の「系列値」の値が棒グラフとして表されているわけです。

この「系列名」「系列値」「軸ラベル」がデータソースのどこにあたるかを改めて確認できるのが、[データソースの選択]画面です。グラフを右クリックすると出てくるメニューから[データの選択]を選ぶと、次のような[データソースの選択]という画面が出てきます。

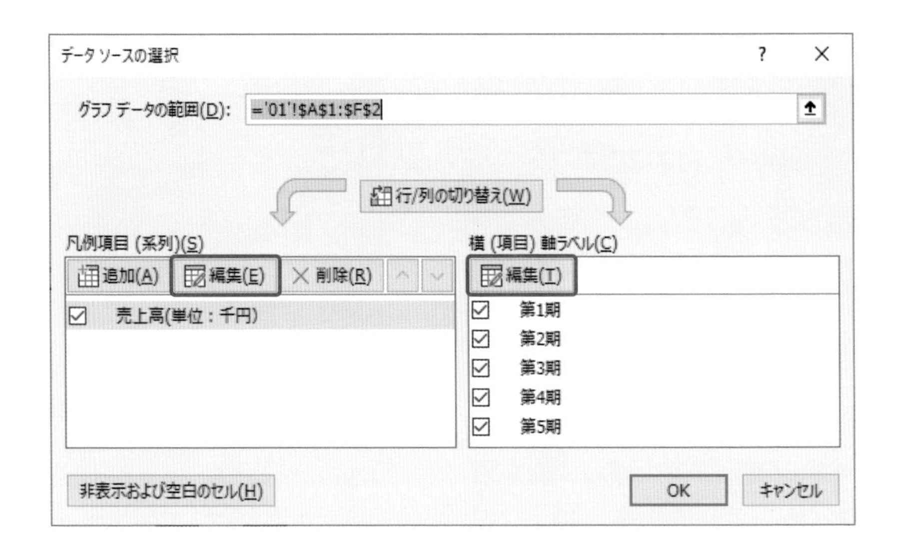

左下側に「凡例項目(系列)」という欄があります。ここに出てくる項目を「系列名」と呼び、これらが凡例に出てくる「系列名」に使われます。

[編集]ボタンをクリックすると、「系列名」と「系列値」にどの範囲が使われているかがわかります。

系列の編集

系列名(N):

='01'!$A$3 = 売上高(単位：千円)

系列値(V):

='01'!$B$3:$F$3 = 30,000, 50,000...

OK キャンセル

そして、その右側には［横（項目）軸ラベル］という欄があり、その中に並んでいる項目をまとめて「軸ラベル」と呼ぶわけです。

同じく［編集］ボタンをクリックすると、軸ラベルにはどの範囲が使われているかがわかります。

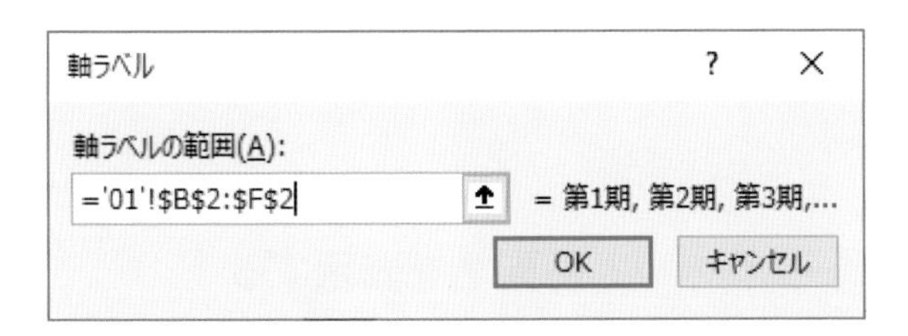

「系列名」「系列値」「軸ラベル」を意識してデータソースを用意することで、イメージどおりのグラフをスムーズに作ることが可能になります。

グラフタイトルや軸ラベルでセル参照を使う

先ほどのグラフでは、グラフタイトルはA1セルの値を参照する方法で入力しています。

グラフタイトルや軸ラベルの文字列は、直接入力するだけでなく、セル参照もできることを知っておくと大変ラクになります。やり方はとてもかんたんです。

❶ グラフタイトルや軸ラベルのボックスをクリックする。
❷ 数式バーにイコール(=)を入力する。
❸ 参照したいセルをクリックして Enter を押す。

これで、セルの値を変更したら、連動してグラフタイトルも変わるようになります。

「見やすいグラフ」にするためのコツ

グラフを見た人のスムーズな理解を助けるために、ビジュアル面でできる工夫を紹介します。この説明を通して、さまざまなグラフのカスタマイズ方法を理解してください。

凡例をなくして、データラベルで系列名を表示する

先ほどは「系列とは何か」を説明するために凡例を出しましたが、凡例は使わないほうが理解しやすいグラフになるケースは多いです。たとえば次の折れ線グラフでは、A社とB社の売上推移を示していますが、どちらの系列がA社なのかB社なのか、凡例で確認する必要があります。このグラフは系列が2つなのでまだいいですが、系列数が増えてくると、どれがどの線だか大変わかりづらくなってしまうわけです。

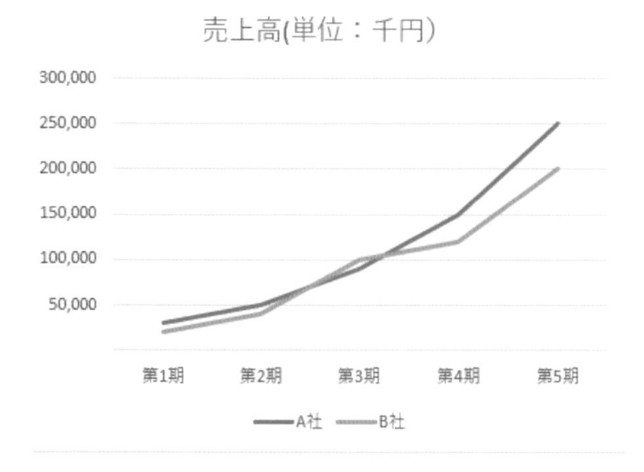

なので、グラフ上で各系列の数値や系列名を表示する「データラベル」を使って、各折れ線の右端に系列名を表示してみましょう。

❶ 系列を1つクリックすると、系列全体が選択された状態になる。

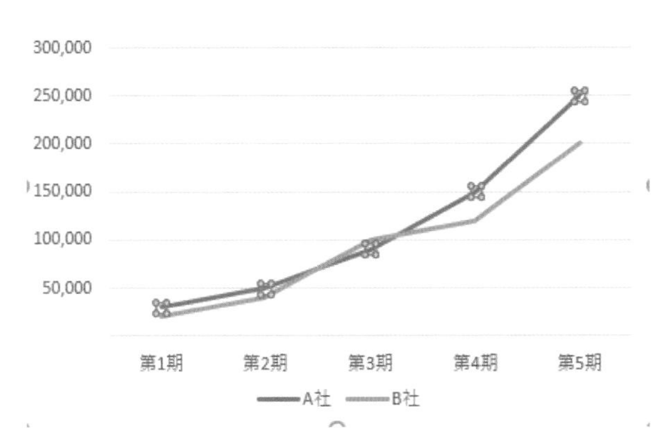

❷ もう1回右端の選択状態の部分をクリックすると、右端だけが選択状態になる。

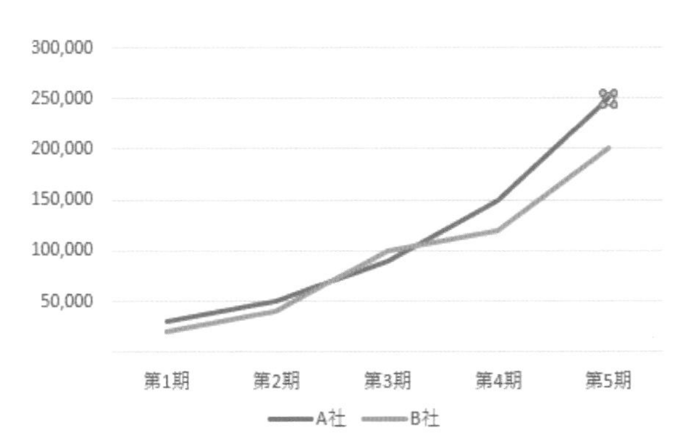

❸［グラフ要素］ボタンをクリック→［データラベル］にカーソル合わせると出てくる三角ボタンをクリック→［その他のオプション］をクリックする。

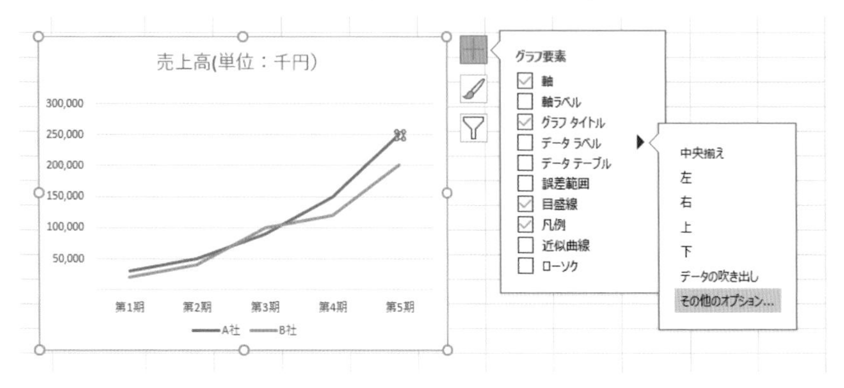

❹［データラベルの書式設定］画面で［系列名］にチェック、［値］からチェックを外す。

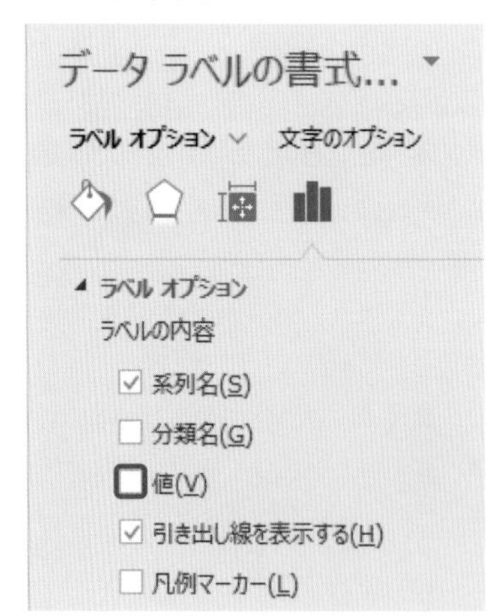

すべての系列でこの作業をおこない、データラベルの系列名のみを表示して凡例を消すと、次のようになります。

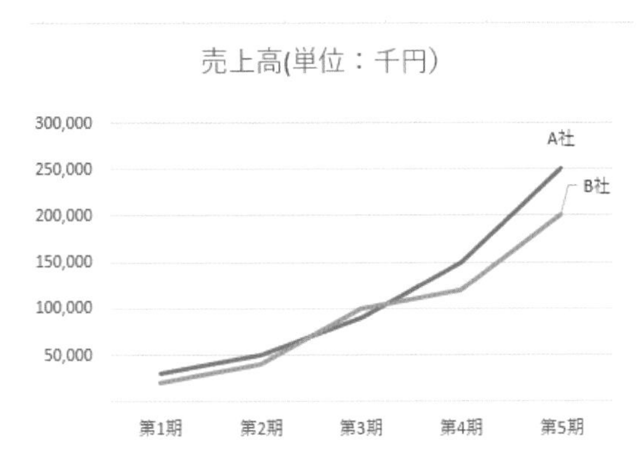

凡例を見つつ、「どの線がどの会社かな……」と確認しながら見ていくよりは、はるかに読みやすいグラフになっています。

目盛線を消す

見た目的にスッキリさせたほうがわかりやすくなる場合は、目盛線を消すのも1つの方法です。

目盛線上をクリックすると、次のように目盛線の両脇に青いポイントが出て、選択状態になります。

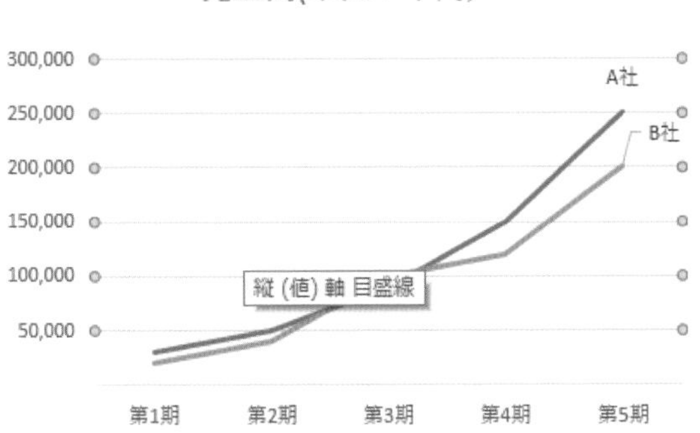

この状態で Delete を押すと、目盛線が消せます。

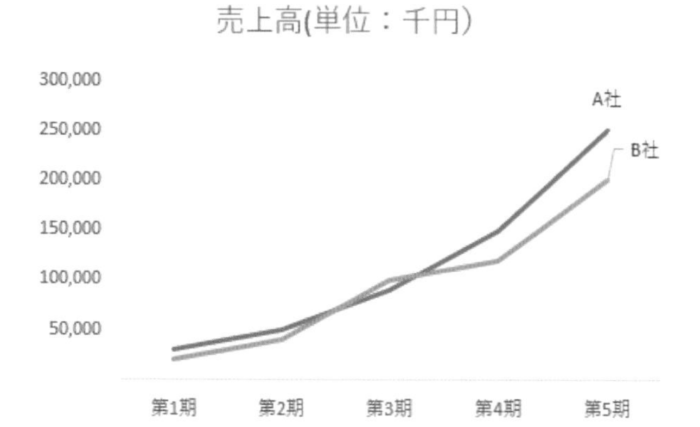

同じことが、次の方法でも実現できます。

- ［グラフ要素］ボタンをクリック→「目盛線」からチェックを外す
- ［グラフのデザイン］をクリック→［グラフ要素の追加］アイコンをクリックして出てくるメニューから操作する

このように、同じグラフの操作でも、いくつかの方法があります。

グラフに基準線を引く

「グラフ上で表される各数字が、平均や目標などの一定の基準を超えているか」などを確認したいという目的で、グラフに次の赤線のような基準線を引きたいケースがあります。

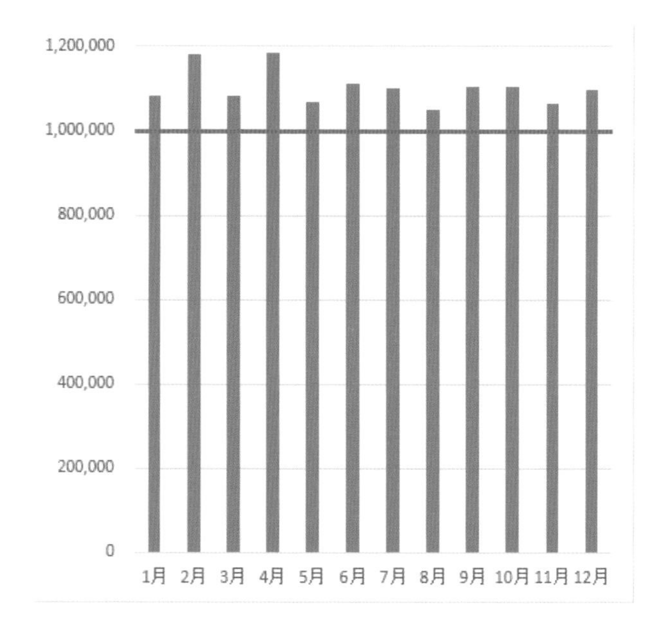

1回限りのグラフ作成なら、グラフ上にオートシェイプで直線を引けばいい話なのですが、このようなグラフを繰り返し作るなどの場合はもっと効率化を考えます。

基準線を引くという機能は、Excelグラフの基本機能にはありません。「横一直線の折れ線グラフを追加して、基準線に見せかける」という、ちょっと強引なやり方にはなります。

たとえば月次の売上を表す棒グラフに、100万円のところで基準線を入れたいとします。

❶ データソースに基準線の列を追加し、基準線を引きたい数字でその列のセルを埋めておく。

	A	B	C
1	月	売上高	基準値
2	1月	1,082,443	1,000,000
3	2月	1,182,371	1,000,000
4	3月	1,084,187	1,000,000
5	4月	1,186,371	1,000,000
6	5月	1,070,994	1,000,000
7	6月	1,111,249	1,000,000
8	7月	1,102,443	1,000,000
9	8月	1,050,541	1,000,000
10	9月	1,107,186	1,000,000
11	10月	1,104,433	1,000,000
12	11月	1,065,550	1,000,000
13	12月	1,098,858	1,000,000

❷ 範囲を選択して Alt ＋ F1 を押し、縦棒グラフを作成する。

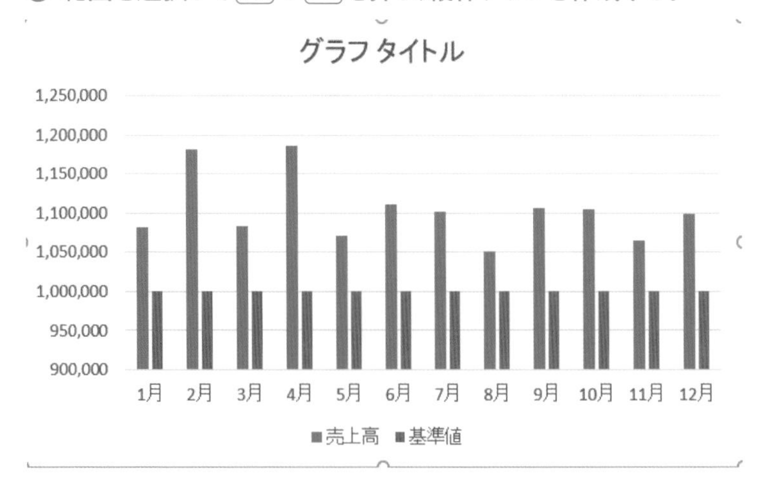

❸ グラフを右クリック→[グラフの種類の変更]画面の[すべてのグラフ]タブの[組み合わせ]をクリックする。

❹［基準値］の［グラフの種類］を［折れ線］に変えて、［OK］をクリックする。

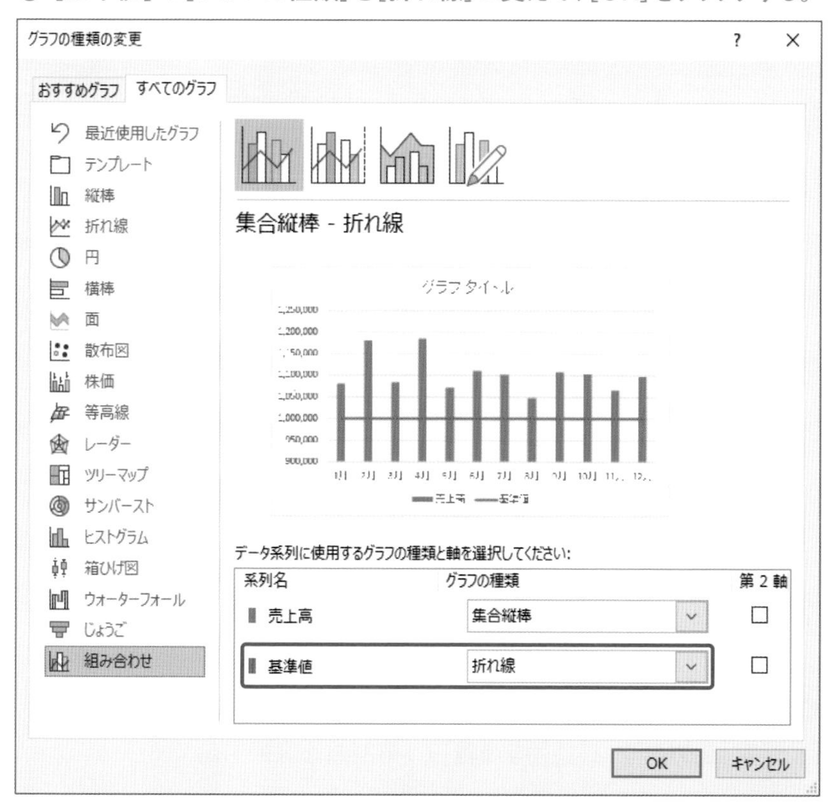

これだけで、基準線が作れます。

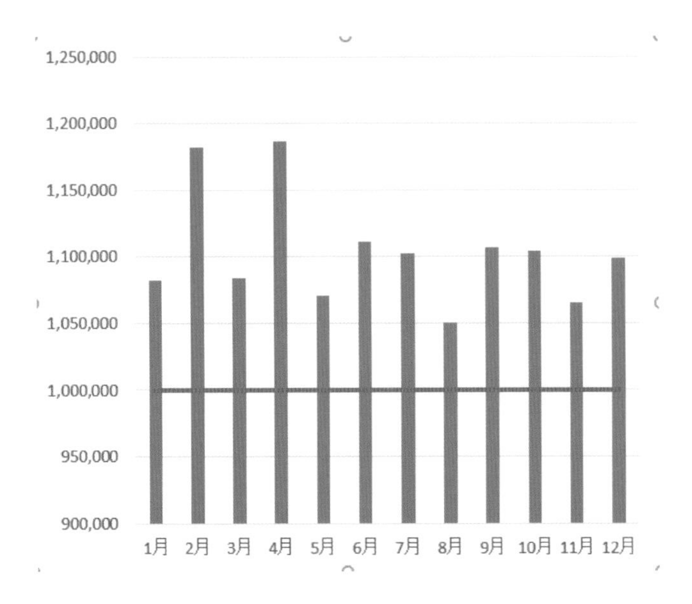

ここでは、もう少しこだわってみましょう。上の図では、基準線の左右が若干短いですね。この基準線が端まで来ている状態にしていきます。

❶「基準線」系列を右クリックして出てくるメニューから[データ系列の書式設定]をクリック→[使用する軸]で[第2軸]を選択する。

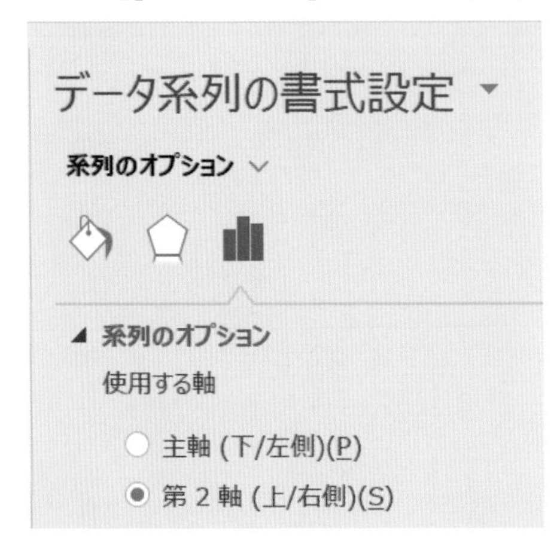

❷ グラフ右側に第2縦軸が出るので、左右の縦軸の最大値と最小値をそろえる。

（ここでは、左右の最小値をゼロ、最大値が1,200,000になるようにそろえています）

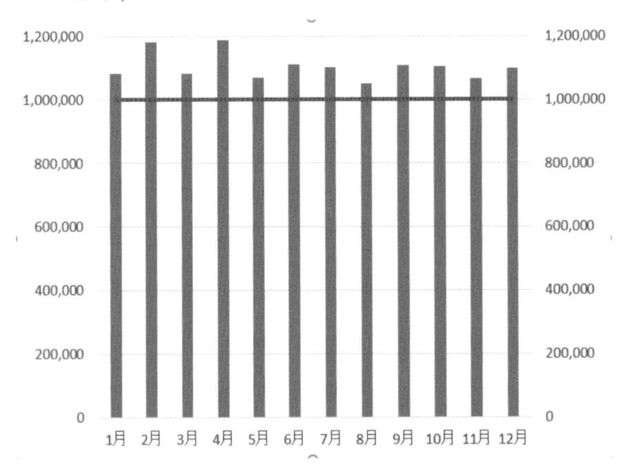

❸ ［グラフのデザイン］タブ→［グラフ要素を追加］→［軸］→［第2横軸］を選択し、グラフ上部に「第2横軸」を表示させる。

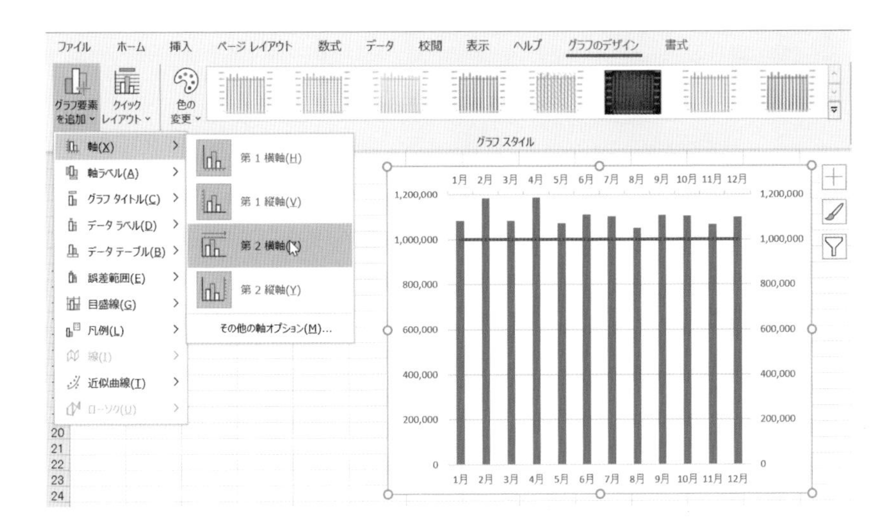

❹ 第2横軸を右クリック→［軸の書式設定］→画面右側に出てくる［軸の書式設定］画面の［軸位置］にて、［目盛］を選択する。

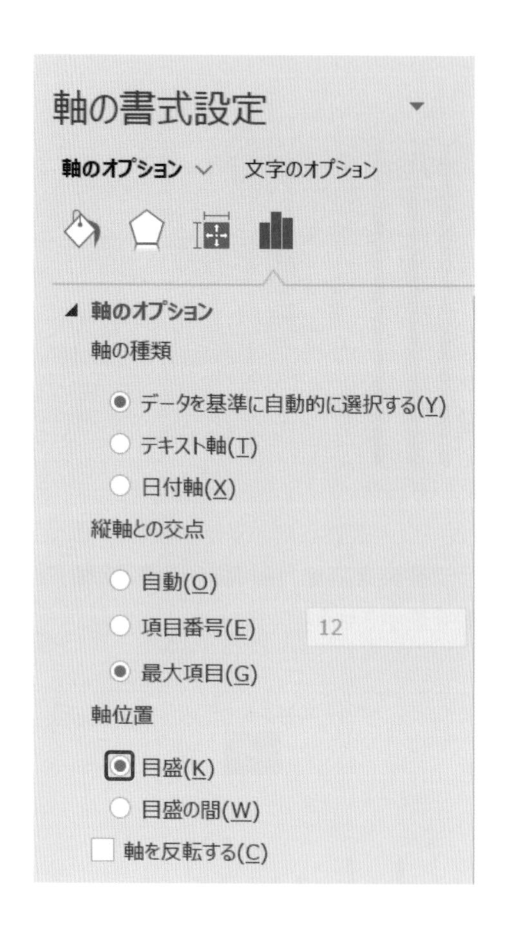

すると、このように「基準線」系列が左右端まで伸びます。

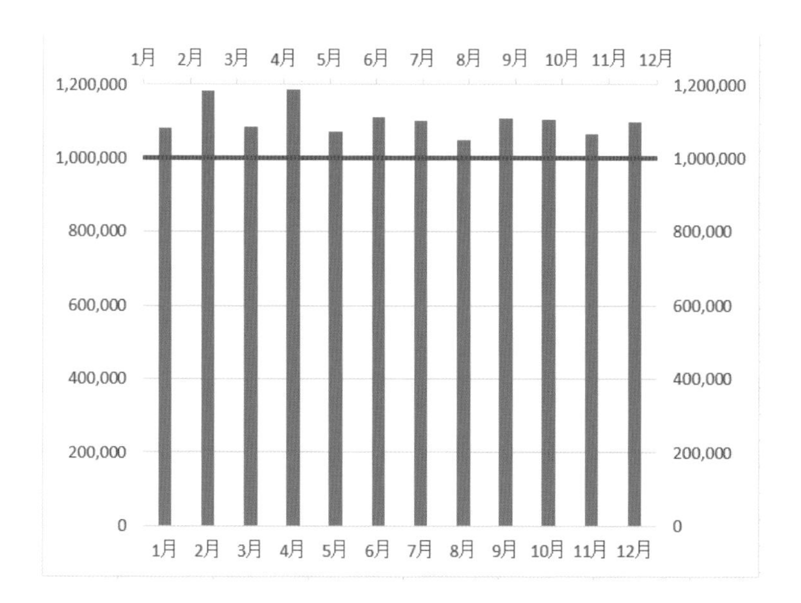

散布図にデータラベルを表示する

散布図では、プロットされた各点がだれの点なのかわかるように、データラベルを表示してみましょう。

❶［グラフ要素］ボタン→［データラベル］→［その他のオプション］をクリックする。

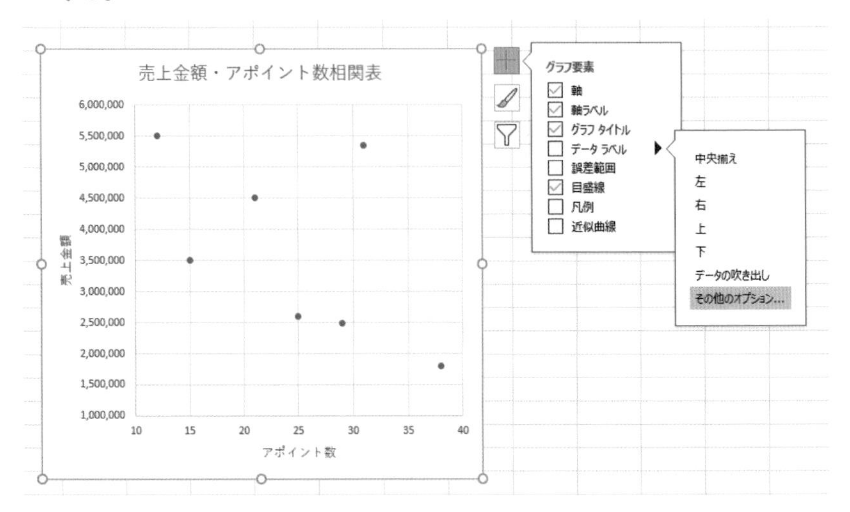

❷［データ ラベルの書式設定］画面で、［セルの値］にチェックを入れる。

❸［データラベル範囲］画面で、入力欄をクリックして、ラベルに使いたい範囲を入力し、［OK］をクリックする。

（今回、範囲にはA4:A10を指定）

データ ラベルの書式...
ラベル オプション
ラベル オプション
ラベルの内容
セルの値(F)
系列名(S)
X 値(X)
Y 値(Y)
引き出し線を表示する(H)
凡例マーカー(L)
データ ラベル範囲
データ ラベル範囲の選択
=散布図!$A$4:$A$10
OK
キャンセル

❹ [Y値] からチェックを外す。

これで、各担当者名を表す元データA列の値が表示されます。

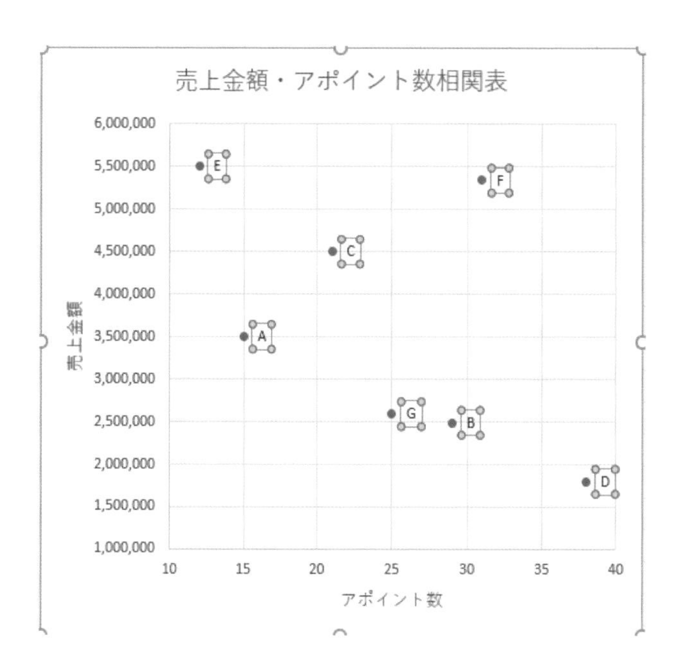

グラフに出てくる系列の順番が思うようにいかない場合はどうするか

「グラフに出てくる系列の順番が思うようにいかない」ということがよくあります。たとえば、次のように商品別の売上データを縦棒グラフにしたとしましょう。

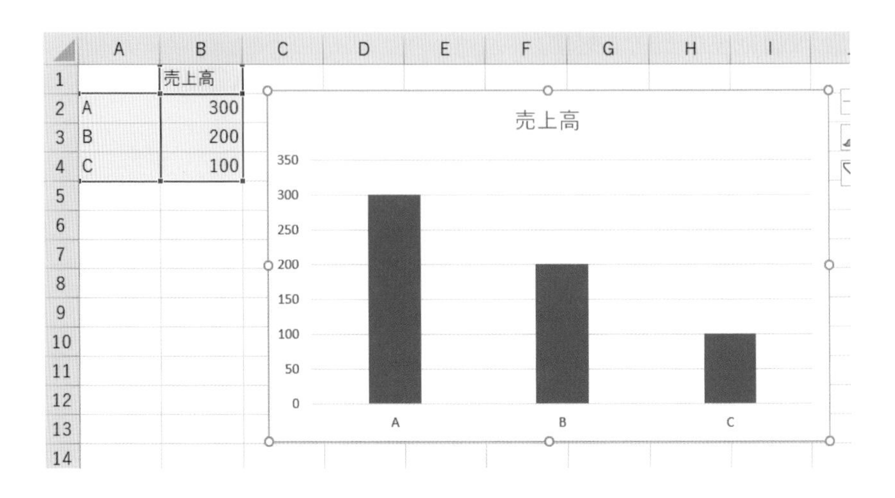

これを横棒グラフにすると、次のように上からC、B、Aという順番に並んでしまい、表とは逆の順番になってしまいます。

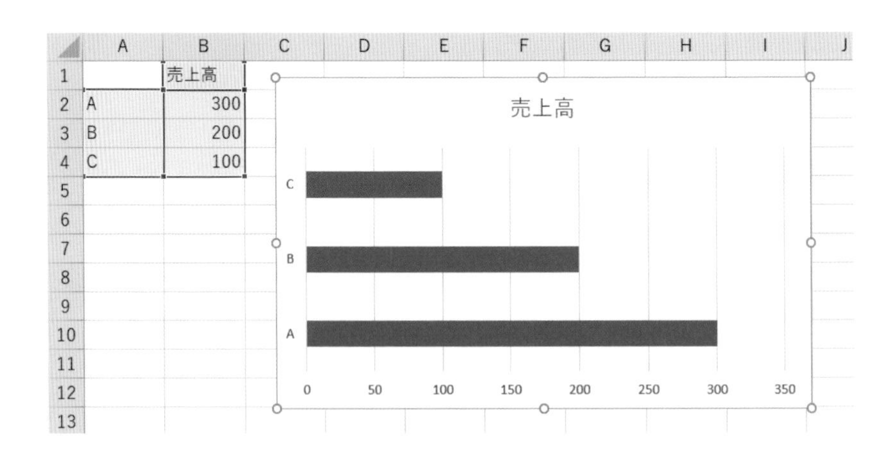

同じデータで積み上げ縦棒グラフを作った場合も、やはり上からC、B、Aと、表とは逆の順番になってしまいます。

これは、表とグラフではそれぞれ「基点」となる場所が異なるために起きる問題です。

まず、表の基点は「左上」になります。そこから項目が下方向に順番に並んでいます。

一方、「グラフの基点」は「左下」になります。表の基点からの系列の並び順が、そのままグラフの基点からの系列の並び順に反映されるため、表での系列の並び順と、グラフでの系列の並び順が逆になってしまうわけです。

では、どうするか。手っとり早く済ませたい場合は、次のような方法があります。

横棒グラフの上下の順番を逆転したい場合

縦軸上でダブルクリック
→［軸の書式設定］で［軸を反転する］にチェックを入れる

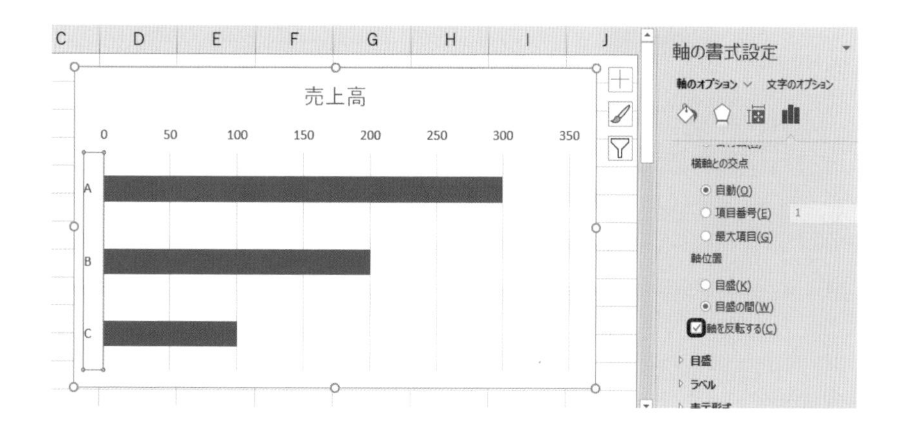

積み上げ縦棒グラフで系列の順番を入れ替えたい場合

グラフを右クリック
→［データ ソースの選択］画面の［凡例項目（系列）］にて上下移動させたい系列を選択
→上下方向ボタンをクリック

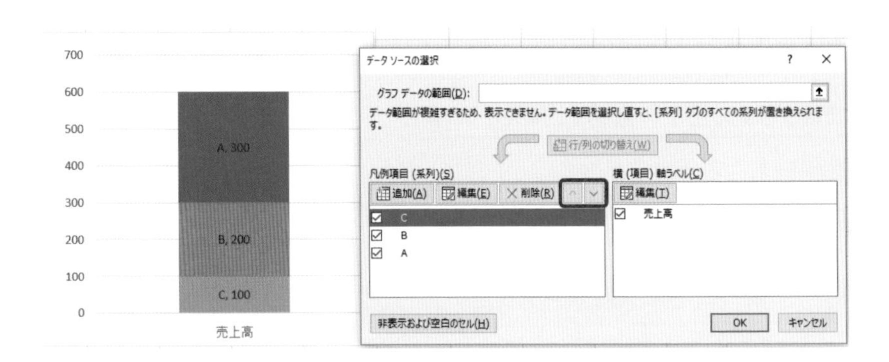

ただ、定期的に作成・更新するような場合、毎回この作業をするのは面倒です。作りたいグラフに合わせて元データを用意するのが得策です。

より高度なグラフの作り方

パレート図を作る ～2軸グラフと100%積み上げ横棒グラフ

「売上の8割は、全顧客のうち上位2割の顧客層からもたらされている」
「経費の8割は、2割の社員によって使われている」

といった、一部の構成要素が全体の大きなシェアを占めている状態を表す経験則が「パレートの法則」(80:20の法則) です。この状態を表すのが、「パレート図」と呼ばれる次のようなグラフです。

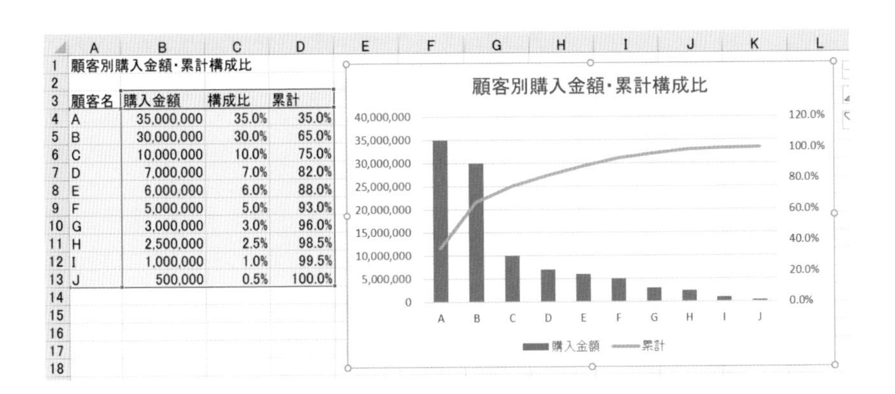

	A	B	C	D
1	顧客別購入金額・累計構成比			
2				
3	顧客名	購入金額	構成比	累計
4	A	35,000,000	35.0%	35.0%
5	B	30,000,000	30.0%	65.0%
6	C	10,000,000	10.0%	75.0%
7	D	7,000,000	7.0%	82.0%
8	E	6,000,000	6.0%	88.0%
9	F	5,000,000	5.0%	93.0%
10	G	3,000,000	3.0%	96.0%
11	H	2,500,000	2.5%	98.5%
12	I	1,000,000	1.0%	99.5%
13	J	500,000	0.5%	100.0%

これは2軸グラフといって、左側の第1軸に加えて、右側に第2軸を持つグラフです。複合グラフとも呼ばれます。このパレート図を通して、作り方を確認してみましょう。

元データでは、上図の左側の表のように、降順のデータと累計構成比を出しておきます。

❶ 元データの範囲(ここではA3:D13)を選択する。
❷ [挿入]タブの[グラフ]グループから[複合グラフの挿入]アイコンをクリックする。
❸ [組み合わせ]をクリック→[集合縦棒 - 第2軸の折れ線]を選択する。

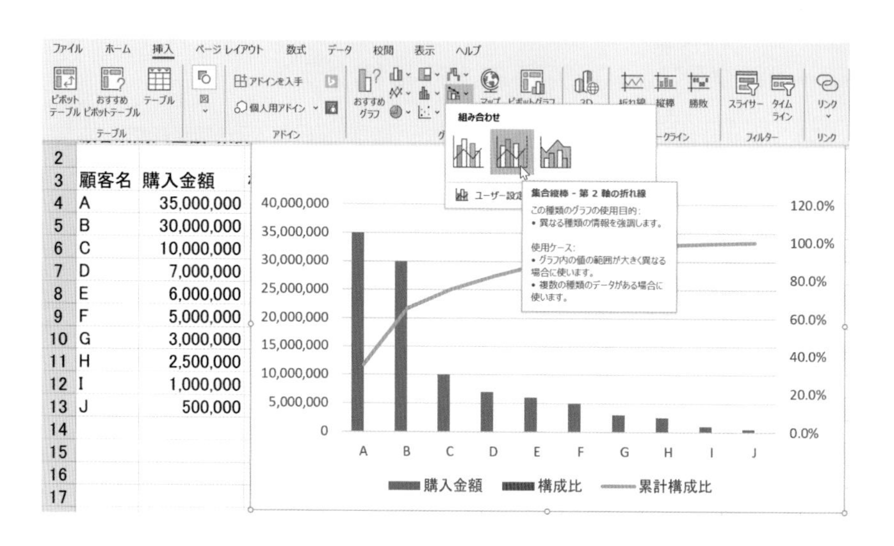

すると、先ほどのようなパレート図がかんたんにできてしまいます。

ただ、凡例に「構成比」系列が入っているので、これを外します。手っ取り早い方法としては、グラフをクリックすると出てくる[グラフフィルター]ボタンをクリック→[構成比]のチェックを外します。P.342で紹介したように、[データ ソースの選択]画面の[凡例項目(系列)]にて[構成比]のチェックを外す方法でもかまいません。

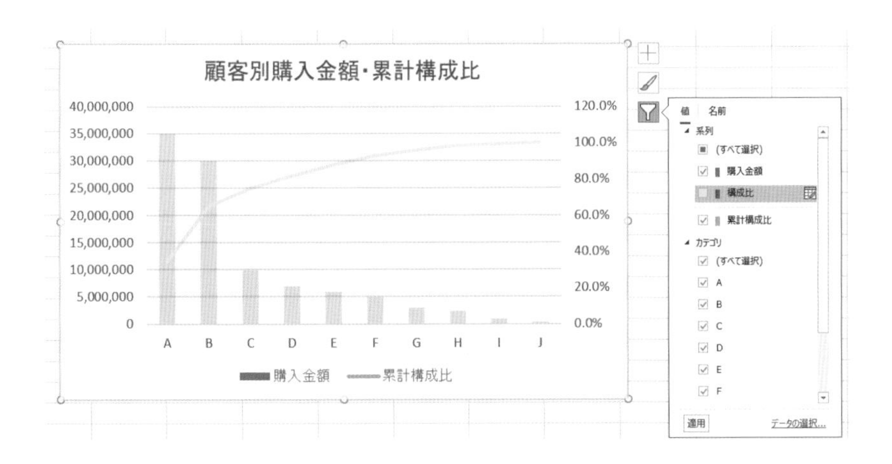

「一部の何かが売上の大部分を占めている」という状況を直感的に表現するために、P.332のような100%積み上げ横棒グラフを使うこともあります。状況に応じてグラフを使い分けることになります。

参照範囲の増減にグラフを自動対応させる

次のように、毎月の売上推移を見るグラフが作りたいとします。

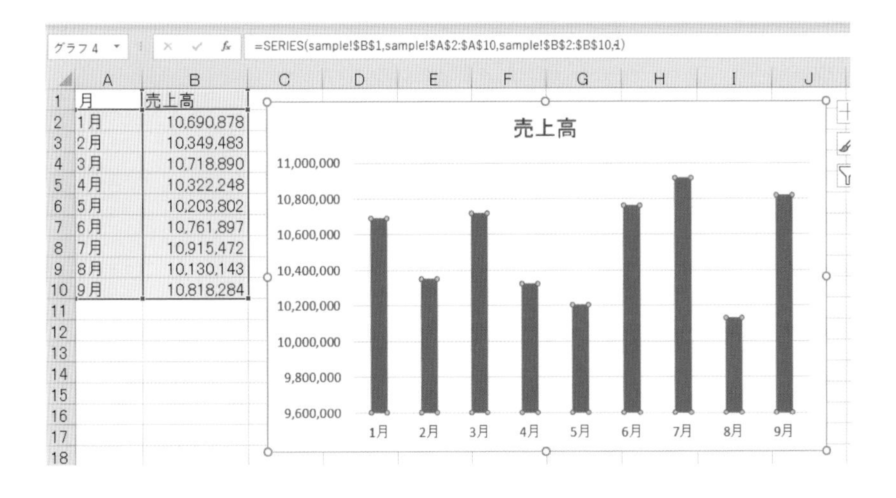

この時、元データに新しい月のデータが追加されたら、自動的にグラフに反映できるとラクです。そのためには、グラフの各系列を定義するSERIES関数を使いこなす必要があります。上の図のグラフと元データを例に説明します。

まず、グラフ上で系列を1つクリックすると、数式バーに次のような式が出てきます(上図の画像は「sample」というシートで作成)。

```
=SERIES(sample!$B$1,sample!$A$2:$A$10,sample!$B$2:$B$10,1)
```

同時に、元データの範囲が色つきの線で囲まれます。

・赤く色がついたセル　→　系列名
・紫色の線で囲まれた範囲　→　横軸項目名の範囲
・青色の線で囲まれた範囲　→　値の範囲

これらは、上記のSERIES関数の各引数とそれぞれ対応しています。読み解いてみましょう。

カッコの中には、引数が4つあります。

```
=SERIES(系列名,軸ラベルの範囲,系列値の範囲,プロット順)
```

これに従って上記の式を読み解くと、こうなります。

sampleシートのB1セルを系列名とし、
sampleシートのA2セルからA11セルを軸ラベルの範囲とし、
sampleシートのB2セルからB11セルを系列値の範囲とし、
グラフ上での並び順は1番めに来る

このSERIES関数の「軸ラベルの範囲」と「系列値の範囲」が、元データにデータが追加されたら自動的に広がるように設定します。P.231でも紹介した「名前の定義」をここでも活用します。

❶ A1セルをクリック→[数式]タブの[名前の定義]→[新しい名前]画面を表示する。

❷ [名前]ボックスにすでにクリックしてあったA1セルの値である「月」と入力されているので、[参照範囲]ボックスに次の数式を入力する。

```
=OFFSET(sample!$A$1,1,0,COUNTA(sample!$A:$A)-1,1)
```

新しい名前

名前(N): 月

範囲(S): ブック

コメント(O):

参照範囲(R): =OFFSET(sample!$A$1,1,0,COUNTA(sample!$A:$A)-1,1)

OK　キャンセル

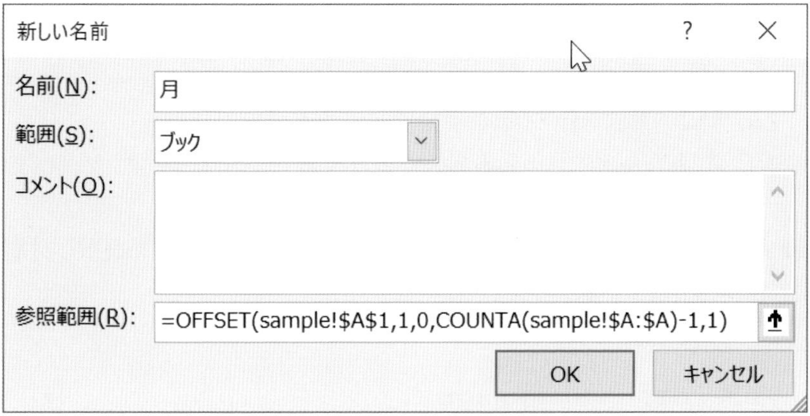

これで、「月」という名前の範囲ができました。

同様に、「売上高」という名前の定義もおこないます。

❸ B1セルをクリック→[数式]タブの[名前の定義]→[新しい名前]画面を表示する。

❹ [名前]ボックスにすでにクリックしてあったB1セルの値である「売上高」と入力されているので、[参照範囲]ボックスに次の数式を入力する。

```
=OFFSET(sample!$B$1,1,0,COUNTA(sample!$B:$B)-1,1)
```

新しい名前

名前(N): 売上高

範囲(S): ブック

コメント(O):

参照範囲(R): =OFFSET(sample!$B$1,1,0,COUNTA(sample!$B:$B)-1,1)

OK　キャンセル

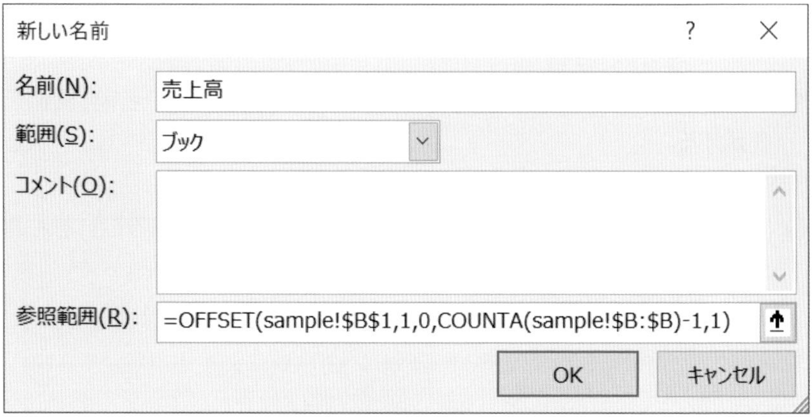

これで、「売上高」という名前の定義ができました。
次に、これらをグラフの各系列のSERIES関数に組み込みます。

❺ [データ ソースの選択]→[凡例項目(系列)]で[売上高]を選択し、[編集]をクリックする。

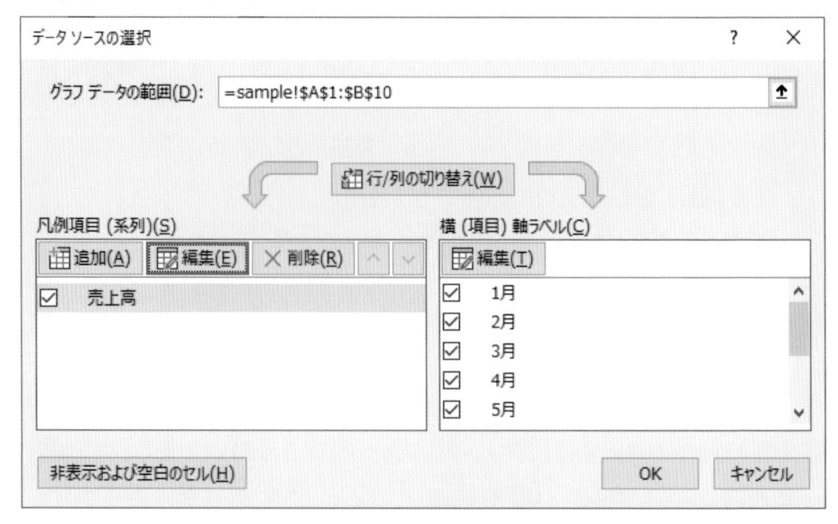

❻ [系列の編集]画面の[系列値]にあらかじめ「=sample!$B$2:$B$11」と入力されているので、次の部分を消去する。

```
$B$2:$B$11
```

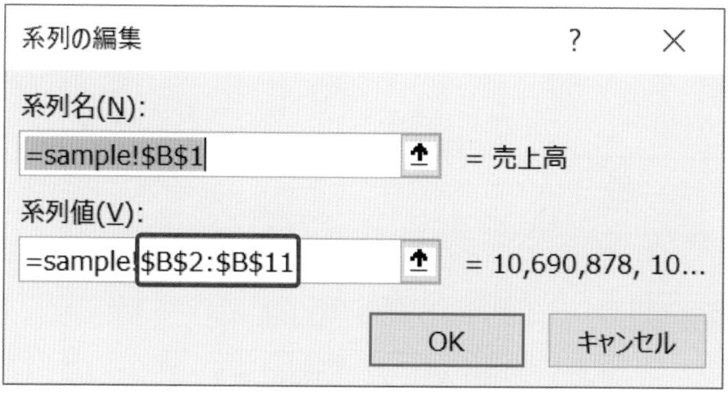

系列の編集

系列名(N):
=sample!$B$1 = 売上高
系列値(V):
=sample!$B$2:$B$11 = 10,690,878, 10...
OK キャンセル

❼ F3→[名前の貼り付け]→[売上高]を選択して[OK]をクリックすると、[系列値]に「=sample!売上高」と入力された状態になるので、[OK]をクリックする。

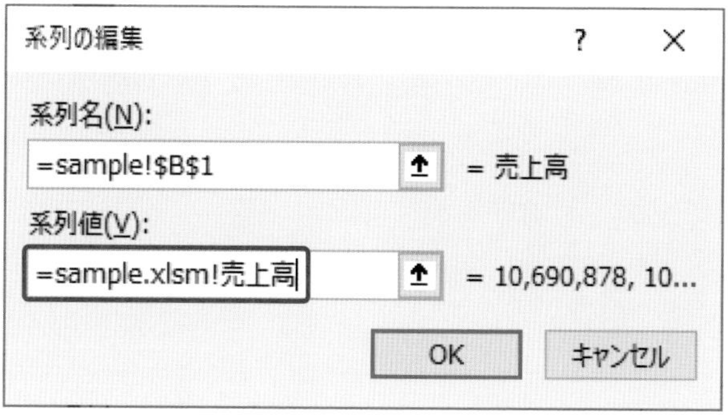

系列の編集

系列名(N):
=sample!$B$1 = 売上高
系列値(V):
=sample.xlsm!売上高 = 10,690,878, 10...
OK キャンセル

❽ いったん「データ ソースの選択」画面に戻るので、[横(項目)軸ラベル]でも同様に[編集]をクリックする。

❾ [軸ラベルの範囲]に「=sample!$A$2:$A$11」と入っているので、次の部分を消去する。

```
$A$2:$A$11
```

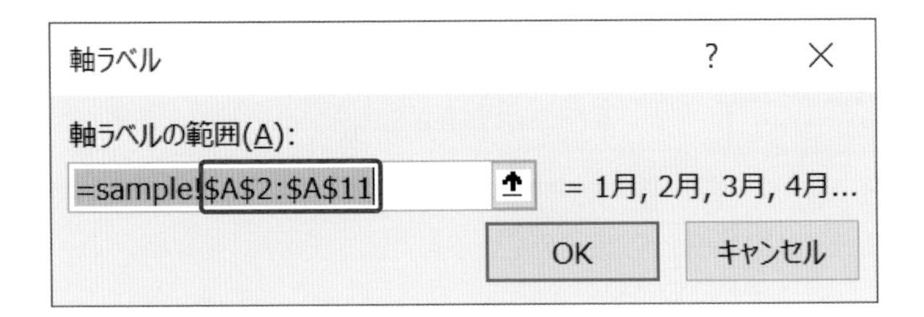

❿ F3→[名前の貼り付け]→[月]を選択して[OK]をクリックすると、「=sample!月」と入力されているので、[OK]をクリックする。

これで、元データの追加にグラフが自動対応するようになりました。

ためしに10月のデータを追加してみると、自動的にグラフに反映されます。

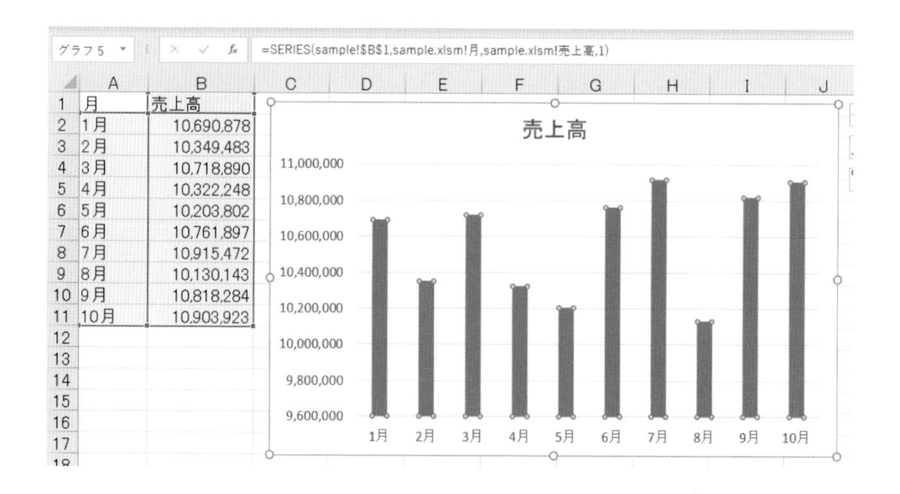

この画面では、グラフ内の系列を1つクリックして数式バーに次の関数を表示させているところに注目してください。

```
=SERIES(sample!$B$1,sample.xlsm!月,sample.xlsm!売上高,1)
```

軸ラベルの範囲には「月」、系列値の範囲に「売上高」と名前がついて、データソースの増減に自動対応できるようにしていることがわかります。

第10章

成果につながるExcel仕事の本質をおさえる

データ分析の基本とは

ここまでにご紹介してきたExcelのテクニックを駆使して、目の前のExcel作業を効率化するだけでは、まだ仕事の成果、ひいてはあなたのビジネスパーソンとしての価値を上げることにはつながりません。Excelはあくまでも道具です。「この道具をうまく使いこなして、どう仕事の成果につなげるか？」という観点なしに、いくらExcelの関数や機能ばかりマスターしても意味はありません。成果につながる資料を、正確に、かつ短時間で仕上げる能力が必要なのです。

Excelでおこなうことのメインは「表を作ること」です。では、どのような表を作れば価値ある仕事になるのか。人の役に立つのか。利益につながるのか。キャッシュフローの改善につながるのか……そうした成果を意識して資料を作らなければ、時間と労力のムダにしかなりません。そこまで含めて考えながら効率的に仕事をすること、それが本当に「仕事でExcelを使いこなす」ということなのです。

最後の章では、そのために必要な考え方をお伝えします。

分析の基本は数字を「分けて」「比べる」こと

「先月の売上は3000万円でした」

経営会議でこのように、「先月の売上」という数字を1つだけ発表されて終わられたらどうでしょうか。

「お、おう。で……？」

となるはずです。ならなければいけません。

「数字はわかった。で、その数字はどういう数字なんだ？」

と発表した人に質問し、その人が答えられないようであれば、ビジネスデータ分析の基本を学ばなければなりません。

じつは、ここに大きな課題があります。社内にさまざまなデータを蓄積しているのに、それがうまく活用されていない現場は無数にあります。せっかくのデータを活用し、収益を伸ばすために現状分析をして、目標設定をおこない、計画を立案しようにも、どんなデータを、どのように使えばいいのか、だれもわかっていないから、何から手をつけたらいいのかがわからないのです。

数字の分析の基本は、「分けて、比べる」です。

まず、数字をある程度の細かさまで分解します。たとえば「売上」という数字ならば、以下のような切り口で分けることが考えられます。

・顧客（年齢層）別
・地域別
・支社別
・商品別
・担当者別

次に、その分解した数字を何かと比べます。「ある基準と比べて、その基準を上回っていたか下回っていたか」という指標を用いないと、数字が良かったのか、悪かったのかを評価することができません。

ここでの模範解答例は、たとえば以下のような説明になります。

「先月の売上は3000万、これは前年同月比で112％と伸びており、目標に対しても達成率108％でクリアできています」
「商品別の内訳としては、Aが全体の70％を占めており、だいぶこの商品に依存した構成比になっております」
「そこで、他商品の比率を上げることで、より安定的な収益構造を目指す必要があります」

売上から変動費や固定費を引いた「限界利益」や「営業利益」の検証、売上金額でなく売上件数という着眼点からの分析なども重要です。

このような説明は、何もビジネスの知識や経験が豊富になければできないわけではありません。仕事で扱う数字の基本をいくつか押さえておけば、あとはかんたんな割り算と引き算だけで、だれにでもできることです。

ビジネスで数字を分析する際の3つの基本指標

ただ、いきなり「ビジネスデータ分析をしろ」と言われても、数字をどのように分解して、何と比べればいいかという基本を知らなければ、ただExcel上で数字をこねくりまわして格闘するばかりで、時間がかかるわりにはたいしたアウトプットにつながりません。ここできちんとビジネスデータ分析の3つの基本指標を身につけてください。

- 前年比（昨年よりも増えたか、減ったか）
- 予実比（目標に届いたか、届いていないか）
- 構成比（その数字の内訳は、どんな比率になっているか）

いずれも、かんたんな割り算で計算できるものばかりです。

前年比　～売上は順調に伸びてるのか、落ちているのか

【算出式】

前年比＝当年の数字÷前年の数字

企業が売上実績を評価する際の第一の指標は、前年比です。つまり、昨年と比べて売上が増えたか、減ったかという数値です。「昨対比」とも呼ばれます。

・昨年の売上が100万円、今年の売上が120万円なら、前年比120%で「前年比クリア」となる
・昨年の売上が100万円、今年の売上が90万円なら、前年比90%で「前年を割った」などと表現される

この指標は100%を超えることが望ましいのは言うまでもありません。

売上が前年を下回っていた場合は、さらにその数字を細分化した要素ごとに前年比を調べるなどして、売上が下がった要因を探ります。もちろん、市場の変化による減少など、はっきりした原因がわからないケースもありますが、「ある支社の大口取引先が倒産したのが全体に影響した」など、自社の問題ではないと判断できるケースもありえます。いずれにせよ、「売上が減少傾向である」という問題のある状況だという現状認識が可能になります。そうした分析がすべて、この前年比というシンプルな割り算でできてしまうのです。

前年比で大切なのは「同じ時期、同じ期間で前年と比較する」ことです。ビジネスには季節変動というものがあります。四季の変化や年間行事の影響が大きい日本では、同じ商品でも季節によって売れ行きが変わり、季節によって売れ筋商品も変わります。そのような影響がある中では、たとえば以下のように考える工夫が必要です。

・単月の実績を検証する場合　→　「前年同月比」を出す
・3ヶ月ごとの実績を検証する場合　→　「前年同期比」を出す

「先月よりも売上が伸びたか」という「前月比」を見るケースもあるのですが、たとえば「9月の遊園地の入園者数が前月比40%と、大幅にダウンした」といっても、夏休み期間中の8月と比べれば大幅に減るのはわかりきっていることです。それよりも、前年の9月と比較してもし減っているならば、入場者数の減少傾向にいち早く気づくことができます。そして、次の10月に向けて対策を打つ、という行動につながるのです。

予実比　～目標を達成できたかどうか

【算出式】

予実比＝実績÷予算（目標値）

予実比というのは、「予算」と「実績」の比です。ここでの予算とは、目標を意味します。つまり、予実比は「目標額を上回ったか、下回ったか」を示す指標です。「予算比」「目標達成率」「目標進捗率」などともいわれます。

この予算という言葉、「自社が使えるお金」という意味で使っている文化の企業では通じないことがあります。しかし、「予実管理」という言葉は経営・ビジネスの基本用語ですから、予算という単語に「目標」という意味があるのは知っておきたいところです。

構成比　～数字の内訳はどんな比率になっているか

【算出式】

構成比＝部分÷全体

全社売上高など、全体の合計数字は、分解してその内訳を出す必要があります。前述したように、以下のようなさまざまな切り分け方が考えられます。

・顧客（年齢層）別
・地域別
・支社別
・商品別
・担当者別

このような基準で分解した各構成要素が、全体に対してどれくらいの割合を占めているか、という比率が構成比です。「シェア」「社内構成比」「内部構成比」とも呼ばれます。各要素の貢献度や偏重度、依存度を見ることができます。

「数字で語る」とは、あいまいな形容詞や副詞による表現をパーセンテージで表現するということ

たとえば、次のような担当者別売上一覧。

▼担当者別売上一覧

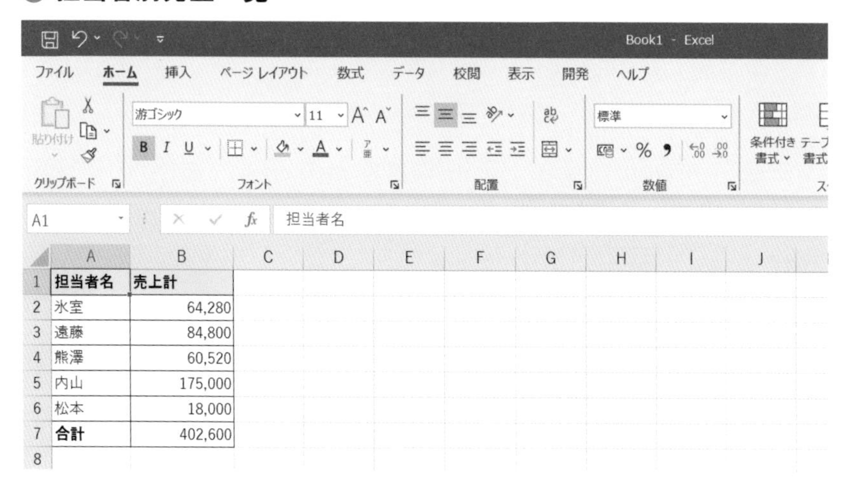

担当者名	売上計
氷室	64,280
遠藤	84,800
熊澤	60,520
内山	175,000
松本	18,000
合計	402,600

このように実数を出しただけでは、担当者間の大小比較がなんとなくできるだけで、極めて曖昧な判断しかできません。つまりこのままだと、

「内山さんが圧倒的にたくさん売っています」
「松本さんの売上が非常に少ないです」

という抽象的な形容詞・副詞でしか説明ができないのです。

「数字で語ると説得力が増す」とはよく言われることですが、「各部員の売上高」という実数を読み上げても意味がありません。ここで大事な基本は、

「実数は、パーセンテージ（比率、割合）を使って表現することで、はじめて説得力を持つ」

ということです。

この表に、各担当者の構成比を加えてみましょう。

▼ 担当者別売上一覧に各部員の構成比を追加

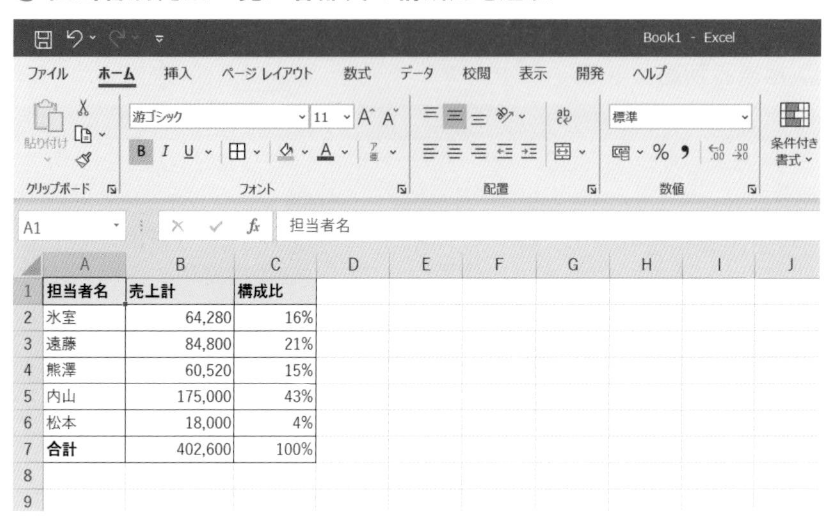

担当者名	売上計	構成比
氷室	64,280	16%
遠藤	84,800	21%
熊澤	60,520	15%
内山	175,000	43%
松本	18,000	4%
合計	402,600	100%

すると、各部員間の占める割合における偏りが見えてきます。

言葉での説明においても、次のように説得力や、聞く側のイメージの明確さが断然変わってきます。

【Before】

内山さんが圧倒的にたくさん売っています。

↓

【After】

内山さんの売上構成比は全体の43%を占めており、約半分を占めています。

「圧倒的にたくさん」という表現は非常に稚拙ですが、「全体の43%を占める」という数値の比率表現にするだけで、途端にビジネスレベルの会話に引き上がります。

もちろん、表現を変えただけでは仕事になりません。「その事実がわかった、だからどうする」という次の提案や行動の根拠として活かしてはじめて意味が出てくることも忘れてはなりません。

「どんな目的を持って表を作るのか?」を必ず意識する

これらを駆使して実際に売上分析をおこなっている資料が以下になります。

▼全国支社別の売上について、前年比、予実比、構成比を出した表

■ビール系飲料　酒税区分別売上　四半期別前年比及び支社別構成比

		年間計							1Q		
酒税区分	組織別	2024年計	2025年計	前年比	前年差	2025年度予算（目標）	対予算比（目標達成率）	支社別構成比	2024年	2025年	前年比
ビール	北海道	16,868	10,171	60%	-6,697	11,188	91%	2%	5,025	1,389	28%
	東北	32,421	29,165	90%	-3,257	34,414	85%	4%	10,389	11,847	114%
	関信越	35,393	35,903	101%	510	34,108	105%	6%	12,421	11,071	89%
	首都圏	331,594	354,873	107%	23,279	411,653	86%	54%	90,704	101,116	111%
	中部	42,574	49,170	115%	6,596	57,037	86%	8%	10,129	19,250	190%
	近畿圏	100,335	87,818	88%	-12,517	87,818	100%	13%	29,856	20,432	68%
	中四国	20,286	20,992	103%	705	20,992	100%	3%	7,500	7,011	93%
	九州	57,298	58,369	102%	1,071	65,373	89%	9%	19,449	18,117	93%
	沖縄	3,724	4,913	132%	1,189	5,306	93%	1%	2,057	2,079	101%
	全国計	640,494	651,373	102%	10,878	749,088	87%	100%	187,530	192,312	103%
発泡酒	北海道	5,139	4,227	82%	-912	4,438	95%	1%	2,306	674	29%
	東北	18,964	19,529	103%	565	21,677	90%	5%	8,971	6,505	73%

これは某企業の全国支社別の売上について、前年比、予実比、そして各支社の全国に占める割合である構成比を出した表です。指標として、前年比だけでなく、実数差を示す「前年差」を出しています。また、前年比と予実比を同時に見る意味、構成比を出しておくことの意味がきちんとありま

す。大切なのは、

「自分が作る表では何を言いたいのか？」
「どんな目的を持って表を作るのか？」

という意思が明確にあるかどうかです。

なぜ、前年比だけでなく「前年差」を出すのか

まず、前年比だけでなく、実数の差分である前年差を出す意味は何でしょうか。たとえば、酒税区分「ビール」について、首都圏と沖縄の前年比を見比べてみましょう。

首都圏の前年比は107％、沖縄の前年比は132％です。首都圏の前年比107％という数字は、前年より伸びていることを示していますから、十分いい数字といえます。しかし、沖縄の132％と比べてしまうと、「沖縄のほうが首都圏よりも高い成長傾向が伺える」といった見解に至る可能性があります。また、「沖縄の営業のほうが首都圏よりもがんばって、去年よりも高い成長を実現した」という見解に至ることも考えられます。

このとき、前年比でなく、前年との実数差を表す「前年差」という項目を設けておくと、また違った見方ができるようになります。たしかに、沖縄はがんばって数字を伸ばしたから、このような高い前年比を実現したかもしれません。しかし、前年比のような伸長率を表す指標は、分母が小さいと割と大幅に増えたように見えるものです。そこで、

「首都圏と沖縄の伸長度合を比べると、沖縄のほうが優れている」

と単純に考えず、前年差という実数差で見ることで

「首都圏も大きな数字を積み増しており、全社における貢献度は高い」

ことを補足的に説明するために、ここでは前年差という項目を設けている

のです。

数字はパーセンテージで表現するのが大切なのですが、逆に「パーセンテージは実数を伴って説明されるべき」でもあるのです。たとえば「利益率」という指標は確かに大切なのですが、各企業を比較する際に利益率だけで比較するのではなく、同時に「利益額」という実数での比較をしないと正しい判断ができなくなるということです。

前年比と予実比を並べる理由

次に、前年比と予実比を並べているのにも明確な理由があります。

首都圏の前年比と予実比を見比べてみましょう。前年比は107%で前年を上回っていますが、予実比は目標に対して86%と大幅に未達という結果になっています。ここで疑うべきは、

「この目標値（予算）は本当に適正な数字だったか？」

ということです。「目標値が無謀に高すぎなかったか？」という問題提起が考えられます。

この予算（目標）を達成できたかどうかを、営業部長または営業部門全体の評価指標に使っている企業もあります。そのような評価指標を採用するのであれば当然、適正な目標設定がなされる必要があります。到底達成不可能な目標を課され、達成できなかったら評価が下がる……人間は感情の生き物ですから、それでは社員のモチベーションを下げるリスクが高まります。

そのようなケースにおける検証方法の1つとして、前年比と予実比を比較する方法があります。つまり、

「前年比107%という売上を作ったのに、その実績が目標値に遠く及ばないということは、その目標値の設定は高すぎたんじゃないのか？」

と議論する余地があるわけです。

そのとき、ただ「目標が高すぎたんだ」と言っても、説得力がありません。前年比という指標と並べることで、

「前年比107％という結果にも関わらず、遠く及ばないその目標値は、いったいどのような算出根拠で決めたのか」

ということで議論の余地が生まれ、今後のより適正な目標設定につながる可能性が高まります。

構成比はなんのために載せるのか

そして構成比です。これは原則、そんなに変わるものではありません。巨大市場を抱える首都圏や都市部の構成比が高いのは当然です。

ここで構成比を載せている理由は、普段よりも構成比がいきなり大きくなったり小さくなったりしている現象がないかを観察するためです。通常はさほど構成比が大きくないエリアの構成比が通常よりもいきなり高くなっていたら、

「そのエリアで何か起きているのではないか、大きなチャンスが潜んでいるのではないか」
「そのエリアの担当者が何か仕掛けたのではないか」

と調べてみることで、新しい発見につながります。

数字は実数とパーセンテージの両方で見ることが大事です。「実数だけ」「パーセンテージだけ」では、見落としや現状誤認が発生します。

材料データを一瞬で完成品の表に変換するテクニック

先ほどの表の全体像は、次のようになっています。

▼ 先ほどの表の全体像

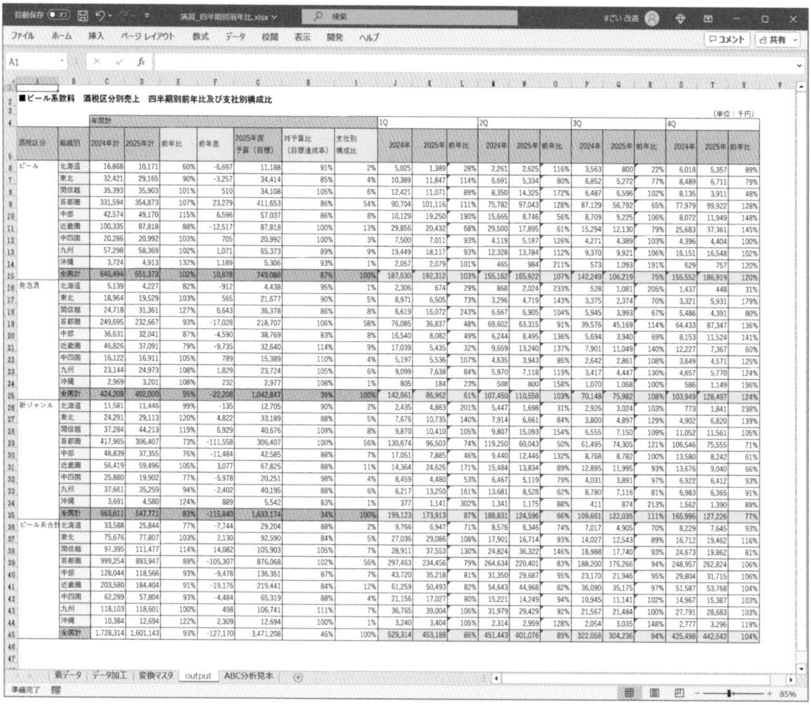

■ビール系飲料　酒税区分別売上　四半期別前年比及び支社別構成比

（単位：千円）

酒税区分	組織別	年間計							1Q			2Q			3Q			4Q		
		2024年計	2025年計	前年比	前年差	2025年度予算（目標）	対予算比（目標達成率）	支社別構成比	2024年	2025年	前年比	2024年	2025年	前年比	2024年	2025年	前年比	2024年	2025年	前年比
ビール	北海道	16,868	10,171	60%	-6,697	11,188	91%	2%	5,025	1,389	28%	2,261	2,625	116%	3,563	800	22%	6,018	5,357	89%
	東北	32,421	29,165	90%	-3,257	34,414	85%	4%	10,389	11,847	114%	6,691	5,334	80%	6,852	5,272	77%	8,489	6,711	79%
	関信越	35,393	35,903	101%	510	34,108	105%	6%	12,421	11,071	89%	8,350	14,325	172%	6,487	6,596	102%	8,135	3,911	48%
	首都圏	331,594	354,873	107%	23,279	411,653	86%	54%	90,704	101,116	111%	75,782	97,043	128%	87,129	56,792	65%	77,979	99,922	128%
	中部	42,574	49,170	115%	6,596	57,037	86%	8%	10,129	19,250	190%	15,665	8,746	56%	8,709	9,225	106%	8,072	11,949	148%
	近畿圏	100,335	87,818	88%	-12,517	87,818	100%	13%	29,856	20,432	68%	29,500	17,895	61%	15,294	12,130	79%	25,683	37,361	145%
	中四国	20,286	20,992	103%	705	20,992	100%	3%	7,500	7,011	93%	4,119	5,187	126%	4,271	4,389	103%	4,396	4,404	100%
	九州	57,298	58,369	102%	1,071	65,373	89%	9%	19,449	18,117	93%	12,328	13,784	112%	9,370	9,921	106%	16,151	16,548	102%
	沖縄	3,724	4,913	132%	1,189	5,306	93%	1%	2,057	2,079	101%	465	984	211%	573	1,093	191%	629	757	120%
	全国計	640,494	651,373	102%	10,878	749,088	87%	100%	187,530	192,312	103%	155,162	165,922	107%	142,249	106,219	75%	155,552	186,919	120%
発泡酒	北海道	5,139	4,227	82%	-912	4,438	95%	1%	2,306	674	29%	868	2,024	233%	528	1,081	205%	1,437	448	31%
	東北	18,964	19,529	103%	565	21,677	90%	5%	8,971	6,505	73%	3,296	4,719	143%	3,375	2,374	70%	3,321	5,931	179%
	関信越	24,718	31,361	127%	6,643	36,378	86%	8%	6,619	16,072	243%	6,667	6,905	104%	5,945	3,993	67%	5,486	4,391	80%
	首都圏	249,695	232,667	93%	-17,028	218,707	106%	58%	76,085	36,837	48%	69,602	63,315	91%	39,576	45,169	114%	64,433	87,347	136%
	中部	36,631	32,041	87%	-4,590	38,769	83%	8%	16,540	8,082	49%	6,244	8,495	136%	5,694	3,940	69%	8,153	11,524	141%
	近畿圏	46,826	37,091	79%	-9,735	32,640	114%	9%	17,039	5,435	32%	9,659	13,240	137%	7,901	11,049	140%	12,227	7,367	60%
	中四国	16,122	16,911	105%	789	15,389	110%	4%	5,197	5,536	107%	4,635	3,943	85%	2,642	2,861	108%	3,649	4,571	125%
	九州	23,144	24,973	108%	1,829	23,724	105%	6%	9,099	7,638	84%	5,970	7,118	119%	3,417	4,447	130%	4,657	5,770	124%
	沖縄	2,969	3,201	108%	232	2,977	108%	1%	805	184	23%	508	800	158%	1,070	1,068	100%	586	1,149	196%
	全国計	424,208	402,000	95%	-22,208	1,042,847	39%	100%	142,661	86,962	61%	107,450	110,558	103%	70,148	75,982	108%	103,949	128,497	124%
新ジャンル	北海道	11,581	11,446	99%	-135	12,705	90%	2%	2,435	4,883	201%	5,447	1,698	31%	2,926	3,024	103%	773	1,841	238%
	東北	24,291	29,113	120%	4,822	33,189	88%	5%	7,676	10,735	140%	7,914	6,661	84%	3,800	4,897	129%	4,902	6,820	139%
	関信越	37,284	44,213	119%	6,929	40,676	109%	8%	9,870	10,410	105%	9,807	15,093	154%	6,555	7,150	109%	11,052	11,561	105%
	首都圏	417,965	306,407	73%	-111,558	306,407	100%	56%	130,674	96,503	74%	119,250	60,043	50%	61,495	74,305	121%	106,546	75,555	71%
	中部	48,839	37,355	76%	-11,484	42,585	88%	7%	17,051	7,885	46%	9,440	12,446	132%	8,768	8,782	100%	13,580	8,242	61%
	近畿圏	56,419	59,496	105%	3,077	67,825	88%	11%	14,364	24,626	171%	15,484	13,834	89%	12,895	11,995	93%	13,676	9,040	66%
	中四国	25,880	19,902	77%	-5,978	20,251	98%	4%	8,459	4,480	53%	6,467	5,119	79%	4,031	3,891	97%	6,922	6,412	93%
	九州	37,661	35,259	94%	-2,402	40,195	88%	6%	8,217	13,250	161%	13,681	8,528	62%	8,780	7,116	81%	6,983	6,365	91%
	沖縄	3,691	4,580	124%	889	5,542	83%	1%	377	1,141	302%	1,341	1,175	88%	411	874	213%	1,562	1,390	89%
	全国計	663,611	547,771	83%	-115,840	1,633,174	34%	100%	199,123	173,913	87%	188,831	124,596	66%	109,661	122,035	111%	165,996	127,226	77%
ビール系合計	北海道	33,588	25,844	77%	-7,744	29,204	88%	2%	9,766	6,947	71%	8,576	6,346	74%	7,017	4,905	70%	8,229	7,645	93%
	東北	75,676	77,807	103%	2,130	92,590	84%	5%	27,036	29,086	108%	17,901	16,714	93%	14,027	12,543	89%	16,712	19,462	116%
	関信越	97,395	111,477	114%	14,082	105,903	105%	7%	28,911	37,553	130%	24,824	36,322	146%	18,988	17,740	93%	24,673	19,862	81%
	首都圏	999,254	893,947	89%	-105,307	876,068	102%	56%	297,463	234,456	79%	264,634	220,401	83%	188,200	176,266	94%	248,957	262,824	106%
	中部	128,044	118,566	93%	-9,478	136,351	87%	7%	43,720	35,218	81%	31,350	29,687	95%	23,170	21,946	95%	29,804	31,715	106%
	近畿圏	203,580	184,404	91%	-19,176	219,441	84%	12%	61,259	50,493	82%	54,643	44,968	82%	36,090	35,175	97%	51,587	53,768	104%
	中四国	62,289	57,804	93%	-4,484	65,319	88%	4%	21,156	17,027	80%	15,221	14,249	94%	10,945	11,141	102%	14,967	15,387	103%
	九州	118,103	118,601	100%	498	106,741	111%	7%	36,765	39,004	106%	31,979	29,429	92%	21,567	21,484	100%	27,791	28,683	103%
	沖縄	10,384	12,694	122%	2,309	12,694	100%	1%	3,240	3,404	105%	2,314	2,959	128%	2,054	3,035	148%	2,777	3,296	119%
	全国計	1,728,314	1,601,143	93%	-127,170	3,471,208	46%	100%	529,314	453,188	86%	451,443	401,076	89%	322,058	304,236	94%	425,498	442,643	104%

この表のデータは、本書のサポートページからダウンロードできます。

https://gihyo.jp/book/2024/978-4-297-13959-9/support

そして、この表は同じブック内の［データ加工］シートにある次のデータを材料にして作られています。

▼ 表の材料となった［データ加工］シートのデータ

A1 販売年月

	A	B	C	D	E
1	販売年月	小売店県名	商品コード	商品名	売上金額
2	202401	愛知県	27210786	アサヒ本生	2992920
3	202401	愛知県	27220883	のどごし生	136920
4	202401	愛知県	27220957	ジョッキ生	997920
5	202401	愛知県	27220985	サントリー金	56448
6	202401	愛知県	27260317	アサヒスーパ	40320
7	202401	愛知県	27260665	キリン一番絞	794640
8	202401	愛知県	27350171	サッポロ黒ラ	6670
9	202401	愛知県	27350921	キリン淡麗グ	17342
10	202401	愛媛県	27210786	アサヒ本生	286440
11	202401	愛媛県	27220883	のどごし生	141960
12	202401	愛媛県	27220957	ジョッキ生	95760
13	202401	愛媛県	27220985	サントリー金	62160
14	202401	茨城県	27260317	アサヒスーパ	1165080
15	202401	茨城県	27260665	キリン一番絞	143640
16	202401	茨城県	27350171	サッポロ黒ラ	430920
17	202401	茨城県	27350921	キリン淡麗グ	15624
18	202401	茨城県	27210786	アサヒ本生	3528
19	202401	茨城県	27220883	のどごし生	350280
20	202401	茨城県	27220957	ジョッキ生	2668
21	202401	茨城県	27220985	サントリー金	8004
22	202401	岡山県	27260317	アサヒスーパ	1008
23	202401	岡山県	27260665	キリン一番絞	365400
24	202401	岡山県	27350171	サッポロ黒ラ	73920
25	202401	岡山県	27350921	キリン淡麗グ	173880

素データ | データ加工 | 変換マスタ | output | ABC分析見本

準備完了

このデータは、5つの項目でできています。各列の項目名のセルには、それぞれ以下の項目が設定されています。

・A列　→　販売年月を表す6桁数値
・B列　→　小売店県名

・C列　→　商品コード
・D列　→　商品名
・E列　→　売上金額

つまりこのデータは、ある期間における、月別・県別・商品別の売上データだとわかります。しかし、せっかく蓄積されたこのデータを眺めているだけでは、個別の事実はわかっても、全体の傾向や実績はわかりません。

では、「このデータを元に、売上状況を分析せよ」と言われたら、何から手をつければいいでしょうか？

そのスタートラインとして、まず前年比、予実比、構成比という3つの基本指標をすぐに思い出せると、分析作業の立ち上がりスピードが格段に違ってきます。

あらたな集計基準を元データに追加する～データ変換の工夫

完成表の構成をもう一度確認してみましょう。

縦軸には「酒税区分」と「支社名」があります。横軸には四半期ごとに2024年と2025年という、年度を意味する項目が設定されています。

ところが、元データにはそのような項目がありません。じつはここで、以下のようなデータの変換が必要になるのです。

・商品名　→　酒税区分
・県名　→　支社名
・販売年月　→　年度、四半期

具体的には、元データに、作業列として、それぞれ変換したデータを追加していくことになります。最終的には、元データに次のようにデータを追加します。

元データに変換したデータを追加

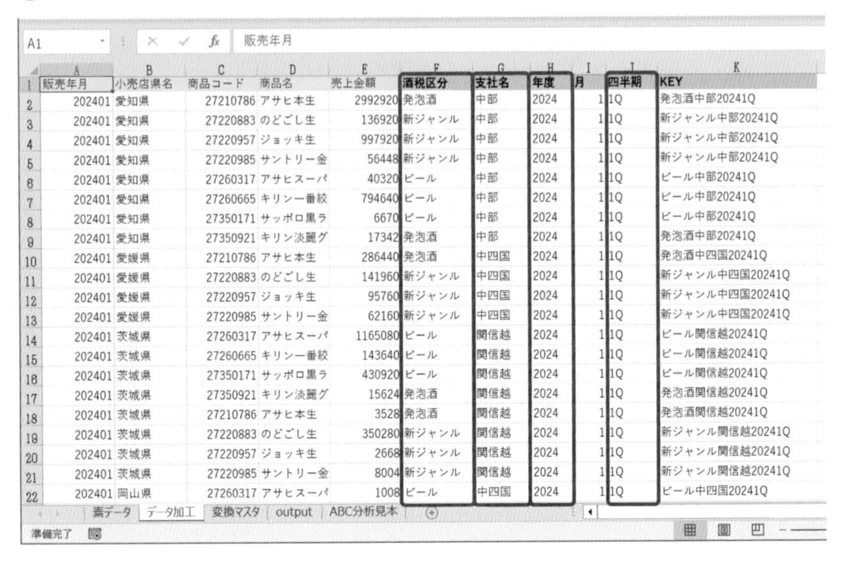

	A	B	C	D	E	F	G	H	I	J	K
1	販売年月	小売店県名	商品コード	商品名	売上金額	酒税区分	支社名	年度	月	四半期	KEY
2	202401	愛知県	27210786	アサヒ本生	2992920	発泡酒	中部	2024	1	1Q	発泡酒中部20241Q
3	202401	愛知県	27220883	のどごし生	136920	新ジャンル	中部	2024	1	1Q	新ジャンル中部20241Q
4	202401	愛知県	27220957	ジョッキ生	997920	新ジャンル	中部	2024	1	1Q	新ジャンル中部20241Q
5	202401	愛知県	27220985	サントリー金	56448	新ジャンル	中部	2024	1	1Q	新ジャンル中部20241Q
6	202401	愛知県	27260317	アサヒスーパ	40320	ビール	中部	2024	1	1Q	ビール中部20241Q
7	202401	愛知県	27260665	キリン一番絞	794640	ビール	中部	2024	1	1Q	ビール中部20241Q
8	202401	愛知県	27350171	サッポロ黒ラ	6670	ビール	中部	2024	1	1Q	ビール中部20241Q
9	202401	愛知県	27350921	キリン淡麗グ	17342	発泡酒	中部	2024	1	1Q	発泡酒中部20241Q
10	202401	愛媛県	27210786	アサヒ本生	286440	発泡酒	中四国	2024	1	1Q	発泡酒中四国20241Q
11	202401	愛媛県	27220883	のどごし生	141960	新ジャンル	中四国	2024	1	1Q	新ジャンル中四国20241Q
12	202401	愛媛県	27220957	ジョッキ生	95760	新ジャンル	中四国	2024	1	1Q	新ジャンル中四国20241Q
13	202401	愛媛県	27220985	サントリー金	62160	新ジャンル	中四国	2024	1	1Q	新ジャンル中四国20241Q
14	202401	茨城県	27260317	アサヒスーパ	1165080	ビール	関信越	2024	1	1Q	ビール関信越20241Q
15	202401	茨城県	27260665	キリン一番絞	143640	ビール	関信越	2024	1	1Q	ビール関信越20241Q
16	202401	茨城県	27350171	サッポロ黒ラ	430920	ビール	関信越	2024	1	1Q	ビール関信越20241Q
17	202401	茨城県	27350921	キリン淡麗グ	15624	発泡酒	関信越	2024	1	1Q	発泡酒関信越20241Q
18	202401	茨城県	27210786	アサヒ本生	3528	発泡酒	関信越	2024	1	1Q	発泡酒関信越20241Q
19	202401	茨城県	27220883	のどごし生	350280	新ジャンル	関信越	2024	1	1Q	新ジャンル関信越20241Q
20	202401	茨城県	27220957	ジョッキ生	2668	新ジャンル	関信越	2024	1	1Q	新ジャンル関信越20241Q
21	202401	茨城県	27220985	サントリー金	8004	新ジャンル	関信越	2024	1	1Q	新ジャンル関信越20241Q
22	202401	岡山県	27260317	アサヒスーパ	1008	ビール	中四国	2024	1	1Q	ビール中四国20241Q

F列の「酒税区分」には、C列の商品コードに応じた酒税区分が入力されています。またG列の「支社名」には、B列の県名に応じた支社名が入力されています。

2行めのデータでいえば、それぞれ、以下の変換をおこなっています。

・愛知県　→　中部
・27210786　→　発泡酒

この変換をかんたんにおこなうには、あらかじめ変換対応表（変換マスタ）を別途先に作っておく必要があります。たとえば、別のシートに、次のように変換対応表を作っておきます。

変換マスタを作っておく

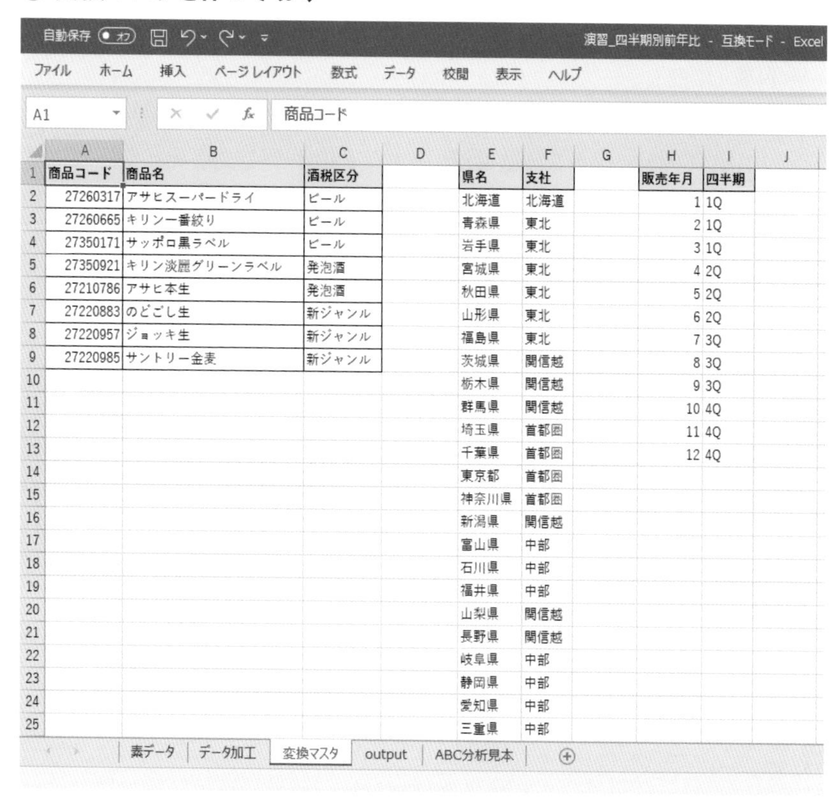

	A	B	C	D	E	F	G	H	I
1	商品コード	商品名	酒税区分		県名	支社		販売年月	四半期
2	27260317	アサヒスーパードライ	ビール		北海道	北海道		1	1Q
3	27260665	キリン一番絞り	ビール		青森県	東北		2	1Q
4	27350171	サッポロ黒ラベル	ビール		岩手県	東北		3	1Q
5	27350921	キリン淡麗グリーンラベル	発泡酒		宮城県	東北		4	2Q
6	27210786	アサヒ本生	発泡酒		秋田県	東北		5	2Q
7	27220883	のどごし生	新ジャンル		山形県	東北		6	2Q
8	27220957	ジョッキ生	新ジャンル		福島県	東北		7	3Q
9	27220985	サントリー金麦	新ジャンル		茨城県	関信越		8	3Q
10					栃木県	関信越		9	3Q
11					群馬県	関信越		10	4Q
12					埼玉県	首都圏		11	4Q
13					千葉県	首都圏		12	4Q
14					東京都	首都圏			
15					神奈川県	首都圏			
16					新潟県	関信越			
17					富山県	中部			
18					石川県	中部			
19					福井県	中部			
20					山梨県	関信越			
21					長野県	関信越			
22					岐阜県	中部			
23					静岡県	中部			
24					愛知県	中部			
25					三重県	中部			

下ごしらえとして、あらかじめこのような変換対応表を先に作っておけば、あとはVLOOKUP関数ですべて変換することができます。

変換して追加するデータを入力する関数を1つずつ見てみましょう。変換マスタを作ったシートの名前を「変換マスタ」としている場合の関数式です。

・F列（酒税区分）　→　=VLOOKUP(C2,変換マスタ!A:C,3,0)
・G列（支社）　→　=VLOOKUP(B2,変換マスタ!E:F,2,0)
・H列（年度）　→　=LEFT(A2,4)
・I列（月）　→　=VALUE(RIGHT(A2,2))
※RIGHT関数だけでは結果が「01」などのような文字列になってしまい、J列でおこなうVLOOKUP関数の第一引数として使う際にエラーを起こすため、VALUE関数で数値化しています。
・J列（四半期）　→　=VLOOKUP(I2,変換マスタ!H:I,2,0)
・K列（KEY）　→　=F2&G2&H2&J2
※集計表に入力するSUMIF関数の第一引数（検索範囲）に使用します。

2行めにこれらの関数を入れたら、あとはデータの最下端行までコピー（ダブルクリックで一発）するだけで、データの変換がかんたんにおこなえてしまいます。元データにない項目は、関数により自分で追加することで、思いどおり自在に集計できるようになります。これで、材料となるデータが整います。

ピボットテーブルへの依存による効率ダウンに注意

Excelには、データベース形式のデータをかんたんに集計できるツールとして、ピボットテーブルというものがあります。実際の使用例で、何ができるかのイメージを持ってください。

❶ 集計したいデータベース表の中のどこでもいいので、1つセルを選択した状態で、[挿入]タブ→[ピボットテーブル]をクリックする。

❷ 次に現れる[ピボットテーブルの作成]画面で[OK]をクリックする。

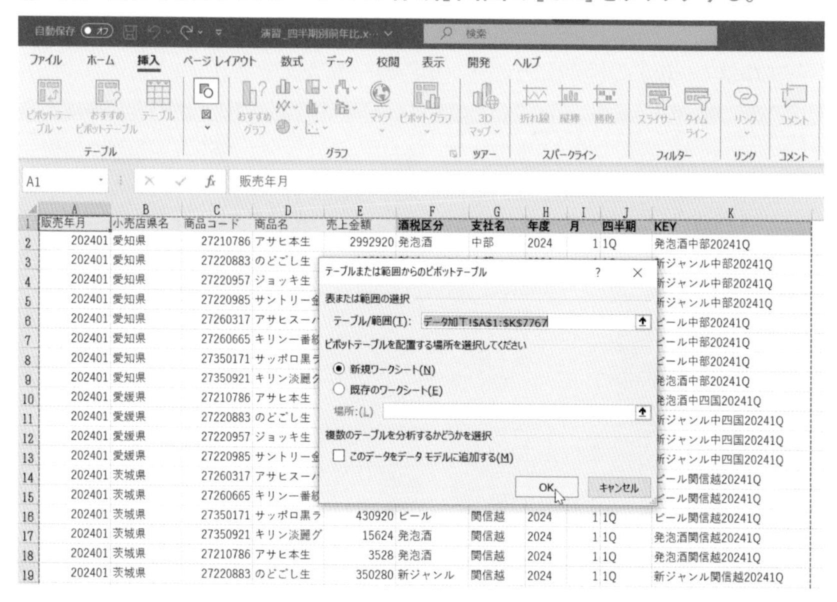

ここでは、ピボットテーブルのオプション→［表示］タブにて［従来のピボットテーブルレイアウトを使用する（グリッド内でのフィールドのドラッグが可能）］にチェックを入れた状態の画面で説明しています。使い勝手としては、ここにチェックを入れて使うのがおすすめです。

❸ 画面右側に、選択していたデータベース表の項目一覧であるフィールドリストが出てくる。ここで[小売店県名]にチェックを入れると、ピボットテーブルフィールドの縦軸に小売店県名の一覧ができる。

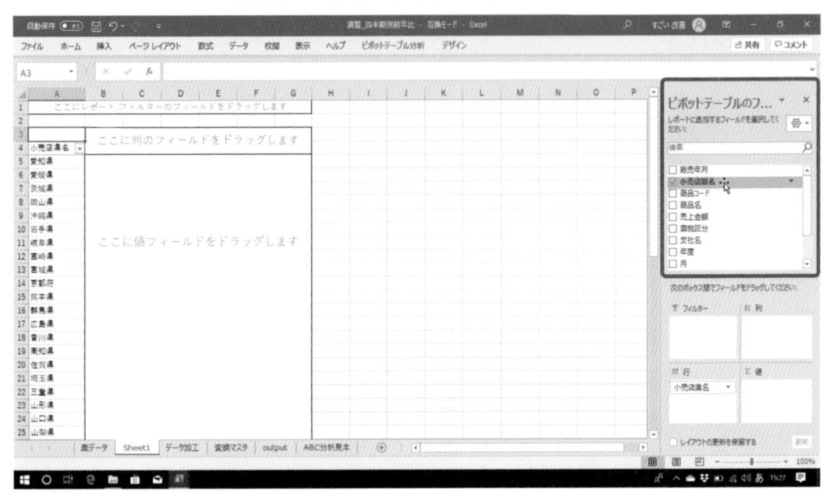

❹ 同じくフィールドリストで[売上金額]にチェックを入れると、小売店県名ごとの金額が集計される。

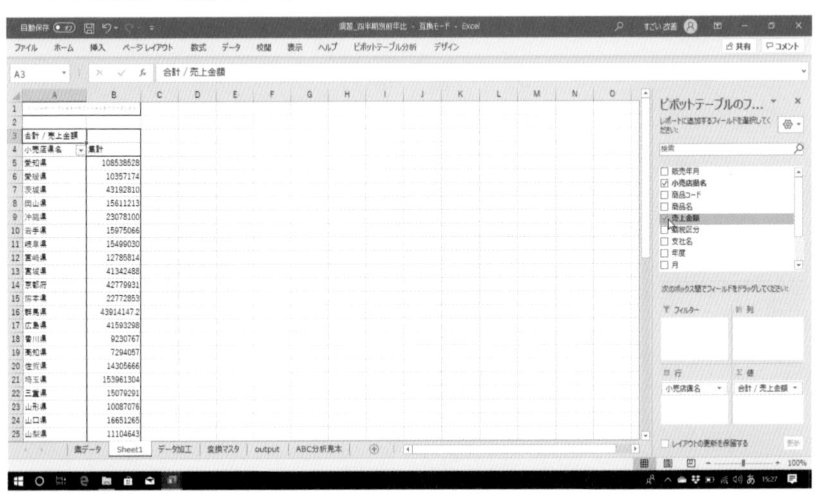

5 さらに「商品コード」と書かれている部分を画面右下の[列ラベル]ボックスの中にドラッグ&ドロップすると、今度は小売店県名別・商品コード別の集計に変わる。

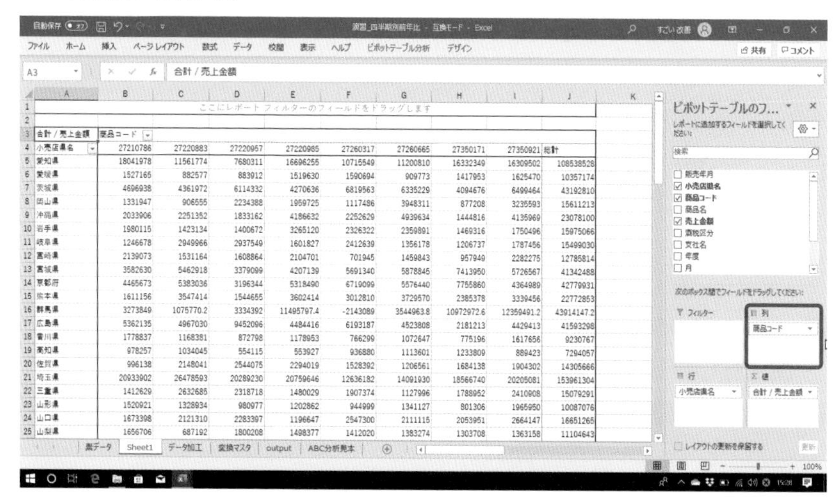

合計 / 売上金額	商品コード								
小売店県名	27210786	27220883	27220957	27220985	27260317	27260665	27350171	27350921	総計
愛知県	18041978	11561774	7680311	16696255	10715549	11200810	16332349	16309502	108538528
愛媛県	1527165	882577	883912	1519630	1590694	909773	1417953	1625470	10357174
茨城県	4696938	4361972	6114332	4270636	6819563	6335229	4094676	6499464	43192810
岡山県	1331947	906555	2234388	1959725	1117486	3948311	877208	3235593	15611213
沖縄県	2033906	2251352	1833162	4186632	2252629	4939634	1444816	4135969	23078100
岩手県	1980115	1423134	1400672	3265120	2326322	2359891	1469316	1750496	15975066
岐阜県	1246678	2949966	2937549	1601827	2412639	1356178	1206737	1787456	15499030
宮崎県	2139073	1531164	1608864	2104701	701945	1459843	957949	2282275	12785814
宮城県	3582630	5462918	3379099	4207139	5691340	5878845	7413950	5726567	41342488
京都府	4465673	5383036	3196344	5318490	6719099	5576440	7755860	4364989	42779931
熊本県	1611156	3547414	1544655	3602414	3012810	3729570	2385378	3339456	22772853
群馬県	3273849	1075770.2	3334392	11495797.4	-2143089	3544963.8	10972972.6	12359491.2	43914147.2
広島県	5362135	4967030	9452096	4484416	6193187	4523808	2181213	4429413	41593298
香川県	1778837	1168381	872798	1178953	766299	1072647	775196	1617656	9230767
高知県	978257	1034045	554115	553927	936880	1113601	1233809	889423	7294057
佐賀県	996138	2148041	2544075	2294019	1528392	1206561	1684138	1904302	14305666
埼玉県	20933902	26478593	20289230	20759646	12636182	14091930	18566740	20205081	153961304
三重県	1412629	2632685	2318718	1480029	1907374	1127996	1788952	2410908	15079291
山形県	1520921	1328934	980977	1202862	944999	1341127	801306	1965950	10087076
山口県	1673398	2121310	2283397	1196647	2547300	2111115	2053951	2664147	16651265
山梨県	1656706	687192	1800208	1498377	1412020	1383274	1303708	1363158	11104643

このように、さまざまな集計表をかんたんに作ることができるのがピボットテーブルです。たしかに強力な機能で、その強力さゆえに「表作成の定番ツール」と認識されて多用されるのですが、ここに大きな落とし穴があります。結論を言えば、

「定期的に繰り返される資料作成などのルーティンワークにピボットテーブルを使うと、効率を著しく落とす」

ことを知っておいてください。

よくやってしまいがちなのが、ひたすらピボットテーブルで集計→表にコピペ、という作業を繰り返してしまうことですが、その方法は極めて非効率かつコピペのミスが発生して大変危険です。

一度フォーマットを作っておけば、何度でも使いまわせる

そのようなケースでは、材料データから関数で集計するフォーマットを作成するのが最良の方法になります。一度そのフォーマットを作ってしまえば、あとは材料データを所定の場所に貼りつけるだけで表を完成できるためです。

この表では、まず最初にJ6セルに以下の集計式を1回だけ入力します。

```
=SUMIF(データ加工!$K:$K,$A6&$B6&J$5&J$4,データ加工!$E:$E)
```

▼ J6セルに=SUMIF(データ加工!$K:$K,$A6&$B6&J$5&J$4,データ加工!$E:$E)と入力

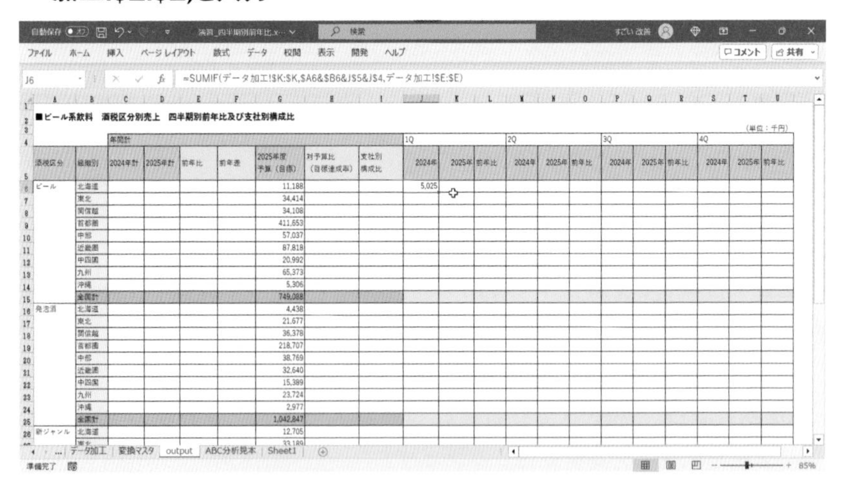

■ビール系飲料　酒税区分別売上　四半期別前年比及び支社別構成比

（単位：千円）

		年間計							1Q			2Q			3Q			4Q		
酒税区分	組織別	2024年計	2025年計	前年比	前年差	2025年度予算（目標）	対予算比（目標達成率）	支社別構成比	2024年	2025年	前年比	2024年	2025年	前年比	2024年	2025年	前年比	2024年	2025年	前年比
ビール	北海道					11,188			5,025											
	東北					34,414														
	関信越					34,108														
	首都圏					411,653														
	中部					57,037														
	近畿圏					87,818														
	中四国					20,992														
	九州					65,373														
	沖縄					5,306														
	全国計					749,088														
発泡酒	北海道					4,438														
	東北					21,677														
	関信越					36,378														
	首都圏					218,707														
	中部					38,769														
	近畿圏					32,640														
	中四国					15,389														
	九州					23,724														
	沖縄					2,977														
	全国計					1,042,847														
新ジャンル	北海道					12,705														
	東北					33,189														

第二引数では、以下の4つのセルの値を結合しています。

- A6セル「ビール」
- B6セル「北海道」
- J5セル「2024」
- J4セル「1Q」

J5セルに実際に入力されているのは「2024」という数値のみです。同じく、K5セルに入力されているのも「2025」という数値のみです。しかし、セル上では「2024年」「2025年」というように「年」という文字がついています。これは、[セルの書式設定]→[表示形式]の[ユーザー定義]にて、[種類]の入力ボックスに次のように入力して、表示上においてのみ「年」という文字を表示させているためです。

```
0"年"
```

結果として、先ほどの関数の第二引数は「ビール北海道20241Q」という文字列を作り出しています。

第一引数は「データ加工」シートのK列を指定していますが、この列にも酒税区分、支社名、年度、四半期名を結合した文字列が作られています。つまり、この式は、

・「データ加工」シートのK列が
・「ビール北海道20241Q」という文字列のとき
・「データ加工」シートのE列の売上数値を合計する

という処理をおこなっています。

このJ6セルの式を、そのままJ6セルからK14セルまでコピーすれば、それぞれの年度、支社における売上が集計されます。

J6セルの式をK14セルまでコピーした結果

ここで、最初のJ6セルの式を範囲J6:K14までそのままコピーしたあと、たとえばK9セルを選択して、F2キーを押してみると、次のようになります。

K9セルに入力されているSUMIF関数

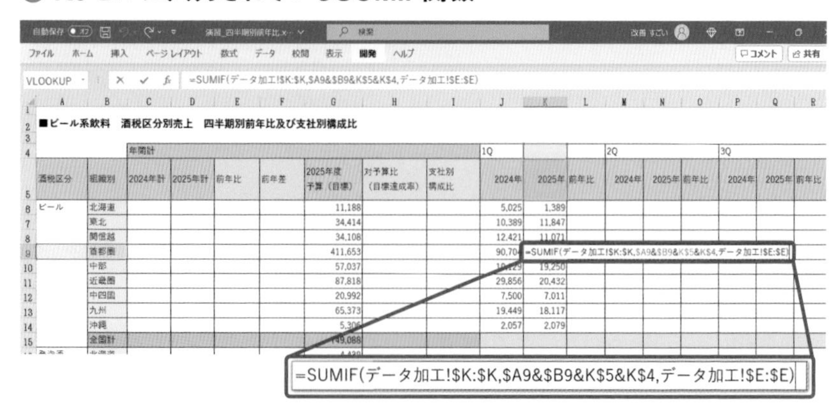

第二引数のところで4つのセルを参照しているSUMIF関数ですが、A9セル、K4セルの2つは空白のセルを参照しているように見えます。ここでは、ちょっとした隠し技を使ってあります。

次の図は、A列のセルの文字色をすべて黒にした状態です。じつは、各酒税区分の「ビール」「発泡酒」という名称が、A列の空白に見えていたセルにも、すべて文字色を白にした状態で入力してあるわけです。

▼A列には文字色を白にした状態で入力してある

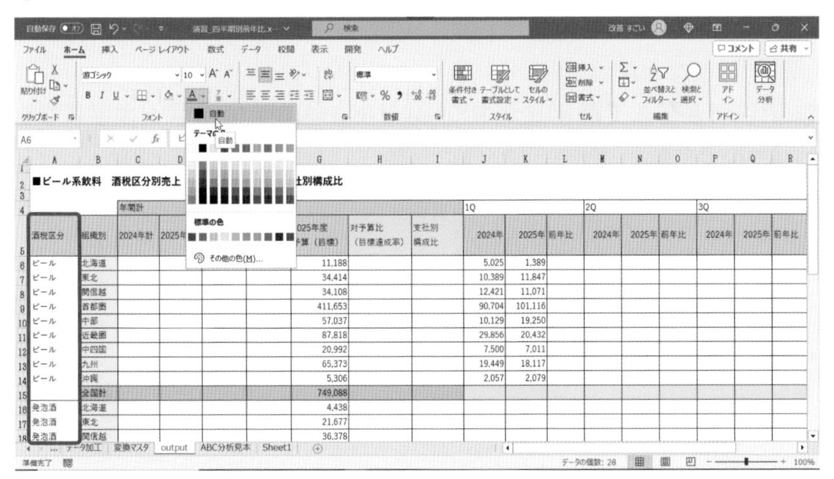

もちろん、これらの文字はSUMIF関数で参照するために入力してあるのですが、すべてのセルに表示があると表が見づらくなるので、1つだけ残して、あとは文字色を白くして見えなくしてあるのです。4行めにも、同様の仕掛けがしてあります。

あとはSUM関数で合計を出し、前年比のセルには当年÷前年の割り算式を入れれば、前年比が出ます。

その際、前年比が入るセルにはあらかじめ、「数値が100%より小さい場合は赤字・太字にする」という条件付き書式を設定しておけば、次のように自動的に算出結果を判定して書式が変わります。

▼ 条件付き書式で前年比が100%より小さい場合は赤字・太字になるようにできる

L15 =K15/J15

	A	B	C	D	E	F	G	H	I	J	K	L	M	N	O
1															
2	■ビール系飲料　酒税区分別売上　四半期別前年比及び支社別構成比														
3															
4			年間計							1Q			2Q		
5	酒税区分	組織別	2024年計	2025年計	前年比	前年差	2025年度 予算（目標）	対予算比 （目標達成率）	支社別 構成比	2024年	2025年	前年比	2024年	2025年	前年比
6	ビール	北海道					11,188			5,025	1,389	28%			
7		東北					34,414			10,389	11,847	114%			
8		関信越					34,108			12,421	11,071	89%			
9		首都圏					411,653			90,704	101,116	111%			
10		中部					57,037			10,129	19,250	190%			
11		近畿圏					87,818			29,856	20,432	68%			
12		中四国					20,992			7,500	7,011	93%			
13		九州					65,373			19,449	18,117	93%			
14		沖縄					5,306			2,057	2,079	101%			
15		全国計					749,088			187,530	192,312	103%			
16	発泡酒	北海道					4,438								
17		東北					21,677								
18		関信越					36,378								
19		首都圏					218,707								

あとは、以下のような手順でどんどん表の各セルに数式を入れていけば、表ができあがります。

❶ ビールの第一四半期（1Q）の範囲を選択して、Ctrl＋Cでコピーする。

J6 =SUMIF(データ加工!$K:$K,$A6&$B6&J$5&J$4,データ加工!$E:$E)

■ビール系飲料　酒税区分別売上　四半期別前年比及び支社別構成比

		年間計							1Q			2Q			3Q
酒税区分	組織別	2024年計	2025年計	前年比	前年差	2025年度予算（目標）	対予算比（目標達成率）	支社別構成比	2024年	2025年	前年比	2024年	2025年	前年比	2024年
ビール	北海道					11,188			5,025	1,389	28%				
	東北					34,414			10,389	11,847	114%				
	関信越					34,108			12,421	11,071	89%				
	首都圏					411,653			90,704	101,116	111%				
	中部					57,037			10,129	19,250	190%				
	近畿圏					87,818			29,856	20,432	68%				
	中四国					20,992			7,500	7,011	93%				
	九州					65,373			19,449	18,117	93%				
	沖縄					5,306			2,057	2,079	101%				
	全国計					749,088			187,530	192,312	[illegible]3%				
発泡酒	北海道					4,438									
	東北					21,677									
	関信越					36,378									

❷ 貼り付け範囲を指定する。

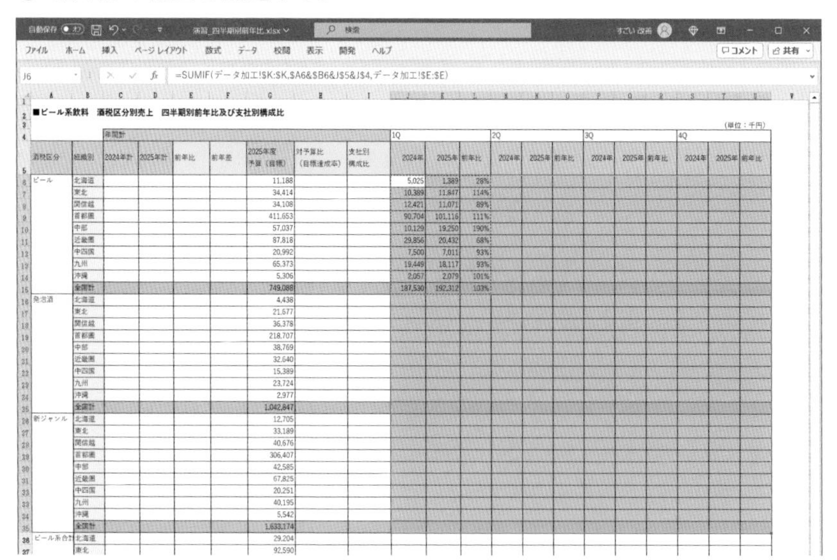

J6 =SUMIF(データ加工!$K:$K,$A6&$B6&J$5&J$4,データ加工!$E:$E)

■ビール系飲料　酒税区分別売上　四半期別前年比及び支社別構成比

（単位：千円）

		年間計							1Q			2Q			3Q			4Q		
酒税区分	組織別	2024年計	2025年計	前年比	前年差	2025年度予算（目標）	対予算比（目標達成率）	支社別構成比	2024年	2025年	前年比	2024年	2025年	前年比	2024年	2025年	前年比	2024年	2025年	前年比
ビール	北海道					11,188			5,025	1,389	28%									
	東北					34,414			10,389	11,847	114%									
	関信越					34,108			12,421	11,071	89%									
	首都圏					411,653			90,704	101,116	111%									
	中部					57,037			10,129	19,250	190%									
	近畿圏					87,818			29,856	20,432	68%									
	中四国					20,992			7,500	7,011	93%									
	九州					65,373			19,449	18,117	93%									
	沖縄					5,306			2,057	2,079	101%									
	全国計					749,088			187,530	192,312	103%									
発泡酒	北海道					4,438														
	東北					21,677														
	関信越					36,378														
	首都圏					218,707														
	中部					38,769														
	近畿圏					32,640														
	中四国					15,389														
	九州					23,724														
	沖縄					2,977														
	全国計					1,042,847														
新ジャンル	北海道					12,705														
	東北					33,189														
	関信越					40,676														
	首都圏					306,407														
	中部					42,585														
	近畿圏					67,825														
	中四国					20,251														
	九州					40,195														
	沖縄					5,542														
	全国計					1,633,174														
ビール系合計	北海道					29,204														
	東北					92,590														

❸ Ctrl + V で貼り付ける。

=SUMIF(データ加工!$K:$K,$A6&$B6&J$5&J$4,データ加工!$E:$E)

■ビール系飲料　酒税区分別売上　四半期別前年比及び支社別構成比

（単位：千円）

		年間計							1Q			2Q			3Q			4Q		
酒税区分	組織別	2024年計	2025年計	前年比	前年差	2025年度予算（目標）	対予算比（目標達成率）	支社別構成比	2024年	2025年	前年比	2024年	2025年	前年比	2024年	2025年	前年比	2024年	2025年	前年比
ビール	北海道					11,188			5,025	1,389	28%	2,261	2,625	116%	3,563	800	22%	6,018	5,357	89%
	東北					34,414			10,389	11,847	114%	6,691	5,334	80%	6,852	5,272	77%	8,489	6,711	79%
	関信越					34,108			12,421	11,071	89%	8,350	14,325	172%	6,487	6,596	102%	8,135	3,911	48%
	首都圏					411,653			90,704	101,116	111%	75,782	97,043	128%	87,129	56,792	65%	77,979	99,922	128%
	中部					57,037			10,129	19,250	190%	15,665	8,746	56%	8,709	9,225	106%	8,072	11,949	148%
	近畿圏					87,818			29,856	20,432	68%	29,500	17,895	61%	15,294	12,130	79%	25,683	37,361	145%
	中四国					20,992			7,500	7,011	93%	4,119	5,187	126%	4,271	4,389	103%	4,396	4,404	100%
	九州					65,373			19,449	18,117	93%	12,328	13,784	112%	9,370	9,921	106%	16,151	16,548	102%
	沖縄					5,306			2,057	2,079	101%	465	984	211%	573	1,093	191%	629	757	120%
	全国計					749,088			187,530	192,312	103%	155,162	165,922	107%	142,249	106,219	75%	155,552	186,919	120%
発泡酒	北海道					4,438			2,306	674	29%	868	2,024	233%	528	1,081	205%	1,437	448	31%
	東北					21,677			8,971	6,505	73%	3,296	4,719	143%	3,375	2,374	70%	3,321	5,931	179%
	関信越					36,378			6,619	16,072	243%	6,667	6,905	104%	5,945	3,993	67%	5,486	4,391	80%
	首都圏					218,707			76,085	36,837	48%	69,602	63,315	91%	39,576	45,169	114%	64,433	87,347	136%
	中部					38,769			16,540	8,082	49%	6,244	8,495	136%	5,694	3,940	69%	8,153	11,524	141%
	近畿圏					32,640			17,039	5,435	32%	9,659	13,240	137%	7,901	11,049	140%	12,227	7,367	60%
	中四国					15,389			5,197	5,536	107%	4,635	3,943	85%	2,642	2,861	108%	3,649	4,571	125%
	九州					23,724			9,099	7,638	84%	5,970	7,118	119%	3,417	4,447	130%	4,657	5,770	124%
	沖縄					2,977			805	184	23%	508	800	158%	1,070	1,068	100%	586	1,149	196%
	全国計					1,042,847			142,661	86,962	61%	107,450	110,558	103%	70,148	75,982	108%	103,949	128,497	124%
新ジャンル	北海道					12,705			2,435	4,883	201%	5,447	1,698	31%	2,926	3,024	103%	773	1,841	238%
	東北					33,189			7,676	10,735	140%	7,914	6,661	84%	3,800	4,897	129%	4,902	6,820	139%
	関信越					40,676			9,870	10,410	105%	9,807	15,093	154%	6,555	7,150	109%	11,052	11,561	105%
	首都圏					306,407			130,674	96,503	74%	119,250	60,043	50%	61,495	74,305	121%	106,546	75,555	71%
	中部					42,585			17,051	7,885	46%	9,440	12,446	132%	8,768	8,782	100%	13,580	8,242	61%
	近畿圏					67,825			14,364	24,626	171%	15,484	13,834	89%	12,895	11,995	93%	13,676	9,040	66%
	中四国					20,251			8,459	4,480	53%	6,467	5,119	79%	4,031	3,891	97%	6,922	6,412	93%
	九州					40,195			8,217	13,250	161%	13,681	8,528	62%	8,780	7,116	81%	6,983	6,365	91%
	沖縄					5,542			377	1,141	302%	1,341	1,175	88%	411	874	213%	1,562	1,390	89%
	全国計					1,633,174			199,123	173,913	87%	188,831	124,596	66%	109,661	122,035	111%	165,996	127,226	77%
ビール系合計	北海道					29,204														
	東北					92,590														

こうして、最初に一度自動集計フォーマットを作っておけば、何度も使いまわすことができ、似たような集計作業を何度もしなくてよくなるのです。この仕組みを作っておけば、「データ加工」シートの所定の場所に元データを貼り付けるだけで、あとは関数が自動的に集計をおこない、表が一瞬で完成します。

その作業時間の短縮効果は、じつに2時間の作業が1分になるほどです。これをピボットテーブルを多用する方法など使っていたら、日が暮れてしまい、必死の作業の末にできあがったその資料はミスだらけで使い物にならない可能性が大きいのです。

この資料のくわしい作成手順を理解し、実際に作成する演習は、弊社のExcelセミナーでは必ずおこなっております。ぜひ挑戦してみてください。

最小の労力で最大の成果を出す 80:20分析(パレート分析)

その経費削減努力、本当に意味がありますか?

売上を上げる。
経費を下げる。

どちらも利益を上げるためには大切なことですが、闇雲にがんばればいいというものではありません。力を入れるべき対象をまちがえると、手間ばかりかかるわりには成果が少ない、「労多くして実り少ない」結果となってしまいます。そうなると、生産性を下げるだけでなく、むしろ余計な時間コスト、つまり時間のムダを増やしてしまいます。さらには、社員のモチベーションが下がる事例も多くあります。

たとえば、経費削減。多くの企業で「ムダなコストを減らそう」と努力していること自体は素晴らしいことです。ただし、その努力にも一定の労力や時間がかかっていることを忘れてはいけません。コストカットのためにかかった時間コストが、そのコストカット効果による削減分を上回っていては、本末転倒です。そのような「意味のない経費削減の努力」をすることがあってはなりません。今まで私が見てきた事例としては、次のようなものがあります。

・ポストイットは半分に切って使え
・コピー用紙は裏紙を使え
・席を10分以上離れるときはパソコンをシャットダウンしろ
・メモ用紙はコピーの裏紙を切って使え

けっこうな手間と時間がかかる作業のわりには、じつはこれらの経費削減努力はたいした経費削減額、つまり新たな利益を生み出しません。これらの作業にかかった時間分の人件費を考えると、むしろ赤字にさえなっているかもしれません。このようなコストカットのための作業はだいたい退屈で、生産性も低く、社員のやる気をなくす結果につながります。

コストカットにおいては「チリも積もれば山になる」という表現がよくいわれます。

「では、はたしてその作業は本当に積もったら山になるチリなのか？」

それを見極める必要があるのです。

パレートの法則とは

ビジネスでよく使われる考え方に「パレートの法則」というものがあります。「80：20の法則」ともいわれます。これは

「売上の80%は、全顧客のうち20%の顧客からの売上で構成されている」
「経費の80%は、全社員のうち20%の社員が使った経費で構成されている」

という、ひと言でいえば「一部の構成要素が全体に大きな影響を与えている」という仮説です。

具体的には、次のようなグラフで表現するとわかりやすくなります。

顧客別売上構成比

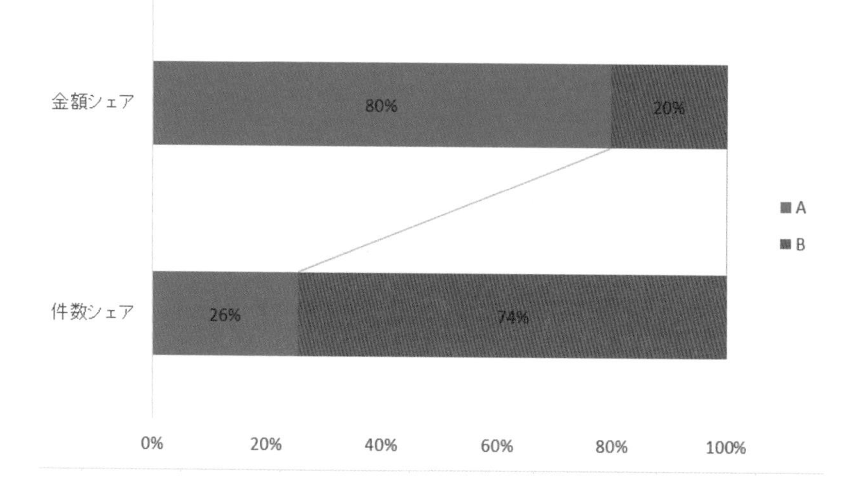

これは、某社の顧客別売上構成比をグラフ化したものです。顧客をAグループとBグループに分け、それぞれのグループごとの顧客数（グラフ内では件数）と売上金額の比率を表しています。

このグラフからは、件数シェアでは26%にすぎないAグループの顧客が、売上全体の80%を担っていることが一目瞭然でわかります。この26%の顧客からの売上を失った場合、または減った場合、全社売上に対する影響は経営を揺るがすレベルであることが読み取れるのです。したがって、この上位26%の流出防止、継続的な取引を維持するための戦略を取る必要があるなどの意思決定、判断に活用されます。

パレート分析のグラフに至る3つの分析手法

このグラフに至るには、次の3つの分析手法を順におこないます。

❶ ランキング分析

まずはシンプルに、顧客をたとえば購入金額などの大きい順に並べ替えるだけです。Excelの機能では「並べ替え」機能によりかんたんにおこなうことができます。これだけで、重要な顧客をリストの上部に並べることができます。

たとえば、新商品の提案をおこなう際に、顧客に順に電話をかけていくとします。顧客名簿が五十音順に並んでいた場合、以下のどちらの手段を実行するかで、営業の効率は当然大きく変わってきます。

- そのまま上から順番に電話をかけていく
- 一度購入金額の大きい順（降順）にデータを並べ替え、上位顧客から順に電話をかけていく

「重要な顧客から順にアプローチしていく」という当然の手順を、Excelの「並べ替え」機能が支援してくれるのです。

❷ ABC分析

顧客別売上データを降順に並べたら、次にそれぞれの顧客の購入金額について、全体構成比を出します。次ページの表では、C1セルに全顧客の購入金額計が入っていますから、これを分母に、各顧客の購入金額を割り算して構成比を出します。D4セルに次の式を入れて、最下端行までコピーします。

```
=C4/$C$1
```

次に、その構成比を足しあげ、累積構成比を出します。

顧客の購入金額について、全体構成比を出す

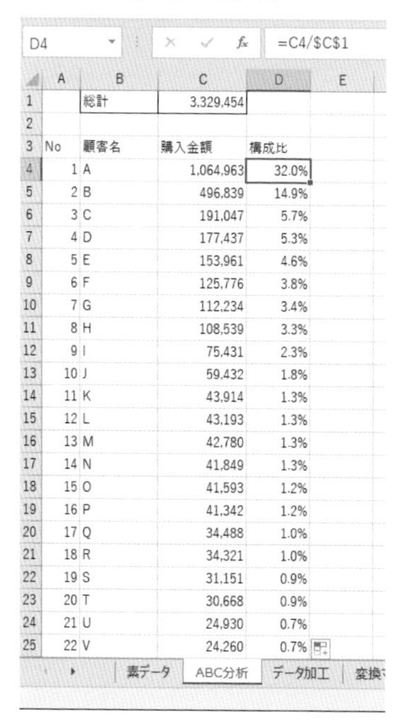

D4 =C4/$C$1

	A	B	C	D	E
1		総計	3,329,454		
2					
3	No	顧客名	購入金額	構成比	
4	1	A	1,064,963	32.0%	
5	2	B	496,839	14.9%	
6	3	C	191,047	5.7%	
7	4	D	177,437	5.3%	
8	5	E	153,961	4.6%	
9	6	F	125,776	3.8%	
10	7	G	112,234	3.4%	
11	8	H	108,539	3.3%	
12	9	I	75,431	2.3%	
13	10	J	59,432	1.8%	
14	11	K	43,914	1.3%	
15	12	L	43,193	1.3%	
16	13	M	42,780	1.3%	
17	14	N	41,849	1.3%	
18	15	O	41,593	1.2%	
19	16	P	41,342	1.2%	
20	17	Q	34,488	1.0%	
21	18	R	34,321	1.0%	
22	19	S	31,151	0.9%	
23	20	T	30,668	0.9%	
24	21	U	24,930	0.7%	
25	22	V	24,260	0.7%	

素データ　ABC分析　データ加工　変換

累積構成比を出す

E5 =E4+D5

	A	B	C	D	E
1		総計	3,329,454		
2					
3	No	顧客名	購入金額	構成比	累計構成比
4	1	A	1,064,963	32.0%	32.0%
5	2	B	496,839	14.9%	46.9%
6	3	C	191,047	5.7%	52.6%
7	4	D	177,437	5.3%	58.0%
8	5	E	153,961	4.6%	62.6%
9	6	F	125,776	3.8%	66.4%
10	7	G	112,234	3.4%	69.7%
11	8	H	108,539	3.3%	73.0%
12	9	I	75,431	2.3%	75.3%
13	10	J	59,432	1.8%	77.1%
14	11	K	43,914	1.3%	78.4%
15	12	L	43,193	1.3%	79.7%
16	13	M	42,780	1.3%	81.0%
17	14	N	41,849	1.3%	82.2%
18	15	O	41,593	1.2%	83.5%
19	16	P	41,342	1.2%	84.7%
20	17	Q	34,488	1.0%	85.7%
21	18	R	34,321	1.0%	86.8%
22	19	S	31,151	0.9%	87.7%
23	20	T	30,668	0.9%	88.6%
24	21	U	24,930	0.7%	89.4%
25	22	V	24,260	0.7%	90.1%

素データ　ABC分析　データ加工　変換マスタ

これで、たとえば「上位3社のみで全体の50％を占めており、その上位3社が極めて重要な顧客である」ことがわかります。その重要度の分類として、「顧客をいくつかのグループに分ける」という形で分析する手法がABC分析です。ここでは、累計構成比が80％までの顧客をA、それ以降の顧客をBランクと設定するとします。

そのような分類は、IF関数でおこなうことができます。F4セルに次の式を入力して、最下端行までコピーすることで、AランクとBランクを分類することができます。

```
=IF(E4<80%,"A","B")
```

▼ F4セルに=IF(E4<80%,"A","B")と入力して、AランクとBランクを分類する

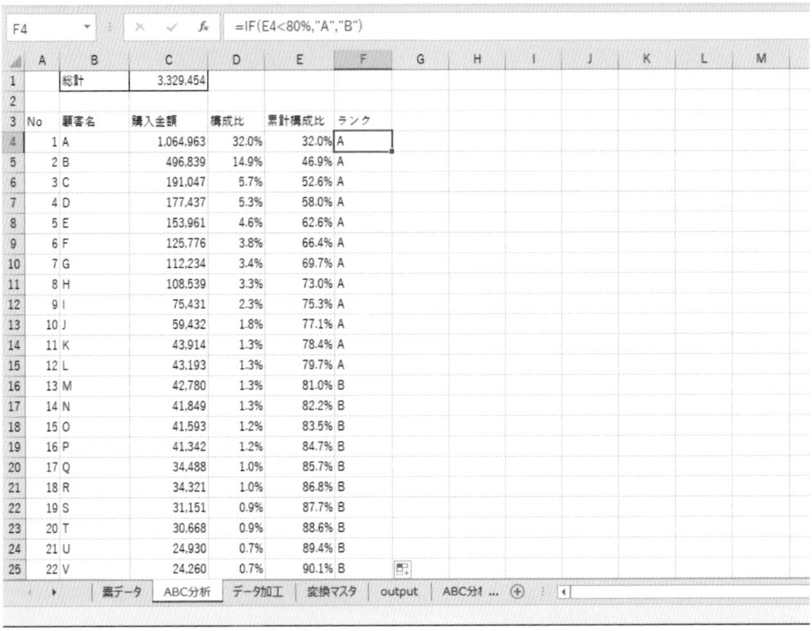

F4 =IF(E4<80%,"A","B")

	A	B	C	D	E	F
1		総計	3,329,454			
2						
3	No	顧客名	購入金額	構成比	累計構成比	ランク
4	1	A	1,064,963	32.0%	32.0%	A
5	2	B	496,839	14.9%	46.9%	A
6	3	C	191,047	5.7%	52.6%	A
7	4	D	177,437	5.3%	58.0%	A
8	5	E	153,961	4.6%	62.6%	A
9	6	F	125,776	3.8%	66.4%	A
10	7	G	112,234	3.4%	69.7%	A
11	8	H	108,539	3.3%	73.0%	A
12	9	I	75,431	2.3%	75.3%	A
13	10	J	59,432	1.8%	77.1%	A
14	11	K	43,914	1.3%	78.4%	A
15	12	L	43,193	1.3%	79.7%	A
16	13	M	42,780	1.3%	81.0%	B
17	14	N	41,849	1.3%	82.2%	B
18	15	O	41,593	1.2%	83.5%	B
19	16	P	41,342	1.2%	84.7%	B
20	17	Q	34,488	1.0%	85.7%	B
21	18	R	34,321	1.0%	86.8%	B
22	19	S	31,151	0.9%	87.7%	B
23	20	T	30,668	0.9%	88.6%	B
24	21	U	24,930	0.7%	89.4%	B
25	22	V	24,260	0.7%	90.1%	B

素データ ABC分析 データ加工 変換マスタ output ABC分1 ...

❸ パレート分析

このようにAランクの顧客とBランクの顧客に分類できたら、次はそれぞれの「件数」と「合計金額」を出します。表は次の形になります。

Aランクの顧客とBランクの顧客の「件数」と「合計金額」を出す

G3

	A	B	C	D	E	F	G	H	I	J	K	L
1		総計	3,329,454									
2												
3	No	顧客名	購入金額	構成比	累計構成比	ランク			件数	金額	件数シェア	金額シェア
4	1	A	1,064,963	32.0%	32.0%	A		A	12	2,652,765	26%	80%
5	2	B	496,839	14.9%	46.9%	A		B	35	676,688	74%	20%
6	3	C	191,047	5.7%	52.6%	A		合計	47	3,329,454	100%	100%
7	4	D	177,437	5.3%	58.0%	A						
8	5	E	153,961	4.6%	62.6%	A						
9	6	F	125,776	3.8%	66.4%	A						
10	7	G	112,234	3.4%	69.7%	A						
11	8	H	108,539	3.3%	73.0%	A						
12	9	I	75,431	2.3%	75.3%	A						
13	10	J	59,432	1.8%	77.1%	A						
14	11	K	43,914	1.3%	78.4%	A						
15	12	L	43,193	1.3%	79.7%	A						
16	13	M	42,780	1.3%	81.0%	B						
17	14	N	41,849	1.3%	82.2%	B						
18	15	O	41,593	1.2%	83.5%	B						
19	16	P	41,342	1.2%	84.7%	B						
20	17	Q	34,488	1.0%	85.7%	B						
21	18	R	34,321	1.0%	86.8%	B						
22	19	S	31,151	0.9%	87.7%	B						
23	20	T	30,668	0.9%	88.6%	B						
24	21	U	24,930	0.7%	89.4%	B						
25	22	V	24,260	0.7%	90.1%	B						

素データ | ABC分析 | データ加工 | 変換マスタ | output | ABC分析 ...

準備完了

「AとBがそれぞれいくつあるか」は、COUNTIF関数で出します。

「AとBのそれぞれの売上合計はいくらか」は、SUMIF関数で出します。

実数を出したら、構成比を出します。すると、Aは件数では全体の26%ですが、売上に占める構成比は80%であることがわかります。一方のBは、件数こそ全体の74%ですが、売上構成比では20%にすぎないことがわかります。これをグラフにすると、先に挙げた「顧客別売上構成比」のようなグラフになります。

もう一目瞭然ですね。この会社においては、まずAグループの顧客を死守しなければなりません。もちろん、Bグループの顧客を無視していいわけではありませんが、優先順位としてはやはりAグループを重視するのがセオリーです。戦略的には、

「Aグループの顧客に提供する優遇策をBグループの顧客層にも開示することで、Bグループの購買意欲、Aグループへの昇格意欲を刺激する」

という方法も考えられます。こうした戦略立案の根拠、きっかけになる分析が、こんなかんたんなExcelだけでできてしまうのです。

経費についても同様です。全体の大部分を占めている小数要素を抽出して、そこにメスを入れなければ、効果は出てきません。ポストイットを半分に切ったり、コピー用紙の裏紙を使うことに時間を割くよりも、「全体の80%を占めている上位項目は何か」をあぶりだしてください。すると

「販管費における接待交際費の割合が年々上昇している一方で、売上には変化は見られず、営業利益の下落要因になっている。この経費支出は、見直しが必要ではないのか？」

など、本当にメスを入れるべき対象が見つかってきます。労多くして実りない作業や努力に時間とエネルギーを割くことのないよう、何を対象に、どうするべきかを見誤らないために、Excelの基本を理解するだけで使えるこうした分析手法をぜひ活用してください。

Excelと「会社の数字」を両輪で理解する

このパレート分析を活用する際に、「会社にはどのような数字があるのか」を把握しておくと、より的確な分析ができるようになります。

会社の数字といえば、売上高や社員数、もしくは歴史を示す創業からの経過年数などさまざまな側面がありますが、ここではビジネスパーソンにとって最も基本となり、会社の状態を把握するのに不可欠な「売上高」や「営業利益」などの「決算書」の数字を例に考えてみましょう。

たとえば、私はある商社から「弊社にとって本当に重要な顧客企業はどこなのか明らかにしたい」という依頼を受けました。この分析に会社の数字の中で真っ先に使うのが「売上高」です。

「売上高を基準にパレート分析をおこない、全取引先2000社の中で上位50%を占める300社をまずは重要顧客企業と定義してみましょう」

……そのように提案し、営業効率の向上に寄与しました。

ただ、それだけでは「利益」の視点が不足しています。売上だけではなく、各企業からどれだけの「利益」がもたらされたかについては、各社からの受注のためにどれだけの営業費用を使ったかも確認しなければなりません。さらに、同じ売上であっても、その製品の製造にかかる原材料費などの製造原価が以前よりも上昇している場合には残る利益は少なくなってしまう……など、さまざまな変動要因が存在します。

このように全体的に数字を見る視点を養うのに役立つのが、決算書の理解です。決算書は財務諸表とも呼ばれ、いくつかの書類に分かれていますが、その中でも特にパレート分析の活用が価値を持つ「損益計算書」……略してP/L（ピーエル）について見てみましょう。

まず、かなり単純化した図解ではありますが、P/Lはこのような数字と文字だけで書かれた表組みになっています。

損益計算書

科目	金額
売上高	1,000
売上原価	400
売上総利益	600
【販売費及び一般管理費】	400
広告宣伝費	XXX
役員報酬	XXX
福利厚生費	XXX
…	XXX
営業利益	200
営業外収益	50
営業外費用	10
経常利益	140
税引前当期純利益	140
法人税等	40
当期純利益	100

この中で、パレート分析の対象とすべき「科目」欄にある項目を1つずつかんたんに説明します。各数字の計算にはさまざまな会計ルールがあって、実際に会社から出入りした金額とは異なることが多いのですが、そのあたりの事情は割愛した説明としてご理解ください。

① 売上高

商品やサービスを提供した対価として、顧客からいただいたお金の金額。

② 売上原価

商品やサービスの販売のために要した材料費、仕入費用、製造要員の賃金などの合計。

原価率＝②÷①

③ 売上総利益（粗利）

①から②を引き算して計算される数字。

粗利率＝③÷①

④ 販売費及び一般管理費（略して販管費）

社員の給与や交通費、オフィス家賃などの経費。一般に「固定費」などとも呼ばれる。

中でも人件費の比率が高くなることが多いため、粗利からどれだけ人件費に割かれているかを見る「労働分配率」（人件費÷粗利）という指標がある。

⑤ 営業利益

売上総利益から販管費を引き算した数字。「本業のもうけ」とよく説明される。

この数字がプラスなら営業黒字、マイナスなら営業赤字となる。

営業利益率＝⑤÷①。

まず、この5つの数字が「いい状態なのか悪い状態なのか」を直観的に把握するのに役立つのがこのようなグラフ化です。オレンジの部分を追っていくことで、売上高から売上原価を引いたのが売上総利益、そこから販管費を引いたのが営業利益となっており、このオレンジとグレーの横幅の厚さによって利益率の高低が直観的にわかります。

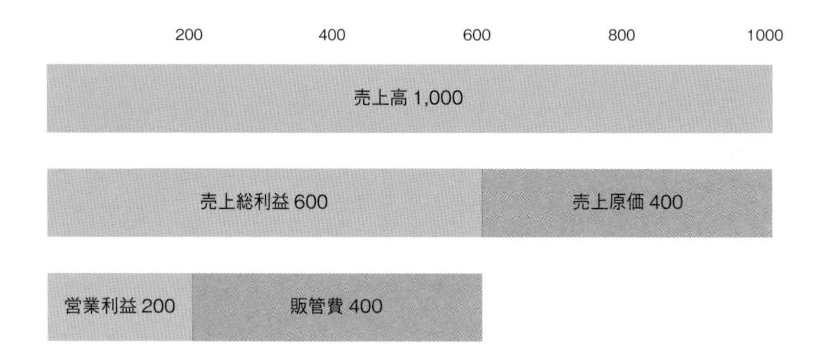

文字と数字の羅列でしかない損益計算書から会社の収支状況、利益の厚さ薄さなどの概況を把握するには、一定の慣れが必要です。しかし、このようにグラフ化することで、把握が容易になります。

そして、この中でパレート分析を実施すべき対象は「売上高」「売上原価」「販管費」の3つです。このうち「売上原価」と「販管費」については会計上のルールにより、分析からは除外すべき理論値が含まれていることがあるため注意を要しますが、たとえば次のように考えます。

・売上高の大部分を担う顧客・商品・営業が一部に集中していないか。集中しているとすれば、それはどれか。
・原価の大部分を占める仕入先・材料などが一部に集中していないか。集中しているとすれば、それはどれか。
・販管費の大部分を占める経費・担当者・用途・支払先が一部に集中していないか。集中しているとすれば、それはどれか。

ビジネスでは、「一極集中」を避けてリスクは分散させるという考え方が基本となります。その実践のために必要な状況確認をする手段がパレート分析です。官公庁においても、人口や税収などの行政データをもとにした分析に活用されている、極めて有力な手法です。

売上、経費、在庫、利益、人事などに関するデータを入手することが可能であれば、ぜひその概況をパレート分析で明らかにしてみてください。必ず、一部の要素が大きな影響力を持っているなどの重要な発見につながることが、弊社が経営分析をご一緒してきた100社以上の企業との取り組み実績から明らかになっています。

平均値は嘘をつく

最後に、1つお伝えしたいことがあります。

あらゆる本やセミナーで、重要基本関数として、「平均値」を出すAVERAGE関数が紹介されています。しかし、弊社のExcel研修ではこれを扱いません。なぜか。それは、数値データを用いた資料作成において、安易に「平均値」というものを使うべきではないと考えているからです。

「平均値は嘘をつく」

まずはそれを覚えておいてください。

私たちは、昔からあらゆる場面で平均値というものになじんできました。テストの平均点。平均年収。そういった指標を聞いては、それを上回った、下回った、と一喜一憂します。

平均値とは、全体の数字の合計を、全体の個数で割った値です。なんとなく、「全体における中心的な値」だと感じますよね。しかし、平均値は実際の現実と乖離した印象を私たちに与えるリスクがあるのです。

たとえば、企業の「平均年収」という指標。これを判断材料にする際には注意が必要です。一見高く見える平均年収も、一部役員の高額な報酬が平均値をつり上げており、大多数の社員の年収は平均年収より大幅に少ないのが実態である可能性もあります。

このように、平均値は、実態とは乖離した認識を与えるリスクがあることに注意してください。

統計学では、この問題に対して、出した平均値の元となる各数値のバラつき具合を見る「標準偏差」というものを教えています。ただ、それがプレゼンテーションで説明されたとして、聞いた人が直感的に理解できて、実際のビジネスの現場での行動につながるだけの説得力を持つとは限りません。その点への留意が必要です。

資料に「平均値」を用いている場合、その平均値はなぜ出したのかをお伺いすると、「何となく」「前任者が出していたから」という答えが返ってくることが多いです。明確な意図と意思を持って資料を作らないと、そういうことになるのです。自分の大切な時間と労力を割く仕事です。「その仕事によって、どんな成果が生まれるのか？」を強く意識してください。惰性で資料を作成している場合ではないのです。

仕事に必要で大切な3つの要素である「主体性」と「責任感」と「全体観」を失うことなく、Excelを武器にして、仕事力を大幅に上げていただきたいと思っています。

おわりに

デスクワークの現場はまだまだカイゼンできる

トヨタ生産方式の確立によって「カイゼン」という言葉が世界共通語となるほど、工場など生産現場では非常に細かい単位で業務改善の努力が進められています。秒単位、ミリ単位、ネジ1個単位……そんな極限の小さなこだわりを積み重ねて大きなカイゼン効果を生み出してきた生産現場の努力には敬意を表するべきです。

一方、デスクワークが中心のオフィス業務においてはどうでしょうか。工場でなされているのと同じレベルで、ムダをなくし生産性を上げる努力がなされていると言えるでしょうか。

毎月同じ資料を作るのに、丸1日かかっている。
毎月請求書を発行するのに、3日もかかっている。
毎月社員の勤怠集計をするのに、1週間残業が続いている。
しかも、手作業で工数が多いから、ミスが頻発している。

そのような状況を特に問題とも思わず、当たり前の労力として放置している事業所にこれまでいくつも出会ってきました。

そして、そのような事業者の皆様にExcelの指導を通じて関わり、実現してきたことは、およそ10倍から1000倍のスピードアップと生産性の向上です。1日がかりの作業が3分に短縮され、資料のあちこちで起きていたミスの発生が完全にゼロになりました。

最初にほんの少し時間をかけてExcelの基礎を知っておくだけで、膨大な時間と労力が節約できる。

その時間と労力を、本来なすべき生産性と創造性ある仕事に割くことができる。

すべてのデスクワーク担当者がそのスキルを身につければ、会社は変わる。社員も仕事が楽しくなる。
そんな会社が増えれば、少なからずこの日本の経済活性化に貢献できる。
そう考えて、この本を書きました。

この本の完成に至るまでには、多くの方のご指導とご支援をいただきました。
無名の弊社を見出してくださり、今回の書籍執筆の打診をくださった技術評論社の傳智之さんにまず最大の感謝を申し上げなければなりません。
そして、私と株式会社すごい改善のExcel技術を育ててくださった最大の恩師であるクライアント各社、弊社セミナー受講生の皆様。皆様との仕事の中で、私たちの技術は磨き上げられていきました。
そして画像の作成、内容の確認や検討で尽力してくれた愛すべき弊社すごい改善のメンバー、鹿島直美さん、山岡誠一さん、油片愛翔さん、佐藤佳さん……この仲間たちがいなければこの本は完成していませんでした。ついでに、その存在だけで力を与えてくれた2人の我が子たち、裕（ゆたか）とひかりにも感謝します。

Excelを武器に評価を上げるには——仕組みを作ったものが勝つ

そして読者の皆様には、ただ「Excelが得意な人」になるだけではなく、Excelによる効率化スキルと分析スキルを駆使して、仕事の成果、組織での高い評価というリターンにつなげていただきたいと思っています。
どんなにExcelを器用に使いこなせるようになったとしても、それだけで評価が上がることはありません。組織で高い評価を得る条件として大切なのが、「今までになかった新しいものを作ること」、そして「自分の仕事だけでなく、まわりの仕事も改善する仕組みを作ること」の2つです。
私自身、前職のメルシャン株式会社では、当初Excelの関数もろくに知らないところからデータ分析の業務をスタートしました。最初は、前任者から引き継いだ資料作成の仕事を、毎日終電まで残って悪戦苦闘しつつおこなっていました。しかし、それでは現状以上の仕事ができないと気づき、「なんとか時間を短縮する方法がないか」ともがいた末、さまざまな関数が集計を自動化してくれることに気づきました。そして、その関数をあらかじめセットしておけば、あとは材料データを所定の場所に貼りつけるだけですべて完了できる仕組みが作れることを見出していきました。

そうしてできた時間的余裕を使って、前任者から引き継いだ資料により改善を加えながら、新しい視点からの分析手法を取り入れ、全社に発信する役割を担った結果、全社の数％の社員にのみ与えられるS評価を獲得することができました。まさにExcelと分析のスキルだけで最高の評価をいただいたのです。

その経験を活かしてExcelを指導する会社を立ち上げてからも、同様の成果を出してくださるクライアントが続出しました。その方々に共通していたのはやはり、さきほど記述した2つの条件です。

言われたことをこなしているだけでは、不可欠な存在となることはできません。しかし、不可欠な存在になるには特別な才能が必要というわけではありません。皆が使っているExcelをちょっと工夫して武器にするだけでも、大きな成果を出し、組織に貢献することができるのです。

本書がその一助となれば、これに勝る喜びはありません。

また、私たち株式会社すごい改善では、本の出版以外にもさまざまな形で、Excelを通して人と企業の成長に寄与する取り組みをおこなっています。週末におこなっているExcelセミナーは、2011年の開始以来、600回以上の開催で1万名以上の方が受講されました。セミナーに参加することが難しい方のために、インターネット上の動画でExcelセミナーを視聴できるオンラインサイトも用意しています。詳細は、以下の弊社Webサイト、またはX（旧Twitter）アカウントをご覧ください。

【ホームページ】https://sugoikaizen.com/
【X】https://twitter.com/sugoi_kaizen

2024年2月2日　株式会社すごい改善　代表取締役　吉田拳

索引

O

P

R

S

T

U

V

W

X

Y

あ

か

さ

た

な

著者紹介

吉田 拳（よしだ けん）

Excel業務改善コンサルタント。Excel研修講師。株式会社すごい改善代表取締役。
1975年生まれ。東京外国語大学卒。音楽業界での某大物歌手のマネージャー職、複数の企業でのマーケティング業務を経てメルシャン（株）に入社。同社勤務時代に、Excelを触ったこともなかった状態から、営業戦略用のデータ分析を担当し悪戦苦闘する中で、「企業の生産性をより上げるためには、社員のExcelスキルを向上する必要性がある」と痛感。業務効率化のためのExcel技術を追求し始め、社内の上位数%にのみ与えられるS評価を獲得する。その経験から「Excelを武器に人と企業が成長できるサポート」の実現を目指す。
2010年、（株）すごい改善を設立、代表取締役に就任。実務直結主義のExcel研修を毎週開催、高額の受講料にも関わらず、全国から受講者が参加し、常に2ケ月先まで満席状態が続く。また、「大手IT企業における生産性の向上・残業代などのコスト削減」「飲食店チェーンや工務店、メーカー、会計事務所などのシステム開発」「戦略的経理によるキャッシュフロー改善」など、業種・業態・職種を問わず、Excelを駆使したあらゆる分野での業務改善の専門家として知られる。これまでの指導実績は、中小企業から大手企業まで、1万名以上。Excel研修開催実績は600回を超える。
著書に『マンガ たった1日で即戦力になるExcelの教科書』『たった1秒で仕事が片づくExcel自動化の教科書』（技術評論社）、監修に『1万人の業務効率を劇的に改善したExcel速技BEST100』（PHP研究所）がある。
日本経済新聞、週刊ダイヤモンド、プレジデントなど取材記事掲載多数。

公式サイト：https://sugoikaizen.com/
X：@sugoi_kaizen

装丁
水戸部 功
カバーイラスト
爽々
本文デザイン
二ノ宮匡（nixinc）
DTP
SeaGrape
編集
傳 智之

マンガ　たった１日で即戦力になる Excel の教科書

吉田拳 著、眞蔵修平 マンガ

10 年支持され続ける
Excel 定番書のエッセンスをコミック化！

「おまえが毎日夜 10 時まで残業しても終わらないその仕事、
アイツなら２秒で終わらせるぞ」

がんばってるのに仕事が遅くミスして怒られてばかりのゆたかと、
ダルそうに仕事して帰ってるのに評価される先輩ひかり。
２人の差を生み出す「前向きな怠惰」の考え方とは？

シリーズ累計 50 万部突破、10 年支持され続ける
Excel 定番書のエッセンスをコミック化した Excel 超入門書！

四六判／ 112 ページ／定価 1,089 円（本体 990 円＋税 10%）
ISBN 978-4-297-13949-0

お問い合わせについて

本書に関するご質問は、FAXか書面でお願いいたします。電話での直接のお問い合わせにはお答えできません。あらかじめご了承ください。下記のWebサイトでも質問用フォームを用意しておりますので、ご利用ください。ご質問の際には以下を明記してください。

・書籍名　・該当ページ　・返信先（メールアドレス）

ご質問の際に記載いただいた個人情報は質問の返答以外の目的には使用いたしません。お送りいただいたご質問には、できる限り迅速にお答えするよう努力しておりますが、お時間をいただくこともございます。なお、ご質問は本書に記載されている内容に関するもののみとさせていただきます。

問い合わせ先

〒162-0846　東京都新宿区市谷左内町21-13
株式会社技術評論社　書籍編集部
「たった1日で即戦力になるExcelの教科書【改訂第3版】」係
FAX：03-3513-6183
Web：https://gihyo.jp/book/2024/978-4-297-13959-9

たった1日で即戦力になる Excelの教科書【改訂第3版】

2014年 11月 25日 初 版 第1刷発行
2024年 3月 21日 第3版 第1刷発行

著　者　吉田 拳
発行者　片岡 巌
発行所　株式会社技術評論社
東京都新宿区市谷左内町21-13
電話 03-3513-6150 販売促進部
03-3513-6166 書籍編集部
印刷・製本　株式会社加藤文明社

定価はカバーに表示してあります。

造本には細心の注意を払っておりますが、
万一、乱丁（ページの乱れ）や落丁（ページの抜け）がございましたら、
小社販売促進部までお送りください。送料小社負担にてお取り替えいたします。
ISBN978-4-297-13959-9　C0055　Printed in Japan